Sarah-Kate Lynch

MIÓD NA SERCE

Przełożyła Magdalena Moltzan-Małkowska

Prószyński i S-ka

Tytuł oryginału
THE WEDDING BEES

Zdjęcia na okładce
Ebru Sidar/Trevillion Images; Rike_/iStockphoto.com

Projekt okładki
Ewa Wójcik

Opracowanie graficzne okładki
Irina Pozniak

Redaktorzy prowadzący
Katarzyna Rudzka
Anna Czech

Redakcja
Ewa Witan

Korekta
Anna Żółkiewska

Łamanie
Ewa Wójcik

ISBN 978-83-7839-761-8

Warszawa 2014

Wydawca
Prószyński Media Sp. z o.o.
ul. Rzymowskiego 28, 02-697 Warszawa
www.proszynski.pl

Druk i oprawa
OPOLGRAF Spółka Akcyjna
45-085 Opole, ul. Niedziałkowskiego 8-12
www.opolgraf.com.pl

Na chwałę
bezinteresownych aktów życzliwości,
dobrych manier
i
aniołów stróżów

Sugar Wallace nie wierzyła w miłość
od pierwszego wejrzenia,
lecz jej pszczoły owszem, a one nie
odróżniały zieleni od czerwieni.
Rozróżniały jednak czterdzieści
odcieni fioletu.
Innymi słowy, jej pszczoły może
nie wiedziały wszystkiego,
ale w pewnych kwestiach były lepiej
zorientowane niż Sugar.

1.

Przy wtórze miarowego brzęczenia pszczół Sugar opuściła szybę i wyjrzała na budynek mieszkalny przy Flores Street. Miał pięć kondygnacji, a jego pomarańczową, ceglaną fasadę powlekała spora warstwa kurzu. Schody pożarowe przecinały całość jak szrama, a różowy podest u stóp czerwonych drzwi wejściowych stwarzał wrażenie, jakby dom pokazywał język, na przykład wiązce pstrokatych balonów przywiązanych do obrośniętej bluszczem balustrady.

– Ma charakter – powiedziała do swego przyjaciela Jaya, który niecierpliwie zabębnił palcami w kierownicę. – Poza tym nigdy nie mieszkałam obok pierogarni. A jeśli kupię sobie akordeon i mi się zepsuje, będę wiedziała, gdzie go naprawić.

Poklepała styropianowe pudełko, które trzymała na kolanach, wraz z bezcenną zawartością w postaci królowej oraz śpiącej gwardii robotnic. Na przekór bliskości przeludnionej części Manhattanu Flores Street okazała się zdumiewająco sielska: była to brukowana kocimi łbami zazieleniona ślepa uliczka w Alphabet City na południe od parku Tompkins Square. Pszczoły będą w siódmym niebie: z dala od strzelistych drapaczy chmur, a ogrodów, parków, drzew i skrzynek balkonowych ile dusza zapragnie. Wszędzie przestrzeń i słońce, które tańczyło wokół, igrając wśród młodych gałązek lip.

Kiedy Jay zauważył wolne miejsce, Sugar głęboko nabrała powietrza: był cudowny, wiosenny dzień, w górze rozciągało się błękitne niebo, a rześki chłód poranka zwiastował rychłą zmianę na lepsze. Nie była pierwszą osobą, która zjawiła się w tej dzielnicy z nadzieją na przyszłość. Przed stu laty na tutejszym bruku bawiły się dzieci przybyszów zza oceanu, którzy krzątali się zaaferowani, zaczynając życie od nowa w obcym kraju.

– Jak na fotografii z innej epoki. Brudni ulicznicy, stragany pełne różnych towarów. Wyobrażasz sobie, jak tu kiedyś wyglądało?

– I śmierdziało, jeśli wziąć pod uwagę stan dawnej kanalizacji.

Sugar przełknęła jego zgryźliwość. Jeszcze nie doszedł do siebie po przeprawie ruchliwą Franklin Roosevelt Drive, a teraz na dodatek nie mógł zaparkować. Pod pachami miał rozległe plamy od potu, co mu się nigdy nie zdarzało.

– Na szczęście dziś jest inaczej – rzuciła pojednawczo. – Myślisz, że łatwo się nauczyć grać na akordeonie? Wiesz, że słoń mi na ucho nadepnął.

– Wie o tym całe Wschodnie Wybrzeże. Co ty sobie myślisz, Sugar?

– Myślę, że się tu nie wpasujesz.

– Nawet nie będę próbował – burknął Jay. – Dawno znalazłem swoje miejsce na ziemi i chciałbym, żebyś zrobiła to samo, zamiast skakać z kwiatka na kwiatek, pozostawiając za sobą zastępy pomyleńców, którzy nie mogą bez ciebie żyć. Widzę to rok w rok w czasie twojej kolejnej przeprowadzki i zaczynam mieć dość.

– Spokojnie, Jay. To nie żadni pomyleńcy, tylko moi przyjaciele. Poza tym mówiłam o miejscu parkingowym. Zrób drugą rundkę, może coś się zwolniło.

I tak chciała jeszcze raz rzucić okiem na indyjski bazar i sklep z kiszonkami.

– Cały sklep tylko z kiszonkami, kto by pomyślał. Nie wszędzie można spotkać coś takiego.

– Podobnie jak nie wszędzie można spotkać morderców, gwałcicieli i bezdomnych – odparł Jay.

Przejechał dość niepewnie Flores Street, a następnie z uwagą skręcił w Avenue B, gdzie jakby na dowód jego słów wyskoczył im przed maskę bezdomny.

Jay ostro zahamował, by go ominąć, tamten jednak parł naprzód jak gdyby nigdy nic, omal nie wpadł pod taksówkę i potknął się o krawężnik, zbijając z nóg wysokiego mężczyznę w hawajskiej koszuli, który przypadkiem stał na chodniku, rozmawiając przez telefon.

– O matko! – krzyknęła Sugar, po czym wcisnęła Jayowi pudło z pszczołami i zanim zdążył ją powstrzymać, przebiegła przez ulicę tuż przed nadjeżdżającą śmieciarką.

Lekko skołowany mężczyzna w hawajskiej koszuli podniósł komórkę i wrócił do przerwanej rozmowy.

– Nic panu nie jest? – spytała Sugar, ale w odpowiedzi wskazał tylko na bezdomnego, który wciąż leżał jak długi. – Słyszy mnie pan? – Sugar zdjęła z rękawa starszego mężczyzny papierek po hamburgerze. – Jest pan cały? Boli coś pana? Matko święta, ależ pan wywinął!

Bezdomny odwrócił się niezdarnie i ze spokojem utkwił w niej bystre spojrzenie ciemnych oczu.

– Nie, proszę pani, nie boli – odparł dziarskim głosem. – Przynajmniej nie w sensie, o który pani chodzi.

– Uff – odpowiedziała Sugar.

Mężczyzna w hawajskiej koszuli zakończył rozmowę i wstał.

– Przepraszam – powiedział ze śpiewnym akcentem, który zabrzmiał w uszach Sugar niczym szmer górskiego strumyka spływającego po rozgrzanych kamieniach w słoneczny dzień.

Dreszcz ją przeszedł.

Brązowe włosy opadały mu kosmykami na przystojną twarz o ładnym nosie. Wściekle pstrokata koszula gryzła się z meksykańskim malowidłem na ścianie za jego plecami, za to jego niebieskie oczy idealnie współgrały z obrazem.

– Pomóc państwu? – zapytał.

Skądś znała ten akcent, ale język stanął jej kołkiem.

– Mógłbym podnieść tego pana – nie dawał za wygraną.

Irlandczyk, stwierdziła w przypływie olśnienia, choć nie miała pojęcia, co ją to obchodzi.

– Tak – odzyskała mowę. – Podnieść. No właśnie. Dobra myśl. Przecież nie będzie tak siedział.

– Tylko tego brakowało – poparł ją starszy mężczyzna. – Z ust mi to pani wyjęła.

Sugar i mężczyzna w hawajskiej koszuli wzięli go pod ręce i postawili pionowo.

Lecz gdy się odsuwali, musnęli się wierzchem dłoni – ot, w przelocie, ledwo, ledwo, ale Sugar poczuła, jakby piorun w nią uderzył.

Odskoczyła i przez ułamek sekundy mierzyli się wzrokiem, po czym jego telefon znów zadzwonił, a ona zwróciła się do bezdomnego, który wreszcie stanął pewnie na nogach.

– Nie wiem, jak pani dziękować – oznajmił. – Bóg jeden wie, że nie lubię wysokości, ale czasem zdarza mi się sięgnąć bruku i to była jedna z tych chwil. George Wainwright. Miło mi poznać.

– Sugar Wallace. – Sugar uścisnęła jego dłoń, zwracając uwagę na czyste, schludnie przycięte paznokcie. – Mnie również. Na pewno nic panu nie jest?

– Nic a nic, panno Sugar. Wstyd mi tylko, że się wygłupiłem i przewróciłem tego Bogu ducha winnego młodzieńca.

– Przeżyje – skwitowała. – Komórka też nie doznała uszczerbku.

– Komórka! Co się porobiło z tym światem. – George potrząsnął głową. – Nie umiem się w nim odnaleźć.

– Nie pan jeden – zapewniła go Sugar. Otrzepała mu płaszcz, który z bliska okazał się mniej sfatygowany, niż w pierwszej chwili uznała. Miał pagony i guziki, które wyglądały na świeżo wypolerowane. – Wciąż nie mogę dojść do ładu z mikrofalówką.

George obrzucił ją uważnym spojrzeniem.

– Proszę się nie gniewać, że to powiem, ale tacy ludzie to rzadkość. Pani nietutejsza?

– Właśnie przyjechałam.

– Do jasnej cholery, Sugar. – Jay wyrósł jak spod ziemi, plamy pod pachami sięgały mu teraz połowy drogi do pasa. – Najeździłem się jak głupi i musiałem zaparkować osiemset metrów stąd. I wlazłem w psią kupę, a niech to jasny szlag!

– Wyrażaj się, młody człowieku – upomniał go George. – Panna Sugar okazała tylko nieco staroświeckiej dobroci bliźniemu swemu.

– Widzisz, Jay? – wtrąciła Sugar. – Nie tylko ja nie lubię łaciny.

– Wara od skrzynki! – warknął pod adresem George'a Jay,

przekładając pudło z pszczołami pod drugą pachę. – Nie ma tu nic, co by cię interesowało. Ale może zaboleć.

– Uspokoisz się, Jay? – ofuknęła go Sugar. – Wszystko ci się pomieszało. To jest George i pudełko go nie interesuje, bez względu na zawartość. Zresztą możesz mi je dać, sama poniosę.

Sięgnęła po nie, w chwili gdy właściciel hawajskiej koszuli zakończył drugą rozmowę.

– A ten to kto? – najeżył się Jay.

– Miękkie lądowanie tego oto miłego pana – odpowiedział mężczyzna z uśmiechem, który ujawnił dołek w lewym policzku oraz lekko nachodzące na siebie przednie zęby.

Uśmiech skierowany był do Sugar.

– Nazywam się Theo Fitzgerald – dodał jego właściciel.

Nagle pszczoły zabrzęczały jakby w innym rytmie, a ich skrzydełka zawibrowały w zdwojonym tempie, lecz zaraz wszystko wróciło do normy, jakby tylko jej się zdawało.

– Ja jestem Sugar Wallace, a to mój przyjaciel Jay – odpowiedziała. – Poczciwa dusza, czy mu się to podoba, czy nie. Przyjechał z Wirginii na Rhode Island, żeby mi pomóc w przeprowadzce na...

– Przestań rozpowiadać ludziom, gdzie mieszkasz – wtrącił Jay. – Oni cię tu zjedzą, wspomnisz moje słowa.

– Rzeczywiście, chyba mu to nie w smak – zawyrokował George.

– Nie jestem amiszem, Jay – oznajmiła Sugar. – I oglądałam „Seks w wielkim mieście" prawie tyle samo razy co ty. Odpuść sobie.

– Ciekawe, że o tym wspomniałaś, bo ja też nie jestem – powiedział Theo. – Amiszem, znaczy. Tylko Szkotem, a to coś zupełnie innego. Jak niebo i ziemia.

Tym razem pszczoły na pewno zabrzęczały inaczej, do wtóru jej przyspieszonego tętna. To przez te jego meksykańsko niebieskie oczy: jakby przewiercały ją na wskroś, jakby wiedział, co jej chodzi po głowie, chociaż ona sama nie miała co do tego pewności.

– Chodź – Jay ponaglił Sugar i wziął ją pod rękę. – Mamy robotę. Nie będziemy tu gaworzyć cały dzień.

Poczuła, jak pod spojrzeniem Theo rumieniec pokrywa jej szyję i rozkwita na policzkach.

– Grunt, że nic się panu nie stało – powiedziała do George'a. – Jay ma rację, na nas już czas.

– Nie stało – uspokoił ją George. – Ja też muszę lecieć. Ale miło mieć cię po sąsiedzku, Sugar. Do zobaczenia, mam nadzieję.

Odwrócił się i odszedł szybkim krokiem, utykając lekko na lewą nogę.

– Ledwo przyjechała, a już zlatują się szumowiny – utyskiwał Jay.

– Szumowiną też nie jestem – uznał za stosowne zaznaczyć Theo.

– Uhm, dziękuję, miłego dnia. – Jay pociągnął Sugar za rękę.

– Miło było cię poznać, Theo – rzuciła przez ramię. – On naprawdę życzy ci miłego dnia.

Theo patrzył, jak odchodzi ulicą i kieruje się w stronę parku. Była wysoka i smukła, związane w koński ogon lśniące, ciemne włosy kołysały się na boki, sukienka falowała.

Nagle przyszedł mu do głowy arbuz. W Szkocji był on nieczęstym zjawiskiem, ale jeszcze zanim Theo go spróbował, kojarzył mu się z latem (w Szkocji równie rzadko spotykanym).

Znał już jego smak, był to jeden z jego przysmaków. Teraz prawie poczuł go na języku, tę lodowatą eksplozję słodkiej nicości.

Musi go zjeść, i to szybko.

Dźwięk telefonu przywrócił go do rzeczywistości, jednak niewątpliwie coś uległo zmianie.

– Pora wracać do domu, Jay – oświadczyła Sugar, kiedy szli do samochodu. – Nie wypada tak traktować ludzi, zapomniałeś? Poza tym George to wcale nie szumowina. Bardzo ładnie się zachował... niektórzy uznaliby, że lepiej niż ty... a do tego pachniał old spice'em. Czy szumowiny pachną old spice'em?

– Nikt nie powinien pachnieć old spice'em. Ach, no popatrz. Wdepnąłem w tę samą kupę.

Po drodze na Flores Street wyrzucał jej, że nie mogła zostać w Weetamoo Woods.

– Albo wrócić do jakiejś dziury w rodzaju Mendocino czy tamtej uroczej wiochy w Kolorado. A najlepiej pojechać do Wirginii i zamieszkać bliżej mnie. Nowy Jork jest za duży. Przeludniony. I brudny. W życiu nie włożysz tutaj nic białego. Mam nadzieję, że możesz z tym żyć.

– Skarbie, ja z zasady stronię od bieli.

– Kur... czę. Przepraszam, Sugar. Po prostu się o ciebie martwię. Rok w rok gdzieś cię nosi i zaczynasz od zera.

– Mam swoje pszczoły, Jay. Nie zaczynam od zera. Większość ludzi ma mniej szczęścia. O, patrz, jest miejsce pod domem, czołg by się zmieścił. Dasz radę.

W rankingu Sugar przeprowadzka w nowe miejsce plasowała się wyżej aniżeli powrót w stare kąty.

– Nowy Jork – powiedziała do pszczół. – Nowy Jork!

2.

Ruby Portman skubała skrawek ryżowego wafla, obserwując przez okno, jak facet w białej półciężarówce parkuje niezdarnie pod domem. Wcześniej widziała, jak traci głowę, daje za wygraną i odjeżdża, ale teraz wrócił, a pasażerka na siedzeniu obok niego jeszcze raz spojrzała z uśmiechem w górę.

Wygląda jak pielęgniarka, pomyślała Ruby. Albo zakonnica, taka z filmu, nie prawdziwa i nie komediowa, z rodzaju tych, które ratują dzieci w melodramatach. Miała coś takiego w twarzy, świeżej, otwartej i pogodnej. I te związane w ogon włosy.

Ruby patrzyła, jak kobieta wysiada z samochodu. Miała na sobie różową sukienkę i czerwone, sznurowane półbuty, a we włosach czerwoną wstążkę. Zakonnice pewnie nie noszą wstążek i czerwonych butów i nie pokazują światu długich, gołych nóg, pomyślała.

Odsunęła się od okna i spojrzała na swoje nogi. Miała na sobie drogie dżinsy i sweter od matki, a obie te rzeczy kiepsko na niej leżały. Nawet baleriny wyglądały dziwnie na stopach.

Ruby przygryzła wargę i upięła delikatne, jasne włosy spinką na czubku głowy. W sumie całe jej ciało było śmiechu warte. Szkoda słów.

Odłożyła skrawek wafla na talerz obok pozostałych, z którymi utworzył niemal jedną całość. Straciła na niego ochotę. Rozpraszał ją. Poza tym, jeśli teraz go nie zje, będzie mogła zrobić to potem. Albo jeszcze później.

Przysunęła krzesło bliżej do okna i usadowiła się za bordową, aksamitną zasłoną ze złotymi frędzlami. Nie znosiła tych zasłon. Nie znosiła całego kosztownego wyposażenia mieszkania umeblowanego przez matkę: ozdobnej sofy z fotelami do kompletu, biurka, stołu z sześcioma krzesłami. Sześcioma krzesłami! W życiu nikt nie siedział nawet na jednym.

Obrazy na ścianach też nie były w jej guście. Ruby wolałaby gołe ściany. Gdyby to od niej zależało, przemalowałaby wszystkie na biało zamiast tych odcieni burgunda i zieleni, jak w bibliotece.

Mieszkanie matki w Upper East Side wyglądało identycznie, więc Ruby nie miała pojęcia, dlaczego postanowiła je tu odtworzyć. Na pewno nie po to, żeby córka poczuła się jak w domu. Pragnęła jej się pozbyć z Upper East Side tak samo, jak Ruby nie chciała tam zostać.

Ruby sama znalazła to mieszkanie jakiś rok temu, kiedy zobaczyła ogłoszenie na tablicy miejscowego bazarku. Wyszła z domu przy East 82nd Street po kłótni z matką i ani się obejrzała, jak zapędziła się do parku na Tompkins Square.

Zaraz skierowała się pod wskazany adres i pół godziny później stuknięta Lola z góry pokazała jej mieszkanie.

Potem Ruby jeszcze raz pokonała pieszo drogę do domu i ubłagała matkę, żeby pozwoliła jej się tu wprowadzić. Oczywiście sama nie mogła opłacić czynszu, gdyż nigdzie nie przepracowała dłużej niż dzień lub dwa, wiedziała jednak, że matka ma jej dosyć. Jakże by nie? Ruby sama miała siebie dosyć. Trudno nazwać to niezależnością, gdy ktoś płacił za nią rachunki, przynajmniej jednak obie nie wchodziły sobie w drogę.

Naturalnie matka była wstrząśnięta, że Ruby chce mieszkać w Alphabet City. Kiedy sama była w wieku córki, w okolicy roiło się od narkomanów, alfonsów, złodziei i morderców. W końcu dała się jednak przekonać, bo czynsz był śmieszny, a samo mieszkanie ładne i przestronne. A do tego wolne od zaraz.

Trochę potrwało, zanim Ruby przywykła do samotności, ale teraz już prawie czuła się na siłach, aby rozejrzeć się za pracą i stanąć na własnych nogach. Prawie.

Przed domem kierowca i pasażerka auta rozładowywali samochód. Kobicta trzymała jakieś pudełko, a mężczyzna niósł stertę kolorowych drewnianych skrzynek. Nie wyglądał na faceta, który przywykł do dźwigania czegokolwiek. Miał dżinsy w kant, jakby je zaprasował.

Oboje skierowali się w stronę drzwi i Ruby ponownie cofnęła się od okna, chowając dłonie w rękawach. Zmarzła, choć za oknem świeciło słońce. Bez przerwy było jej zimno.

Wiedziała, że jedno z mieszkanek na poddaszu od jakiegoś czasu stoi puste, więc nie powinna się dziwić, że ktoś się wprowadza. Towarzyszyło jej jednak irracjonalne poczucie, że powinna z góry o tym wiedzieć, a poniekąd mieć w tym udział. Oczywiście matka płaciła czynsz, więc Ruby nigdy nawet nie widziała właściciela. Nie miała udziału kompletnie w niczym.

Mimo to nie była pewna, czy życzy sobie sąsiedztwa zakonnicy i faceta, który prasuje dżinsy. Ledwo co zdążyła przywyknąć do korpulentnego rudzielca z drugiego mieszkania na poddaszu, a wprowadził się ponad pół roku temu. Nie, żeby ze sobą rozmawiali czy coś, ale widywała go od czasu do czasu, i choć drażnił ją mniej niż na początku, jeszcze nie doszła z tym do ładu.

Przysunęła się z powrotem do okna w chwili, gdy nadjechał chudy chłopak na deskorolce i otarł się o kobietę w różowej sukience, aż ją zakręciło wokół własnej osi. W odpowiedzi tylko ze śmiechem przycisnęła do siebie pudło. Ruby ujrzała z bliska, jaka ta kobieta jest ładna, jakie ma delikatne rysy i piękne oczy. Wygląda miło, pomyślała ku swemu zdziwieniu. Rzadko myślała o kimś w ten sposób.

Nieznajoma znów wybuchnęła śmiechem i zaczęła się rozpływać nad balonami stukniętej Loli, jakby nie pasowały tu jak pięść do nosa, nie wspominając o osobie właścicielki.

Cóż, niebawem się przekona, ile z nimi kłopotu, pomyślała Ruby.

Zastanawiała się, czy niezdarny tragarz nie jest przypadkiem chłopakiem tamtej kobiety. Niezbyt do siebie pasowali, chociaż wyglądali na rówieśników, byli starsi od niej, lecz młodsi od mamy. Może po trzydziestce. Oby nie chowali dzieciaka w tej półciężarówce. Stuknięta Lola obrzydziła dzieci całej dzielnicy tym swoim bachorem, który wiecznie darł jadaczkę. Jeszcze jeden taki, a ona, Ruby, będzie musiała kogoś zastrzelić. Albo sama palnie sobie w łeb.

Sięgnęła po talerz z resztkami wafli, owinęła go potrójną warstwą folii spożywczej, a następnie odstawiła na najwyższą półkę w kuchni, stając przy tym na palcach i odpychając go jak najdalej od siebie. Później go zdejmie. Najpierw musi porobić brzuszki. I może poćwiczy z hantlami, bo wczoraj ćwiczyła tylko raz. A potem chyba pójdzie do sklepu na East Houston po komosę, ponieważ czytała w Internecie, że jest bardzo zdrowa.

Albo nie, pójdzie do sklepu w Chelsea, w zależności od tego, ile będzie ćwiczyć.

Może kierowca i ta wesoła kobieta poznali się nad bukietem kwiatów. Może umarł jej pierwszy mąż, a kierowca dostarczył wieniec na pogrzeb i się zakochał. A może to ona prowadziła kwiaciarnię, on zaś był dostawcą i po latach milczenia w końcu wyznał jej miłość nad wazonem, i tak się tu znaleźli.

Czemu nie? Bywały głupsze okoliczności.

3.

Sugar przystanęła przy kutej balustradzie obok zejścia do sutereny, gdzie pstrokate balony kołysały się smętnie na wiosennym wietrzyku. Jeden miał kształt kuli ziemskiej z poważnie wgniecioną półkulą północną, drugi przedstawiał superbohatera, z którego uszło powietrze, a pozostałe stanowiły barwną konwencjonalną zbieraninę o spranych barwach i w różnych stadiach sflaczenia.

Znajomy bluszcz z tarasu spływał po schodach niczym boa z piór i okalał zakurzone okno, na którym widniał szyld z napisem „Balony Loli".

Sugar dojrzała przez brudną szybę kawałek nadmuchiwanej zebry, połowę żyrafy i pysk małpy. Na dużej tabliczce, zawieszonej krzywo na masywnych czarnych drzwiach, napisano odręcznie „Zamknięte".

– No popatrz – powiedziała. – Sklep.

– Bardzo zachęcający – stwierdził Jay i poprawił naręcze pustych uli.

– Masz rację – przyznała Sugar. – Sklep z balonami powinien być zawsze otwarty, tak jak w ogrodzie powinny kwitnąć kwiaty, a w ulu brzęczeć pszczoły. Słowo „zamknięte" nie pasuje do czegoś tak kolorowego i pięknego jak balony.

– W tym przypadku to za dużo powiedziane. – Jay oparł się o balustradę. – Te balony są wyblakłe i godne pożałowania. Moim zdaniem ta cała Lola powinna zweryfikować swoją strategię marketingową, chyba że wyskakuje z balonami z tortów na wieczorach kawalerskich.

– Pojęcia nie mam, skąd ci to przyszło do głowy – odparła Sugar. – Czy tak w ogóle wyglądają dzisiejsze wieczory kawalerskie?

– Nie te, na których bywam – przyznał Jay. – Możemy wreszcie wejść do środka?

Podeszli do sfatygowanych drzwi wejściowych, które okazały się ciężkie, zacinały się w zawiasach i prowadziły do ciasnej sieni ze skrzynkami na listy, skąd przeszli na klatkę schodową. Była ciemna i pamiętała lepsze czasy, ale zadeptana czerwono-zielona podłoga lśniła czystością i pachniało tu zdecydowanie lepiej aniżeli w wielu domach, w których Sugar miała okazję zamieszkać w ciągu ostatnich lat.

Wzrok obojga padł na szare, posępne drzwi, zamykane na pięć zamków i Jay natychmiast przewrócił oczami.

– Tylko mi nie mów, że to tu.

– Jasne, że nie, najdroższy! Przecież nie będę trzymać pszczół na parterze!

Zerknął niepewnie na wąskie schody.

– A na pierwszym?

– Też nie. Ani na drugim, ani na trzecim. Przyznaję, że to wysoko, ale gdy już tam dotrzemy, dziewczęta będą zachwycone. – Przycisnęła do siebie pudełko. – I zrobią taki miód, że zachce ci się płakać na samą myśl.

– Czy chcesz przez to powiedzieć, że tu nie ma windy?

– Chcę przez to powiedzieć, że dziewięciu na dziesięciu specjalistów powie ci, że chodzenie po schodach to najlepszy sposób na utrzymanie formy.

Jay prowadził kwiaciarnię w Middleburgu w stanie Wirginia i dbał o formę w klimatyzowanej siłowni pod okiem osobistej trenerki o nienagannej sylwetce i sadystycznych ciągotach. To, że przyjechał tu półciężarówką swojego pracownika i targał po schodach ciężary, dowodziło tylko jego dozgonnego przywiązania do przyjaciółki.

– Idź pierwsza, rozejrzyj się i przygotuj sole trzeźwiące – poprosił. – Ja będę rozładowywał.

– Nie cieszysz się, że wynajęłam firmę przewozową, która jutro przywiezie resztę klamotów?

– Cieszę się, że powierzyłaś mi swoje skarby, kochanie, ale chociaż raz przy okazji naszego spotkania nie chciałbym się nabawić przepukliny.

Na czwartym piętrze Sugar otworzyła drzwi swojego nowego domu i weszła do środka.

Był to piętnasty próg, który przekraczała w ciągu ostatnich piętnastu lat, i jak zwykle towarzyszył temu dreszczyk emocji, mimo że czasami wiało od nieszczelnego okna bądź też czuła na karku oddech jurnego gospodarza.

Dwa ostatnie punkty nie dotyczyły mieszkania 5b przy Flores Street 33.

Było to pięćdziesiąt sześć metrów kwadratowych z łóżkiem pod ścianą. Zmieściłoby się tu niewiele ponadto.

Jednakże Sugar dała się skusić czymś, co wydawało się wręcz nieprawdopodobne, zwłaszcza w Nowym Jorku, i przez kolejny rok miało stanowić jej własność: tarasem na całą szerokość mieszkania.

Ze swego miejsca w pokoiku mogła sięgnąć wzrokiem ponad okolicznymi dachami, na północ w stronę wierzchołków drzew parku Tompkins Square, na południe ku wyższym wieżom Lower East Side oraz na wschód ku pejzażom Alphabet City i jeszcze dalej.

Nie otaczały jej budynki w stylu Empire State i Chryslera, które górowały nad innymi drapaczami chmur w programach telewizyjnych i czołówkach filmów. Śródmiejski horyzont był tu naszpikowany wieżami ciśnień, usiany antenami satelitarnymi i poprzecinany bliznami schodów pożarowych, a spłachetki zieleni pobłyskiwały gdzieniegdzie na dachach jak rozsypane szmaragdy.

Sekret zawieszony w powietrzu, a ona dostąpiła wtajemniczenia.

Innymi słowy, nic dodać, nic ująć.

Żadne pomieszczenie nie przypadło jej tak do gustu, od czasu gdy starsi bracia urządzili jej pokój, kiedy miała jedenaście lat. Podczas pobytu Sugar u dziadka przemalowali jej pokój na pudrowy błękit i choć nie lubiła tego koloru (o czym wspomniała matce, która najwyraźniej zachowała ten fakt dla siebie), była zachwycona, bo zrobili to tylko dla niej.

Lecz nie zamierzała teraz o tym myśleć.

Na szczęście w nowojorskim mieszkaniu nie było ani śladu pudrowego błękitu, chociaż nie brakowało tam kolorów. Ściana za łóżkiem miała odcień prawie przypalonej marmolady, a kafelki w przytulnej kuchni na prawo były turkusowe.

Jedynym miejscem do siedzenia była sfatygowana, acz wciąż nadająca się do użytku kanapa w kolorze spłowiałego bakłażana, podparta z jednej strony stolikiem z wykafelkowanym blatem.

A za przeszklonymi drzwiami na taras rozciągało się miasto, wielkie, srebrzyste miasto z fragmentami wiosennego nieba oraz dachami zwróconymi ku górze jak słoneczniki na stłoczonych łodygach.

Sugar delikatnie odstawiła pszczoły na kuchenny blat i oparła obie ręce na skrzynce, wyczuwając pod palcami szum przyszłej kolonii.

– To będzie dobry rok – zapowiedziała. – Zobaczycie.

– Znowu z nimi rozmawiasz? – Za jej plecami pojawił się Jay z kartonami pełnymi miodu. – Jeszcze trochę, a sama zmienisz się w pszczołę.

– Nie miałabym nic przeciwko temu – odparła. – Można trafić gorzej.

– Tak, na przykład być bezdomnym menelem albo kudłatą sąsiadką, która właśnie minęła mnie na schodach z rozwrzeszczanym dzieciakiem. Albo zwykłą pszczołą, która nikogo nie obchodzi i którą zeżre ptak lub ktoś rozdepcze, zamiast potraktować jak członka rodziny.

Fakt. Sugar traktowała pszczoły jak członków rodziny, ale przecież były dla niej jak rodzina.

Nie licząc manier, akcentu, który tak usilnie próbowała zatuszować, porcelanowej filiżanki w niebieskie kwiatki i podniszczonego kartonika z olejkami eterycznymi, stanowiły jedyną rzecz, którą zachowała z przeszłości. Zapewniała im dom i opiekę, one zaś dawały jej coś w zamian. Utrzymywała się z ich miodu, nie tylko tego w słoikach, ale miodu w postaci maści, kremów i eliksirów, które sprzedawała na targowiskach tam, gdzie w danej chwili mieszkała.

Jednym słowem, był to związek oparty na obopólnej korzyści.

– Wszystkich traktuję jak członków rodziny – odpowiedziała. – Meneli, wariatów i najserdeczniejszych przyjaciół też.

Stała jak Holly Golightly, w staromodnej sukience, na tle miasta rozciągającego się za jej plecami.

– Nie patrz tak – powiedziała do Jaya z uśmiechem, który nie zmienił się od czasu, gdy zaprzyjaźnili się w szkole. – Mówiłeś, że Weetamoo Woods to dno, pamiętasz? Umiem się o siebie zatroszczyć. Mam wprawę.

– Wiem, Sugar, i właśnie to mnie martwi. Czy ty naprawdę nie masz dosyć? Nie wolałabyś zapuścić korzeni?

– Ależ zapuszczam, Jay, gdziekolwiek jestem. Po prostu przesadzam się na wiosnę i już.

– Pszczoły zgłupieją od tych ciągłych wojaży. Czy nie lepiej poszukać drugiej połówki? – nalegał Jay. – Założyć rodzinę? No wiesz, własną, a nie sąsiadowi, fryzjerce, czy kogo tam akurat wyciągasz z opresji. Nie chcę mówić, że zegar tyka, ale...

– Ja nie wyciągam ludzi z opresji, Jay, skąd ten pomysł. Jedynie pomagam przyjaciołom, którzy tego potrzebują, i karmię ich miodem.

– Jesteś odwykiem, terapią i lekiem na całe zło w jednej osobie. Mówisz, jakbym tego nie widział na własne oczy.

– Bzdury pleciesz. Robię to, co zrobiłby na moim miejscu każdy sąsiad, i ruszam w dalszą drogę.

– Otóż to. Zawsze jesteś w drodze. A może pora wreszcie gdzieś dotrzeć? Pamiętam czasy, zanim poznałem Paula i kupiliśmy dom, psy oraz puszyste szlafroki; niebo i ziemia, mówię ci. Życzyłbym ci tego samego.

Może jej uśmiech się nie zmienił, ale oczy nie jaśniały już tak jak dawniej, a teraz przygasły jeszcze bardziej.

– Wiesz, jak się cieszę z twojego szczęścia – odpowiedziała. – I z tego, że jesteś przy mnie, choćby tylko raz w roku, a może właśnie dlatego, bo gdybym chciała wysłuchiwać krytyki na temat swojego życia, zostałabym w domu z...

– Matką? Przesadziłaś, Cherie-Lynn Wallace!

– Za to ty wcale, Jasonie Llewellynie Winthrop Trzeci!

Chwilę mierzyli się wzrokiem, po czym wybuchnęli śmiechem i padli sobie w objęcia.

– Zdajesz sobie sprawę, że bywają cele większe od tej klitki – zaznaczył.

Sugar złapała go za rękę i otworzyła drzwi na taras.

– Ale spójrz na to!

Przesunął wzrokiem po sąsiednich dachach, a następnie utkwił oczy w nagiej rzeźbie ustawionej pośrodku pustej przestrzeni na jednym z nich.

– Kto stawia na dachu grubą golaskę? – spytał, wskazując ją palcem.

– Zawsze zauważysz jedyną skazę w krajobrazie. Patrz, widać stąd most Williamsburg, a tam Brooklyn.

– Owszem, widok niczego sobie, zwłaszcza jak na taką aglomerację – przyznał.

– Jak w innym świecie, czyż nie? Jakbyśmy dryfowali w powietrzu.

Nie dla niej szpetne rzeźby na dachach ani brud i smród ulicy, pomyślał. Sugar postrzegała świat inaczej. Wiedział, że nieraz pomagało jej to przetrwać, ale martwił się o przyszłość.

– Ale czy ty jesteś szczęśliwa? – spytał. – Tak naprawdę? Tylko to chciałbym wiedzieć.

Mając miasto u stóp, Sugar czuła w kościach szum metropolii. Myślała o królowej, która obudzi się ze snu, otrząśnie i zadomowi w tym wymarzonym zakątku.

– No jasne – odrzekła. – Przecież jestem w Nowym Jorku! Postawmy ule, a potem dostaniesz mrożoną herbatę i kromkę chleba z miodem i będziesz mógł wracać do domu.

Dla większości pszczół życie było krótkie, miłe i stosunkowo nieskomplikowane. Żadnej kontemplacji tajemniczych meandrów losu, dylematów życiowych bądź zadumy nad finałem. A ów finał zwykle następował w kałuży, na przedniej szybie samochodu lub też bez skrzydeł w ostrzejszym podmuchu wiatru po sześciu tygodniach intensywnego życia, którego lwia część upływała na poszukiwaniu nektaru.

Lecz w przypadku królowej rzecz się miała zupełnie inaczej, a do tego królowa roju Sugar, Elżbieta Szósta, odstawała od pozostałych.

Po całotygodniowej diecie złożonej z najwyborniejszego mleczka zrozumiała, że w jej życiu chodzi o coś więcej aniżeli ładowanie królewskiego tyłka do miliona pustych komórek i produkowanie zastępów podwładnych.

Otóż przyświecał jej szczególny cel: ten, który otrzymała w spadku wraz z DNA Elżbiety Piątej, a jeszcze wcześniej Czwartej. Gwoli ścisłości, miały go wszystkie królowe Sugar, począwszy od wyhodowanej przez jej dziadka przed piętnastu laty u stóp drzewek brzoskwiniowych w Summerville w Karolinie Południowej.

Na czym polegał ów cel? Żadna z poprzednich królowych Sugar nie miała co do tego absolutnej pewności, wszystkie zakładały jednak, że w razie czego będą wiedziały, co robić.

I gdy Sugar spotkała Theo na Avenue B, Elżbieta Szósta poczuła coś tak elektryzującego w powietrzu, iż nie miała wątpliwości, że owa chwila właśnie nadeszła.

4.

Theo nie mógł przestać myśleć o Sugar.

Wciskała się do jego umysłu, pytała, czy dobrze się czuje, i patrzyła na niego tymi wielkimi brązowymi oczami.

Rzecz potoczyła się błyskawicznie: zderzenie z bezdomnym staruszkiem, nieomal przerwane ważne połączenie i niezwykła kobieta biegnąca na pomoc.

– Sugar. – Raz powiedział to głośno na spotkaniu i sekretarka podała mu słodzik.

Która współczesna kobieta ma na imię Sugar[*]? Która współczesna kobieta pomogłaby biednie ubranemu staruszkowi na ulicy? Narzekała na łacinę (i w ogóle użyła tego określenia!)? I pojawiła się nagle w jego życiu dokładnie w chwili, gdy zaczynało mu brakować kogoś takiego jak ona?

Do tego jeszcze ów prąd, który go przeszedł, kiedy się dotknęli. Theo w życiu nie poczuł czegoś podobnego.

Patrzyła na niego tymi ciemnymi oczyskami w niezwykłej twarzy i nagle jakby cały świat przestał istnieć, a on zapomniał, jak się nazywa.

* *Sugar* (ang.) – cukier (wszystkie przypisy tłumaczki).

Theodore Lewis Fitzgerald z Barlanark w Glasgow w Szkocji.

Sugar.

Prześladowała go cały ranek, kiedy usiłował sobie przypomnieć jej nazwisko, by je wrzucić w wyszukiwarkę. Dokładnie pamiętał za to kształt jej podbródka i zagłębienie tuż nad górną wargą – tu nie było cienia wątpliwości.

– Sugar, Sugar, Sugar – usłyszała jego sekretarka Marlena, wchodząc do biura z plikiem dokumentów.

– A tobie co znowu? Starasz się nie przeklinać czy masz cukrzycę? Podpisz.

Cisnęło mu się określenie „eteryczny", dopóki nie sprawdził, że oznacza ono „delikatny", co niezupełnie mu pasowało.

Była szczupła, ale nie wiotka. Miała różową sukienkę. Czerwone buty. I wstążkę we włosach. Wstążkę? Czy to możliwe? Jego siostrzenica dawno wyrosła ze wstążek, a miała dopiero dziesięć lat. Sugar na oko liczyła sobie trzydzieści parę, mimo to nosiła wstążkę, która zresztą bardzo do niej pasowała. Czerwoną. Czerwoną? A może różową?

Nadal miał przed oczami jej śliczne obojczyki, przecudne zagłębienie między nimi i wyraźnie zarysowaną krągłość piersi pod sukienką. Nie mógł się uwolnić od tej wizji.

– Dziwny jesteś dzisiaj, Theo – oznajmiła Marlena po powrocie z popołudniowej wyprawy po ciastko. – Dobrze się czujesz?

– W życiu nie czułem się lepiej – odparł.

– No właśnie. Cały jesteś w skowronkach. Nieprzytomny. I w skowronkach. Wygrałeś w totka?

– A siedziałbym tu, gdybym wygrał?

– Znając ciebie, owszem – uznała.

– To nieprawda, co opowiadają o skąpstwie Szkotów – odrzekł.

– Poza tym ja zawsze jestem w skowronkach. A mówiłem ci, że ładnie dziś wyglądasz?

– Chcesz ciastko, to sobie przynieś – burknęła podejrzliwie. – Dziesięć minut stałam w kolejce. Skąpstwo Szkotów to fakt potwierdzony naukowo, a ty nie zawsze jesteś w skowronkach.

Marlena przypominała Theo jego matkę, Shonę, która przed dziesięciu laty zmarła za oceanem, zanim syn dowiedział się o jej chorobie.

Tęsknił za nią dzień w dzień i dzień w dzień żałował, że nie może do niej zadzwonić i wysłuchać rad udzielanych gardłowym głosem z charakterystyczną chrypką wskutek wypalania dwu paczek papierosów dziennie. Kochała go bezwarunkowo, ale była twarda jak wszystkie matki z Barlanark, a do tego zawsze waliła prosto z mostu. Tak jak Marlena. Dlatego ją zatrudnił, zdziwił się jednak, gdy podała w wątpliwość jego radosne usposobienie.

– Ani trochę w skowronkach?

– Nie – ucięła. – Na ogół. Aż do dziś. Coś się stało?

– Właściwie to tak – przyznał się jej. – Stało. Poznałem kogoś.

Marlena zamarła z ciastkiem w połowie drogi do ust.

– No, najwyższa pora – stwierdziła. – Myślisz, że to ta jedyna?

Matka Theo również wierzyła w „tę jedyną". „Będziesz wiedział, kiedy ją spotkasz", powtarzała. „Bez dwóch zdań".

– Jest naprawdę niezwykła – powiedział Theo. – Ale skąd mam wiedzieć, że to ona?

– Po prostu. – Wzruszyła ramionami. – Jak ma na imię?

– Sugar.

– Bomba. Musicie się pobrać.

Nigdy nie był pewien, kiedy Marlena mówi poważnie, co też łączyło ją z jego matką.

– Nawet nie wiem, czy się jeszcze spotkamy – odrzekł. – Poznałem ją na ulicy i nie zapamiętałem nazwiska, żeby móc ją sprawdzić na Facebooku czy LinkedIn, a nie przyszło mi do głowy poprosić o numer.

– Zawsze mówisz, że masz głowę na karku, Theo. Coś wymyślisz. Na jakiej ulicy?

– Avenue B.

– Zawsze coś, prawda? – odparła Marlena. – To dwa kroki stąd.

5.

Sugar obudziła się po pierwszej nocy w nowym mieszkaniu, wyjrzała na poszarpane szczyty Manhattanu, które majaczyły za muślinową firanką na drzwiach balkonowych, i zadała sobie pytanie, dlaczego jej się przyśnił Theo Fitzgerald.

Fakt, zdumiała ją reakcja własnego ciała na jego dotyk, ale pospiesznie zamiotła ją pod dywan przeszłości, gdzie od dawna składowała romantyczne porywy wszelkiego rodzaju.

A już na pewno nie spodziewała się wrócić do niego myślami, zwłaszcza w sposób, który przyprawiał ją o dreszcz.

Sugar nie zależało na chłopaku, bez względu na to, co myśleli Jay i inni. Nie wszystkie romanse przebiegały jak w bajce, świetnie zdawała sobie z tego sprawę. Dawno uznała, że przystojny książę nie zawsze oznacza szczęśliwe zakończenie, a ona naprawdę była szczęśliwa – już dobrze o to zadbała.

Może i nie miała tego wszystkiego, co na początku – na przykład rodziny – uznała jednak, że nie będzie się z tego powodu zamartwiać. Jej zegar biologiczny wcale nie tykał, mimo że miała trzydzieści sześć lat. A jeżeli tykał, to ona go nie słyszała.

Zresztą miała swoje pszczoły, które wcale nie były głupie. Jay nie wiedział, że coroczny cel podróży nie wynikał z jej zachcianek: wyboru dokonywała królowa pszczół.

U schyłku każdej zimy, gdy w drzewa wstępowało nowe życie, a kwiaty i rośliny zaczynały myśleć o zakwitaniu, Sugar wywabiała zaspaną Elżbietę z ula. Kładła ją ostrożnie na starej mapie swojego dziadka i pozwalała, by królowa po niej chodziła, a gdzie się zatrzymała, tam przenosiła się jej opiekunka.

No, może niezupełnie tak to wyglądało. Sugar nie pozwalała Elżbiecie chodzić po całej mapie, tylko stawiała barykady, na ogół ze słomek, aby nie wpuścić jej tam, gdzie już była i dokąd wrócić nie chciała, bądź na środek oceanu.

Za pierwszym razem, po tym, jak przed laty uciekła z Karoliny Południowej, celowo ustawiła słomki tak, aby pokierować Elżbietę jak najdalej od Południa i Atlantyku.

Pojechały wtedy do Zatoki Half Moon w Kalifornii, kawał drogi od domu. Rok później przeniosły się w głąb lądu do Doliny Napa, a następnie z powrotem na wybrzeże do Mendocino (jednego z jej ulubionych przystanków).

Nowa królowa, Elżbieta Druga, zabrała ją do Trucksee opodal jeziora Tahoe, potem zaś do Jacksonville, a jej następczyni, Trzecia, kolejna zacna, choć nieco skołowana dusza chciała jechać do Puget Sound w północnym Idaho i do Santa Fe, Czwarta zaś wybrała Kolorado i Pensylwanię, a swarliwa, acz geograficznie zachowawcza Piąta zabrnęła do Vermontu, Maine, New Hampshire i wreszcie Rhode Island, by następnie udać się do pszczelego nieba: pięć lat to niebywały wynik jak na królową ula.

Sugar po cichu liczyła, że Szósta znów wyśle je do Kalifornii, gdzie panował wyjątkowo sprzyjający klimat. Ale jeśli istniał dowód, że królowe mają swój rozum i nie dadzą sobą rzucać jak kostką, z całą pewnością był nim fakt, że w tym roku wylądowały na przeludnionej wysepce o nazwie Manhattan.

No i proszę.

Sugar wstała, rozsunęła firanki i wyszła na taras. Pszczoły nadal stacjonowały w skrzynce, ale przed ulem, ustawionym parę metrów od zewnętrznej ściany sąsiedniego mieszkania, które sprawiało wrażenie tylko o włos większego od garderoby. W przeciwieństwie do 5b, 5a nie miało bezpośredniego wyjścia na taras, a jedynie dwa skierowane nań okna, zastawione imponującymi skrzynkami. W jednej pyszniły się pietruszka, szałwia, szczypior i kolendra, w drugiej zaś mięta, melisa, trybula i miniaturowe papryczki.

Pod względem zadaszenia i nasłonecznienia idealnym miejscem dla pszczół była przestrzeń między oboma mieszkaniami, jednak byłoby niegrzecznie ustawić tam ul bez pytania. Tymczasem lokator spod 5a nocą okopcował skrzynki, lecz teraz jeszcze nie rozsunął zasłon. Jedno z okien było wszakże uchylone i ze środka wypływał słodki, maślany aromat.

Sugar nie mogła się doczekać, aż pozna jego sprawcę, przy czym wiedziała z doświadczenia, że w bezpośrednim sąsiedztwie pszczół ludzie bywają nerwowi. A ktoś, kto nocą oporządza skrzynki, a zasłania okna za dnia, najprawdopodobniej jest bardziej nerwowy niż ktokolwiek inny.

Trzeba to starannie rozegrać.

Tymczasem ul, pomalowany w tęczowe pasy przez sześcioletnie bliźnięta dawnej sąsiadki, tkwił pośrodku tarasu w asyście dwu gardenii stojących na podobieństwo wonnej gwardii.

Sugar wszędzie je ze sobą taszczyła: pełniły funkcję wieży kontrolnej, która bezbłędnie naprowadzała pszczoły do domu w nowym otoczeniu.

Woziła też ze sobą pojnik dla ptaków w jaskrawoniebieskim odcieniu, tak aby jej podopieczne zawsze wiedziały, gdzie mają wodę do picia.

Ul i pszczele akcesoria z pewnością urozmaiciły nieco kolorystykę tarasu, na którym – nie licząc majestatycznego tła Manhattanu – znajdował się tylko wysłużony stół i ławka do kompletu oraz dwa rozkładane leżaki.

– Ależ mamy tutaj pole do działania – powiedziała Sugar i przykucnęła na wprost garstki pszczół brzęczących wokół skrzynki. – Jeden park tuż za rogiem, park East River trzy przecznice dalej, a do tego park Washington Square na zachodzie i Union Square. Elżbieto, dasz wiarę? Union Square!

Zawsze rozmawiała z pszczołami, lecz po przeprowadzce było to szczególnie ważne, by utwierdzić je w przekonaniu, że powietrze może pachnie inaczej, ale Sugar, gardenie i pojnik są na swoim miejscu.

Zdjęła nadstawkę z ula, pozostawiając korpus z zawieszonymi pustymi ramkami.

Właśnie tu Elżbieta Szósta założy nowe królestwo.

– Wybaczcie, dziewczęta. Wiem, że tego nie lubicie. – Z tymi słowami zdjęła miniaturowe ramy i strząsnęła pełzające po nich pszczoły do bardziej przestronnej dennicy. – Ela, do dzieła. Powiedz im, że mają działać tak jak zawsze. Po prostu jesteśmy nieco dalej od ziemi.

Nałożyła z powrotem nadstawkę i przykryła całość daszkiem. Następnie zerwała liść gardenii i położyła go przed wlotem do ula, przez co pszczoły dalej mogły wchodzić i wychodzić, ale kosztowało je to nieco więcej wysiłku i dawało czas, żeby się pozbierały.

– Theo Fitzgerald – powiedziała, wciąż nie mogąc się otrząsnąć po wizycie nieproszonego gościa w jej śnie. – Coś podobnego! – Otrząsanie się przeszło w kolejny dreszcz, o jaki zwykle przyprawiał ją smak niemożliwie kremowych lodów śmietankowych.

6.

Następnego dnia sąsiad spod 5a wciąż nie dawał znaku życia, mimo że nocą nastąpiły pewne przetasowania w skrzynkach, a mianowicie zerwano miętę i w jej miejsce posadzono bazylię. Ponownie okno było uchylone, a ze środka napływała niebiańska woń ciasta.

– Ach, jak ładnie pachnie – oznajmiła Sugar nieco głośniej, niż należało.

Od tych zapachów zrobiła się głodna. Pszczoły chyba też: wyjadły cały syrop cukrowy, który dała im poprzedniego dnia na rozruch.

A teraz skończył jej się cukier.

Parę przecznic dalej znajdował się duży, wypasiony supermarket, a nieopodal był także mniejszy sklep spożywczy, ale Sugar zdobywała przyjaciół, nie chodząc do wypasionych supermarketów ani pobliskich sklepów spożywczych. I była z nimi w ciągłym kontakcie.

Może i zamieszkała w Nowym Jorku, lecz to jeszcze nie powód, aby nie postąpić tak, jak postąpiłaby w Pittston lub Trucksee, a mianowicie zapukać do drzwi z prośbą o pożyczenie szklanki tego lub owego.

Za sprawą oszałamiających zapachów wiedziała, że jej najbliższy sąsiad musi mieć cukier. Z szurania za drzwiami wywnioskowała, że ktoś jest w domu, jednak nikt nie otworzył, kiedy zapukała.

Nerwowy, pomyślała znowu. Bez dwóch zdań.

Za to jaskrawozielone drzwi mieszkania numer cztery stanęły otworem i ukazał się w nich krępy człowieczek około siedemdziesiątki z szokującą kępą przefarbowanych na pomarańczowo włosów.

– I tak nic od ciebie nie kupię – oznajmił na powitanie. – Spadaj, szkoda zachodu.

– Mnie też miło pana poznać. Niczego nie sprzedaję – odparła niezrażona. – Nazywam się Sugar Wallace i właśnie wprowadziłam się piętro wyżej. Nie chciałabym się narzucać, ale czy nie pożyczyłby mi pan szklanki cukru?

Krępy człowieczek obrzucił ją podejrzliwym spojrzeniem.

– Ta małpa cię nasłała, co?

– Nie, proszę pana, nikt mnie nie nasłał. Chcę tylko pożyczyć trochę cukru.

– Sugar prosi o cukier? Masz mnie za durnia? A idźcie obie do diabła! – Cofnął się za próg i tak trzasnął drzwiami, aż zatrzęsły się w futrynie.

Gdyby był jej jedynym sąsiadem, Sugar może dałaby za wygraną, ale zostały jeszcze dwie kondygnacje i parter, toteż zeszła piętro niżej. Pomalowane w zielone, czerwone i białe pasy spłowiałe drzwi mieszkania numer trzy otworzyły się, nim zdążyła w nie zastukać, i na progu stanęła postać równie poirytowana jak sąsiad z góry.

– McNally ci dokucza? Ten stary pryk? – Kobieta wyglądała

na starszą od mężczyzny, podobnie jak jej kwiecista podomka, ale subtelne kolczyki z rubinami przywoływały echo dawnej świetności. – Jak będzie ci dokuczał – dodała – to go zabiję.

– Nikt nikomu nie dokucza – zapewniła ją Sugar. – Chciałabym tylko pożyczyć szklankę cukru.

– McNally nie dał ci cukru? – spytała staruszka.

– Może nie miał. – Sugar pokręciła głową. – Jestem tu nowa, właśnie się wprowadziłam na poddasze i zabrakło mi... ojej, przepraszam, nie dosłyszałam pani nazwiska.

– Bo się nie przedstawiłam – ucięła staruszka. – Jestem pani Keschl. Mówisz, że McNally nie dał ci cukru? Dałabym ci, gdybym miała, ale nie mam, więc nie dam. – Ponownie wzruszyła ramionami i zatrzasnęła drzwi, ciszej aniżeli sąsiad z góry, lecz też z werwą.

Sugar zeszła piętro niżej.

Drzwi do mieszkania numer dwa były przepiękne: pomalowane na jaskrawe kolory, z polinezyjską tancerką pośrodku i widoczkami po bokach.

Otworzyła je ładna kobieta o zmęczonych oczach i z długimi niebieskimi dredami. Trzymała na biodrze płaczącego malca.

– Czego chcesz?

– Ależ masz cudną spódnicę – westchnęła Sugar. Spódnica była jaskrawo pomarańczowa i zabójczo krótka.

Jej właścicielka nie spodziewała się komplementu.

– Hę?

– Twoja spódnica bardzo mi się podoba. Masz fantastyczne nogi. – Istotnie nogi w kabaretkach były długie i zgrabne, a stopy ginęły w znoszonych motocyklowych butach. Sugar nie odważyłaby się na taki styl, umiała go jednak docenić u innych.

– Uhm, aha, skoro tak twierdzisz.

– Cześć, maleńki – powiedziała Sugar do chłopca, który wpakował do buzi kciuk i zamiast szlochać, dostał czkawki. – Jak masz na imię?

– Ethan – odpowiedziała za niego mama. – A ja jestem Lola, tak? Czego chcesz?

– Miło was poznać. Czy jesteś tą Lolą od balonów?

– Nic mi nie mów o tych zasranych balonach! – Lola nachmurzyła się jeszcze bardziej, co nie dodało jej urody.

– Ach, przepraszam, podziwiałam tylko twój sklep i...

– Ludzie nie mają go podziwiać i o tym gadać, tylko niech kupują zasrane balony.

Sugar nagle zrozumiała, jak może się czuć balon, z którego uszło powietrze. Ale wiedziała też, że gdyby balon miał wybór, wolałby mieć tlenu pod dostatkiem.

– Ależ ja chętnie kupiłabym parę! – oznajmiła. – Powiedz mi tylko, o której otwierasz. A tymczasem przyszłam zapytać, czy nie miałabyś pożyczyć szklanki cukru.

Lola spojrzała na nią jak na wariatkę.

– A co ty za jedna, Rockefeller?

– Wallace – uściśliła Sugar. – Tam, skąd pochodzę, rozdajemy cukier na prawo i lewo, ale coś mi się widzi, że tu panują inne zwyczaje.

– W dwudziestym pierwszym wieku? Owszem – odparła Lola. Ethan wyjął z buzi kciuk i znowu się rozpłakał. – Słuchaj, mam tylko syrop z agawy, dla niego. Cukru brak. Nie mam czasu, muszę lecieć. – I przed nosem Sugar trzasnęły kolejne drzwi.

Nie dała za wygraną i zeszła na parter, gdzie cierpliwie zapukała do ostatnich, szarych z pięcioma zamkami. Długo to trwało, lecz w końcu się doczekała.

W progu stanęła najchudsza dziewczyna, jaką Sugar kiedykolwiek widziała. Miała na sobie dżinsy, które wisiały na jej dziecinnych biodrach, i dwa swetry, nad którymi sterczały tak wydatne obojczyki, że chyba tylko cudem nie przebiły skóry. Miała jasne włosy spięte w koczek na czubku głowy i piękne jasnozielone oczy okolone ciemną firanką rzęs.

– Na co się gapisz? – spytała.

– Na ciebie – odpowiedziała Sugar.

– To się nie gap – burknęła dziewczyna, ale nie zamknęła drzwi.

– Wybacz. – Sugar wyciągnęła rękę. – Nazywam się Sugar Wallace.

– Sugar? Co za głupie imię – odparła dziewczyna. Chwilę spoglądała na wyciągniętą dłoń, po czym przewróciła oczami i zemdlona miękko osunęła się na podłogę.

7.

Pan McNally pokuśtykał do ulubionego fotela i w niego zapadł. Biodro go dobijało, lecz ku swemu niezadowoleniu kurczowo trzymał się życia. Rozsiadł się na poduszkach i sięgnął po pilota od telewizora.

Ostatnimi czasy nic innego nie robił, choć nie było nic przyzwoitego do oglądania oprócz kanałów ze starymi filmami. Stwierdził, że oglądał wszystkie z tuzin razy i z czasem wcale nie stawały się coraz lepsze, zawsze jednak lepsze to niż dzisiejsze szmiry.

Telewizor był jedynym nowym sprzętem w mieszkaniu, które utknęło w latach osiemdziesiątych. Był ogromny, z płaskim ekranem, jego duma i radość – w każdym razie na pewno to pierwsze.

Radość? Nie pamiętał, jakie to uczucie. Zapomniał, jak to jest, gdy się czuje cokolwiek prócz gniewu, który ogarniał go na myśl o popełnionych błędach oraz własnej bezsilności w kwestii naprawienia choćby jednego z nich. Wszystkie sześćdziesiąt siedem lat jego życia było kompletną stratą czasu, nie licząc paru tych bliżej początku, gdy odnalazł szczęście, a potem je zaprzepaścił. Aż się w nim gotowało na myśl, że sam do tego doprowadził. Gniew sprawiał, że pan McNally nie był w stanie zebrać myśli – rozsypały mu się przed laty i tak już zostało. Stał się starym zrzędą, jakich się bał w dzieciństwie.

Jasne, że miał cukier. Mnóstwo, w wyblakłym pojemniku w pustej kuchni. Ostatnio niewiele jadał, ale herbatę wciąż lubił tak mocną, że można było w niej postawić łyżkę, i dosypywał pół kilo cukru, dziękuję bardzo.

Ładna ta nowa lokatorka; sam nie wiedział, dlaczego tak zareagował i czemu się wściekł. To sprawka tej wiedźmy z dołu. Na pewno.

Piętro niżej pani Keschl poczłapała z powrotem do kuchni, gdzie wcześniej coś robiła, tylko nie pamiętała co. Na blacie leżała cebula i listek laurowy, a przy nich kawałek masła i motek włóczki.

Od dwudziestu czterech lat nie zrobiła nic na drutach i nie trzymała kota, więc nie miała pomysłu, na co jej włóczka. Ciemna kuchnia wpędzała ją w zły nastrój, co nie było trudne. Ten stary zgred McNally! Nie użyczył biedaczce cukru, chociaż ma go tyle, że mógłby się w nim wytarzać.

Przeszła do salonu, w swoje ulubione miejsce przed komodą zastawioną odziedziczoną po matce porcelaną, przywiezioną z Węgier przed laty, której nikt nigdy nie używał ani nie podziwiał, mimo to stała na honorowym miejscu. Pani Keschl miała spuchnięte kostki, plecy ją bolały i poczytałaby dobrą książkę, lecz nie miała żadnej, a okulary stłukła jeszcze w czasie rządów Clintona i dotąd nie zadała sobie trudu, żeby je naprawić.

– Starość nie radość. – Usiadła. – I po co to wszystko? – Ostatnio zadawała sobie wiele pytań i nie zawsze pamiętała odpowiedzi.

Jej humory były coraz gorsze, doskonale o tym wiedziała. Nigdy nie należała do szczególnie sympatycznych osób, ale wynikało to ze smutku, który sączył się w niej jak deszcz w wyschniętym korycie górskiego strumyka.

Wciąż miała w sobie dobroć, może niewidoczną dla innych na pierwszy rzut oka. Wiedziała to z całą pewnością i tego się trzymała. Potem usłyszała z dołu płacz dziecka i zadała sobie pytanie, jak długo jeszcze wytrzyma.

Tymczasem Lola przyklejała papierowe motyle do różowego abażuru. Abażur kręcił się i wydzwaniał melodyjkę, kiedy go włączała. Była to jedna z niewielu rzeczy, dzięki którym Ethan przestawał płakać. Synek był jej największym skarbem, lecz jego płacz wyczerpywał ją tak, że jej życie sprowadzało się do szukania sposobów, aby uciszyć malca. Nade wszystko chciała być dobrą matką, jednakże było to najtrudniejsze wyzwanie, z jakim przyszło jej się zmierzyć.

Gdy nie przemalowywała ścian, aby tchnąć w ich świat nieco koloru, próbowała zarobić na życie, czasami jednak traciła nadzieję, że kiedykolwiek wyjdzie na prostą.

Wiecznie brakowało pieniędzy, czasu, klientów, wódki i przystojniaków, którzy mieliby choć cień pomysłu, co począć z wrażliwą kobietą – gdyby tylko znalazła opiekunkę na wieczór.

Był na to sposób, ale nie chciała skazić życia swojego wspaniałego synka, tak jak niegdyś skaziła własne.

Popatrzyła na jego smutną, wykrzywioną twarzyczkę i łzy w kącikach oczu, jak kropelki rosy. Wyciągnął do niej ręce, zaciskając i otwierając piąstki, a wtedy porwała go z podłogi i mocno przytuliła.

Nie przestał płakać, lecz po tym, jak do niej przywarł, poznała, że już mu lepiej.

8.

Czując na czole dłoń Sugar, Ruby otworzyła oczy i uniosła wzrok. Nie wiedziała, co się stało.

Sugar wytrzymała spojrzenie dziewczyny i ostrożnie pomogła jej wstać.

Nie była pewna, czy w jej obecności inni odczuwają wzmożoną potrzebę, by ktoś pomógł im się podnieść, czy może po prostu częściej niż inni dostrzegała, że los rzucił kogoś na łopatki. Tak czy inaczej często stawiała ludzi na nogi. I do dziś z nimi korespondowała.

Większość z nich była cięższa niż Ruby, która ważyła tyle co nic.

– Matka dała mi imię Cherie-Lynn – oznajmiła, gdy dziewczyna zachwiała się na pajęczych nogach jak nowo narodzone źrebię. – Ale mam wątpliwości, czy to brzmi mniej głupio.

– Nie brzmi – skwitowała tamta. – Jestem Ruby. – Gwiazdy stanęły jej przed oczami; lubiła to uczucie, oznaczało jednak nieuchronną bliskość szpitala, za szpitalem zaś nie przepadała.

– Wiesz co, napiłabym się wody – powiedziała Sugar. – Nie masz nic przeciwko temu, żebym weszła na chwilę?

Nie czekając na odpowiedź, przestąpiła próg i zamknęła za sobą drzwi, po czym ujęła Ruby za kościsty łokieć i zaprowadziła ją do czerwonego fotela pod oknem.

To mieszkanie było na oko dwa razy większe od jej poddasza i kosztownie umeblowane, ale czuła, że młoda kobieta pokroju Ruby urządziłaby je inaczej. Dominowały ciemne kolory, na ścianach pyszniły się półki z książkami dość pokaźnych gabarytów, co nadawało całości nastrój arystokratycznej biblioteki. Zaciągnięte zasłony blokowały dostęp powietrza i światła, toteż panowała tu duchota, jakby tych wnętrz od dawna nie wietrzono.

– Posiedź sobie, a ja przyniosę wodę.

Ruby odprowadziła ją wzrokiem. Miła ta Sugar, ale Ruby doskonale wiedziała, do czego prowadzi taka życzliwość: do karmienia.

Ruby zjechała do dwóch wafli podzielonych na osiem kawałków oraz trzech cząstek pomarańczy, łodyżki selera naciowego, który jej nie smakował, słoiczka papki dla niemowląt (ze względu na witaminy i minerały) i pół puszki dietetycznej coli dziennie. Czuła się z tym świetnie, przy czym rozważała, czy przypadkiem nie zejść do dwu cząstek pomarańczy zamiast trzech. Naturalnie wobec groźby szpitala może powinna zwiększyć dzienną rację pomarańczy do czterech cząstek i uzupełnić je marchewką, ale na razie czuła się dobrze z trzema i selerem.

– Mam do kogoś zadzwonić? – zawołała Sugar z przepięknie wyposażonej kuchni, która wyglądała na kompletnie nieużywaną. – Jeśli sobie życzysz, mogę zatelefonować lub posiedzę z tobą, póki nie odzyskasz równowagi. – Omiotła spojrzeniem równo ustawione kartoniki z płatkami śniadaniowymi, kolekcję makaronów w różnych kształtach, baterię oliw i zapraw oraz półki uginające się od książek kucharskich. – Równowaga to ważna rzecz – ciągnęła, zaglądając do lodówki, w której zobaczyła nienapoczęte opakowania sera i wędlin, pieczonego kurczaka i pojemnik z babeczkami nietkniętymi przez właścicielkę. – Nikt nas o tym nie informuje, kiedy dorastamy. Plotą jakieś bzdury o ptaszkach, pszczółkach i powołaniu, ale ja ci mówię, że równowaga jest jak oddychanie.

Zaniosła do pokoju dwie szklanki wody i podała jedną Ruby.

– Przekonałam się o tym przed laty i była to bolesna nauczka. Niektórym przychodzi to łatwo, niestety, ja do nich nie należałam.

– Nic mi nie jest – oświadczyła Ruby.

– Posiedzę chwilę, dopiję wodę i zaraz pójdę. Mam dziś dużo do zrobienia. A ty?

Ruby miała zamiar wybrać się do sklepu na Columbus Circle, gdzie przypuszczalnie mieli największy wybór komosy, teraz jednak już nie była pewna. Usiłowała sobie przypomnieć, ile czasu upłynęło ostatnio od gwiazd do szpitala. Obawiała się, że niewiele. Może jednak pójdzie do mniejszego sklepu w Tribeca. Albo w Chelsea.

Nie, w zasadzie doszła do wniosku, że ma jeszcze dużo czasu. Może nawet miesiąc. Było dobrze, póki pielęgniarki nie zadzwoniły po matkę. Urządziła scenę, do której Ruby nie lubiła wracać myślami. Zje tę dodatkową cząstkę pomarańczy i marchewkę. Z odrobiną komosy.

Nie pamiętała, kiedy tak drastycznie zmniejszyła codzienną porcję jedzenia. Przecież się starała, tak dobrze jej szło. W którym momencie zbłądziła?

– Do nikogo nie musisz dzwonić – odparła. – Możesz już iść, jak chcesz. Czuję się świetnie.

– No dobrze. – Sugar nie ruszyła się z miejsca. – Wiesz co, zawsze chciałam mieć na imię jak kamień szlachetny. Właściwie to chciałam mieć na imię Jewel*, ale dostało mi się Sugar. Dziadek mnie tak nazwał, a właściwie nazwał mnie Sugar Honey, co w jego ustach brzmiało nieźle, ale poza tym nie bardzo.

– Już wypiłaś – zauważyła Ruby.

– Fakt – przyznała Sugar. – Ale nadal strasznie chce mi się pić, więc jeśli nie masz nic przeciwko temu, doleję sobie wody. Na moim poddaszu jest straszny upał... czy wspomniałam, że właśnie się wprowadziłam? Człowiek odwadnia się od tego łażenia po schodach. I w ogóle od łażenia. Przy okazji doleję i tobie.

Ruby nie miała siły zaoponować. Poczeka, aż się lepiej poczuje, może zrobi parę przysiadów. Potem pójdzie do Tribeca, może kupi dietetyczną colę i posiedzi z nią w parku Battery, jeśli jest tak ciepło, że ludzie się odwadniają. Jest tam fontanna i można znaleźć miejsce, skąd widać bawiące się dzieci i Statuę Wolności w oddali. Ruby lubiła na nią patrzeć. Nigdzie nie czuła się dalej od Upper East Side.

– O, prowadzisz zeszyt z wycinkami. – Sugar wróciła z wodą i jej wzrok padł na zeszyt w skórzanej oprawie, leżący na stoliku obok fotela Ruby.

Ruby chwyciła zeszyt i speszona przycisnęła go do piersi.

– Nikomu go nie pokazuję.

– Ja też miałam taki zeszyt, kiedy byłam młodsza – zakomunikowała Sugar. – Latami wklejałam do niego różne rzeczy. Chciałam prowadzić pamiętnik, ale wiedziałam, że wpadłby

* *Jewel* (ang.) – klejnot.

w ręce mamy, więc wklejałam tylko różne ciekawostki, zamiast pisać.

– Mój jest inny – odpowiedziała Ruby. – Nie dotyczy mojej osoby.

– A kogo?

– Innych.

– Znajomych czy nieznajomych?

Ruby pomyślała, że od dawna z nikim nie rozmawiała. Czuła się nieswojo, jakby mówiła po holendersku. Nie wiedziała, jakim cudem Sugar znalazła się w jej mieszkaniu i nawiązała rozmowę. Czyżby ona, Ruby, zaprosiła tę kobietę? A może tamta wprosiła się sama? Odpowiedź kryła się za mgłą, lecz Ruby wcale to nie przeszkadzało, wręcz przeciwnie, odczuwała pewną przyjemność, gdyż na ogół miała jedynie do czynienia z ludźmi, którzy na polecenie matki nakłaniali ją do jedzenia, więc straciła na to ochotę. Znaczy się, na kontakt z ludźmi.

Sugar nie wspomniała o jedzeniu. Ani razu.

– Pamiętam, że miałam w zeszycie kartkę urodzinową od mojego najstarszego brata Troya – ciągnęła – w której napisał, że jestem najmilszą szesnastką, jaką widziało nasze miasto. I zasuszoną czerwoną różę od Charliego Harrisona, z którym poszłam na bal maturalny i który okazał się posiadaczem trzydziestu trzech kurzajek na jednej ręce i jedenastu na drugiej. No i ślubne zdjęcie dziadków ze strony mamy... to jej ojciec nazywał mnie Sugar Honey... miałam nawet kawałek koronki z welonu babci.

Ruby zerknęła na swój zeszyt.

– Aha – powiedziała. – To coś trochę jak mój.

Sugar z uśmiechem wskazała na niego ręką.

– Nie bądź taka. Pokaż.

Ku własnemu zdziwieniu Ruby otworzyła zeszyt, wygładziła kościstymi palcami kartki i powoli zaczęła je przewracać.

– O raju – westchnęła Sugar. – Tego się nie spodziewałam.

Wbrew jej oczekiwaniom zeszyt nie zawierał kroniki jałowego życia nowojorskiej małolaty ani zdjęć wychudzonych postaci, które stawiała sobie za wzór, tylko schludnie przyklejone wycinki z „New York Timesa", zawierające fotografie młodych par, z uśmiechem wpatrzonych sobie w oczy lub w obiektyw bądź też wirujących na parkiecie w pierwszym tańcu.

– Śluby – wyjaśniła Ruby. – Co tydzień zamieszczają durne historyjki o ślubach. Co za beznadzieja. Wymyślają bajeczki, jak się w sobie zakochali, i tak dalej. Opowiadają o pierwszym spotkaniu i pierwszych wrażeniach; o tym, jak się wszystko posypało, a potem znów na siebie wpadli i stwierdzili, że nie mogą bez siebie żyć.

– Tak?

– No. I nikt nie mówi: „Spiknęliśmy się w barze, był w porządku, a ja dawno nie miałam faceta". Zawsze dorabiają do tego ideologię.

– Naprawdę?

– Zaczęłam wycinać najdziwniejsze z tych historii i tak powstał mój zeszyt. Najgłupszy zeszyt z wycinankami na świecie.

– Studiujesz? – zapytała Sugar.

– Spójrz na ten – ciągnęła Ruby. – Katy Sheehan i Adam O'Neill poznali się w internetowym fanklubie „Milionerów". Masz pojęcie?

– Ludzie spotykają się dziś w najdziwniejszych okolicznościach – stwierdziła Sugar. – Nawet nie trzeba się ruszać z domu.

Ruby przerzuciła kartkę.

– A Trey Tenforde i Genevieve Ford? Ptak nasrał mu w lody na pierwszej randce i wtedy się w nim zakochała. Ptak mu nasrał! Dasz wiarę? A ci dwaj... spójrz, dwaj faceci... żyli ze sobą dwadzieścia lat, po czym jeden zachorował na raka, więc pojechali do Iowy i wzięli ślub. Było to, zanim zmieniono tutejsze prawo, tak aby pary jednopłciowe mogły się pobierać na miejscu.

– Widzę, że jesteś romantyczką, Ruby.

– Bynajmniej – zjeżyła się dziewczyna. – Po prostu lubię historie z ptasim gównem w tle. – Zatrzasnęła zeszyt. – I dlatego nikomu go nie pokazuję. To nie chodzi o mnie, tylko o tych wszystkich frajerów i ich głupie opowiastki.

– Na pewno lepsze to niż zbieranie artykułów o napadach i morderstwach – przyznała Sugar.

– Albo znaczków – dodała Ruby. – Nie cierpię znaczków.

Policzki jej poróżowiały. Sugar nie wiedziała, czemu to zawdzięczać, oglądaniu szczęścia małżeńskiego czy może rozmowie. Za to nie ulegało wątpliwości, że ta dziewczyna łaknie czegoś więcej niż jedzenia. Była przeraźliwie samotna.

A Sugar wiedziała, jak temu zaradzić.

9.

Theo był w hotelu Gramercy Park na drugiej randce z Anitą, wyrafinowaną, jasnowłosą account menedżerką, z którą umówił go były szwagier.

Właśnie opowiadała o sesji z celebrytką, od której męża, sławnego rockmana, strasznie zalatywało, gdy Theo uznał, że widzi na ulicy Sugar.

– Przepraszam, wybaczysz na chwilę? – przerwał i nie czekając na odpowiedź, zerwał się z krzesła i wypadł, jakby go kto gonił, na zewnątrz w ślad za lśniącym kucykiem. Ale wówczas kucyk skręcił w prawo i Theo zobaczył, że jego właścicielka ma azjatyckie korzenie – i jest w ciąży.

To nie była Sugar.

Westchnął ciężko, a poczucie miażdżącego zawodu legło mu kamieniem na piersi, po czym zawrócił do baru, by przeprosić Anitę. Była bardzo ładna. A do tego bystra i miło się z nią rozmawiało.

– Masz ochotę zajrzeć do tej nowej hiszpańskiej knajpki nieopodal? – zaproponowała, kiedy usiadł. – Właśnie dostała trzecią gwiazdkę.

Normalnie by się zgodził, chociaż z góry wiedział, że to do niczego nie prowadzi (i nie lubił przepłacać za tortille).

Normalnie poszedłby na trzecią randkę, po czym taktownie pozbawił Anitę złudzeń wyznaniem, że nie czuje się gotów na nic poważnego i nie chce udawać, że jest inaczej. Normalnie byłaby to prawda. Lecz nagle poczuł, że jest gotów na coś poważnego. Tyle że nie z Anitą.

A pomny rozpadu swojego małżeństwa i kilkuletniej terapii wiedział, że szczerość jest najważniejsza. Matka też wbijała mu to do głowy, jednak gdzieś po drodze zapomniał. Nigdy więcej.

– Wiem, jak to zabrzmi – powiedział – ale właśnie myślałem, że to ktoś znajomy, i zrozumiałem, że nie ma sensu tego ciągnąć. Chyba daruję sobie tę hiszpańską knajpkę, Anito. Przepraszam.

– Bo tortille są takie małe? – spytała. – Sam wspomniał, że jesteś skąpy.

Zresztą co Sugar robiłaby w Gramercy?, zastanawiał się, płacąc rachunek. Marlena ma rację. Powinien spędzać więcej czasu na Avenue B.

10.

Park Tompkins Square nie odznaczał się finezją swych wytwornych kuzynów pokroju Madison Square czy Washington Square, emanował jednak eklektycznym czarem, który bardzo przypadł Sugar do gustu. Na placu dokoła roiło się od kawiarni, barów i sklepików równie zróżnicowanych jak sami bywalcy parku.

W jednym rogu zbierali się właściciele psów, w drugim mamy z małymi dziećmi, głośni, lecz poza tym nieszkodliwi bezdomni okupowali ławkę przy Avenue A, a u stóp drzewa po stronie południowej koczowała zazwyczaj garstka kryszнowców.

Pewnego pogodnego ranka, niedługo po przeprowadzce na Flores Street, Sugar siedziała w słońcu na ławce, słuchając, jak niewidomy saksofonista przy fontannie pośrodku gra Louisa Armstronga. Na widok tria pszczół kursujących wesoło nieopodal z liścia na kwiatek doszła do wniosku, że świat naprawdę jest niczego sobie.

– Lećcie i zbierajcie. – Gdy bzyknęły jej nad głową, zastanawiała się, czy to jej podopieczne. Bóg jeden wie, jak je kochała, ale wciąż nie potrafiła odróżnić własnych od cudzych.

– Mówi pani do mnie czy do owadów?

Wyrósł przed nią George Wainwright w tym samym stroju, co za pierwszym razem, przy czym wyglądał jak świeżo odebrany z pralni. Guziki lśniły, podobnie jak buty, a do tego George miał na sobie prawie nowe, czarne spodnie. W pionie wcale nie przypominał nieszczęśników dyskutujących ze sobą nawzajem lub z nikim konkretnym na drugim końcu parku.

Innymi słowy, był równie bezdomny jak ona.

– O, witam pana, George. Miło znów pana widzieć.

– Cała przyjemność po mojej stronie, panno Sugar. Mogę się przysiąść?

– Oszczędzi mi pan reputacji wariatki, która siedzi i gada do pszczół.

– Ach, nie sądzę, żeby to kogoś dziwiło – odparł George. – Ten park słynie z pomyleńców.

– Z pewnością ma swój koloryt – przyznała Sugar.

– Zawsze miał. Ponoć dawniej przypadało tu najwięcej ludzi na cztery kilometry kwadratowe na całej kuli ziemskiej. Dla większości był to pierwszy przystanek w Nowym Świecie. Choć na ogół większość wnet miała ochotę zwinąć żagle. – Wzdrygnął się, zmieniając pozycję na ławce.

– Nadal boli pana noga? – spytała Sugar.

George machnął ręką.

– To nic takiego. Człowiek robi się stary i niedołężny, mam osiemdziesiąt dwa lata, więc coś o tym wiem. Ale kto chce słuchać utyskiwań starego piernika? Proszę opowiedzieć mi coś o sobie, panno Sugar. Skąd pani jest?

– Mieszkam niedaleko, przy Flores Street – odpowiedziała. – Czy kojarzy pan dom ze sklepem z balonikami w suterenie?

– Nie, panno Sugar, tam pani mieszka – odparł z urazą w głosie George. – Pytam, skąd pani jest. Skąd pani pochodzi.

Sugar westchnęła; uczyniła to niemal bezwiednie, lecz George zrozumiał więcej, niż mogła się spodziewać.

– Chyba już stamtąd nie jestem – odrzekła, obserwując muchę, która kołowała nad głową George'a, jakby coś miało rozkwitnąć mu w uchu. – Dawno tam nie byłam.

George odprowadził wzrokiem pszczołę na bladożółty krzak róży na klombie naprzeciw.

– Pszczoły lubią żółty kolor – oznajmiła Sugar. – I niebieski. Ale nie lubią czerwonego. Czy to nie dziwne?

– Sam też nie przepadam za czerwienią – przyznał się George. – Chociaż jak się zastanowić, żółtego też nie uważam za szczególnie twarzowy.

– Fakt – potwierdziła Sugar i wymienili uśmiechy. – A pan, George? Skąd pan jest?

– Z miejsca niezbyt oddalonego od twojego, gdzie nie byłem jeszcze dłużej niż ty.

Kiedy tak powiedział i złapała rytm jego słów, zrozumiała, że od początku musiała to wiedzieć, choć na ogół stroniła od ludzi z południowym akcentem, unikając konfrontacji z głębokimi korzeniami własnej przeszłości.

– Bywa pan czasem na niedzielnym targu ekologicznym? – spytała. – Mam nadzieję, że uda mi się znaleźć tam miejsce.

– Czasami. – George kiwnął głową. – Jest mały, bywa jednak na nim świetny piekarz i producent serów z północy stanu. Lody chyba też są. I lawenda. A przynajmniej zawsze pachnie lawendą. Co pani zamierza sprzedawać na targu, panno Sugar?

– Głównie miód, dlatego dyskutowałam z pszczołami. Niech wiedzą, że jestem do nich pokojowo nastawiona.

– Coś mi się zdaje, że należy pani do osób pokojowo nastawionych do wielu rzeczy, jeśli mogę tak to ująć.

Sugar nie miała nic przeciwko temu. Przypominał jej dziadka, więc w zasadzie przełknęłaby od niego wszystko.

Poczuła łzy wzbierające w zakamarkach umysłu. Zwykle nie dopuszczała ich dalej.

– Tęsknisz za nim? – spytała, choć nie miała odwagi zadać sobie tego pytania. – Za miejscem, z którego pochodziłeś?

– Ależ po co ten czas przeszły, panno Sugar? Człowiek pochodzi, skąd pochodzi, i zawsze będzie za tym miejscem tęsknił. Od tego nie ma ucieczki. Ale to jeszcze nie koniec świata. Człowiek oswaja się z tęsknotą i już.

Oczywiście miał rację, tylko że łatwiej powiedzieć, niż wykonać.

– Wróciłeś tam kiedyś?

– Nie.

– A chciałeś?

Tym razem to on westchnął, z większą rezygnacją niż wcześniej Sugar, bo też miał ku temu dawniejsze powody.

– Prawdę powiedziawszy, zrobiłem coś strasznego – odparł. – Przy okazji zraniłem wiele osób, więc nie byłem tam mile widziany. Chęć nie miała tu nic do rzeczy.

– Przykro mi to słyszeć, George.

– Mnie też, bardziej niż ktokolwiek myśli, ale ten fakt nic nie zmienia.

– Hm, to też przykro mi słyszeć.

– A pani, panno Sugar? Wróciła tam?

– Ja też zrobiłam coś strasznego – wyznała. – Zupełnie jak ty.

– O, na pewno nie – zaoponował George.

– Zraniłam wiele osób, tak jak ty, i też nie jestem tam mile widziana.

George odchylił się i spojrzał na nią z powątpiewaniem.

– Nie wygląda pani na osobę, która skrzywdziłaby nawet muchę.

– A ty wyglądasz na faceta, który woził pannę Daisy.

Roześmiał się.

– Miło mi to słyszeć – odpowiedział. – Doceniam te słowa. A co do tamtej sprawy sprzed lat, prawdę mówiąc, dziś postąpiłbym identycznie.

– Nie musisz mi nic mówić – ucięła. – Każdy ma swoje tajemnice.

– To nie tyle tajemnica, ile coś, o czym niezręcznie mówić na głos. Rzecz w tym, że gwizdnąłem bratu żonę sprzed nosa. Choć to było straszne i kosztowało wszystkich więcej udręki, niż możesz sobie wyobrazić, tak naprawdę żyła u boku nieodpowiedniego mężczyzny i nie zaznałaby z nim szczęścia, na które zasługiwała. Wiedziałem, że znajdzie je przy mnie, i Bóg mi świadkiem, że znalazła. Kochałem ją całą duszą i sercem aż do dnia, kiedy umarła. W lipcu miną trzy lata.

– Tak mi przykro, George.

– Dziękuję, panno Sugar.

Chwilę posiedzieli w słońcu, dając myślom nieco wytchnienia i obserwując pszczoły harcujące wśród wiązów.

– A ty gdzie przycumowałeś, George? – spytała Sugar.

– Mieszkam z ciotecznym wnukiem i jego rodziną w Harlemie

– odparł. – To wspaniali ludzie i jestem tam mile widziany, nie chcę jednak wiecznie siedzieć im na karku, więc przychodzę tutaj, gdzie przeżyliśmy z Elizą wiele bardzo szczęśliwych chwil. Większość życia mieszkaliśmy na Avenue C i spędziłem tam jakiś czas po jej śmierci, ale potem straciłem pracę... zastąpiła mnie kamera. W osobliwym świecie żyjemy.

– Co robiłeś?

– Byłem odźwiernym – oświadczył. – Tak jest, proszę pani, swego czasu witałem i żegnałem najświetniejszych obywateli tego miasta. Ale dopadła mnie nowoczesność i dziś lubię tu przesiadywać, wspominając stare dzieje.

– Założę się, że byłeś wspaniałym odźwiernym – stwierdziła Sugar. – Ze świecą szukać takich manier.

– Zawsze czułem, że to wymarzone zajęcie dla mnie. Kiedyś zostałem poproszony o wywiad i młody dziennikarz spytał, czy to nie upokarzające, tak przed ludźmi otwierać i zamykać drzwi, ale nigdy nie patrzyłem na to w ten sposób. Czułem się poniekąd uprzywilejowany, bo ludzie ufali mi i polegali na mnie w wielu sprawach, może i błahych, ale zawsze. Podobało mi się, że mogę rankiem poprawić komuś humor lub wieczorem powitać kogoś po ciężkim dniu. Tam, skąd pochodzę, nie ma w tym nic upokarzającego. To codzienność. I bardzo mi jej brakuje. W zasadzie większość dnia upływa mi na tęsknocie, a na dłuższą metę nie wpływa to dobrze na psychikę.

Potrząsnął głową.

– No proszę, narzekam, jakby świat był mi coś winien. Jest taki piękny dzień, a ja mogę się nim cieszyć. Niektórzy mają mniej szczęścia. A rozkosz twojego towarzystwa to już prawdziwy dar od losu. Pójdę teraz nad rzekę, usiądę i popatrzę sobie na most Williamsburg, zanim wiatr się zerwie.

Wstał, jednak zachwiał się pod własnym ciężarem.

– Ładne mi nic – zauważyła Sugar.

– Boli – przyznał George.

– Mogłabym rzucić okiem?

– Jesteś lekarzem?

– Nie, ale umiem to i owo naprawić.

– A co mi szkodzi. – George usiadł z powrotem na ławce i podciągnął nogawkę, demonstrując otwartą ranę na goleni.

– Czy to po tym, jak potknąłeś się o krawężnik?

– Raczej właśnie dlatego się potknąłem. Mam to od miesięcy. Diabelstwo nie chce się zagoić.

– Byłeś na pogotowiu?

George z godnością uniósł brew.

– Może pani się wydaje, że nie mam nic lepszego do roboty, niż tkwić cały dzień w izbie przyjęć, ale zawsze coś się napatoczy.

Sugar wstała.

– Mam u siebie maść, która szybko temu zaradzi – oznajmiła. – Zechce pan udać się ze mną, panie Wainwright?

Z uśmiechem wyciągnął rękę.

– Ależ panno Sugar Wallace, nietaktem byłoby odmówić.

11.

Lola przywiązała do balustrady kolejny balon – w kształcie dinozaura, dość pokaźnych rozmiarów, ale ze zdziwionym wyrazem paszczy i w nieco bardziej zgaszonym odcieniu, niż wynikało ze zdjęcia, gdy składała zamówienie.

Podniosła wzrok i zobaczyła panią Keschl, przemykającą jak krab chodnikiem po jednej stronie, i gorliwie ignorującego ją pana McNally'ego, który podążał drugą stroną, z łuną pomarańczowych włosów gorejącą w słońcu.

Pomyleniec, który nie rozstawał się z fioletową peleryną z cekinów, przechodził przez jezdnię przy Avenue B. Przejechała też limuzyną aktorka, która remontowała cały budynek na końcu ulicy.

Żadne z nich nie wyglądało na amatora balonów.

Lola pstryknęła dinozaura kolorowymi paznokciami i w tej samej chwili zabrzęczał jej telefon w kieszeni. Kolejna wiadomość od Rollo, kumpla ze starych, kiepskich czasów sprzed Ethana. Niedawno na niego wpadła, wciąż zadawał się z dawnym towarzystwem, więc nie miała ochoty na odświeżenie znajomości.

„Fajnie wyglądałaś", brzmiała wiadomość. „Na pewno nie chcesz zarobic paru $$? Zadz".

Nie chciała dzwonić. Naprawdę. Ale potrzebowała paru $$.

Ponownie rozejrzała się po ulicy. Świeciła pustką. Lola puknęła dinozaura w głowę i zbiegła po schodach do sklepu, po czym zatrzasnęła za sobą drzwi bez odwracania tabliczki z napisem „Zamknięte".

Po chwili nadeszli Sugar i George. Dinozaur nadal miał zdziwioną minę i kołysał się po kuksańcu Loli, sprawiał jednak wrażenie bardziej dziarskiego niż koledzy. Z globusa uszła para, a superbohater posunął się o kolejne dziesięć lat.

– Kupiłabym kilka balonów, żeby ją wspomóc, jednak nie mogę się tam dostać – powiedziała Sugar. – Przynajmniej pomogłabym je porządnie nadmuchać. Tylko że wciąż jest zamknięte.

– Niektórzy nie życzą sobie pomocy – stwierdził George.

– À propos, mamy do pokonania cztery piętra. Nie przeszkadza ci to?

– Noga nie ucierpi, w przeciwieństwie do głowy – odparł wpatrzony w wejście do budynku. – Nie lubię wysokości. Te drzwi to oryginał, wiedziałaś o tym? Dam głowę, że się zacinają i są ciężkie jak diabli, ale są piękne.

George otworzył drugie drzwi i Sugar z namysłem weszła do środka, a on za nią.

Gdy dotarli do celu, z zamkniętymi oczami oparł się o ścianę i Sugar musiała go zaprowadzić na kanapę.

– Tak wysoko i w dodatku w buduarze damy – jęknął. – To nie uchodzi.

– To zarazem kuchnia i salon – uspokoiła go Sugar. – A jak otworzysz oczy i wyjrzysz przez okno, zobaczysz też mój taras na dachu.

George uchylił powiekę i ze zgrozą przekonał się, że mówiła prawdę.

– Pokaż mi tę nogę, a zaraz sprowadzę cię na parter – obiecała Sugar.

Siedział z zamkniętymi oczami, kiedy obmywała mu ranę, lecz otworzył je, gdy nałożyła na nią miód z kroplą olejku z drzewa herbacianego.

– Myślisz, że miód pomoże? – spytał.

– Myślę, że miód jest dobry na wszystko – odpowiedziała. – Większość ludzi woli go tylko jeść, jednak odrobina miodu ma wiele zastosowań. Jest jak czarodziejski eliksir.

– Naprawdę?

– Ma właściwości odkażające – zapewniła go. – Każdy gatunek. Ale w Nowej Zelandii rośnie drzewo o nazwie manuka. Niezbyt ładne, ciemne i koślawe, zakwita małymi białymi kwiatuszkami. W każdym razie pszczoły je uwielbiają i dają potem najbardziej leczniczy miód na całym świecie. Kiedyś go próbowałam, jest bardzo mocny, o drzewnym posmaku, z nutką cytryny. – Pokazała mu etykietę na słoiku z miodem, którym posmarowała nogę. – Ten bursztyn z New Hampshire też jest niczego sobie, jednak to może potrwać około tygodnia. Ani się obejrzysz, jak będziesz otwierał i zamykał drzwi.

– Gdybym je tylko miał.

– No właśnie – podjęła Sugar. – Tak sobie myślałam... Coś mi się zdaje, że jesteś odźwiernym bez drzwi, a to niedobrze. Tymczasem my tu, na Flores Street trzydzieści trzy mamy jedne... dość oporne, jak nie omieszkałeś zauważyć... tylko brakuje nam odźwiernego.

– W rzeczy samej – przytaknął George.

– Zaryzykowałabym wręcz stwierdzenie, że zamykanie i otwieranie tych drzwi wykańcza mnie i pozostałych lokatorów. Trzeba zaznaczyć, że większość z nich ma kiepską kondycję. Dlatego przyszło mi do głowy, czy nie zechciałbyś przez jakiś czas pełnić funkcji honorowego odźwiernego: przyszedłbyś nam wszystkim z pomocą, a ja mogłabym zerknąć na twoją nogę.

– Sądzisz, że pozostali nie mieliby nic przeciwko temu?

– A któż przy zdrowych zmysłach miałby coś przeciwko darmowemu odźwiernemu?

– Od razu wiedziałem, że jesteś aniołem – stwierdził George.

– O, bynajmniej – odparła Sugar. – I niebawem się przekonasz, iż nie jest nim żadna z mieszkających tu osób. Poznałam wszystkie oprócz jednej i nie mam wątpliwości, że gdzieś, w głębi serca, są dobre. Ale na wierzchu...

– Są trochę niewychowane?

– Tak – potwierdziła Sugar. – Są trochę niewychowane. Lecz na pewno da się temu zaradzić. Niech cię tylko wciągnę na maszt, że się tak wyrażę. Przyjdź w poniedziałek; liczę, że wtedy będziesz mógł zacząć pracę.

12.

Marlena kupiła Theo ciastko z kremem, co nigdy wcześniej się nie zdarzyło. Tak się składało, że osobiście bardziej lubił herbatniki, lecz wolał zmierzyć się z warstwą różowego lukru grubości siedmiu centymetrów, niż zranić jej uczucia. Co tam, zjadłby go nawet metr.

Poza tym Szkot nie zagląda darowanemu koniowi w zęby. To nie wchodzi w rachubę.

– Sądząc z pór, w jakich wysyłasz mejle, twoje życie towarzyskie utknęło w martwym punkcie – zauważyła. – Co się dzieje?

– Wydawało mi się, że ją widzę – odpowiedział Theo. – Znaczy, Sugar. Tę, o której ci opowiadałem. To nie była ona, ale rzecz dała mi do myślenia.

– Ach, do myślenia – powtórzyła Marlena. – Jakbyś od czasu swojego rozwodu robił co innego.

– Skoro tak cię to interesuje, wiedz, że prowadzę swoiste dochodzenie.

– Oho, robi się ciekawie.

Pracowali razem od czasu przyjazdu Theo do Nowego Jorku, toteż była świadkiem jego błyskotliwej kariery, katastrofalnego małżeństwa z jasnowłosą bohaterką kronik towarzyskich oraz spektakularnego końca idylli. I niechcący pomogła mu się wygrzebać z depresji.

Theo zdawał sobie sprawę, że jego matka szczerze pogardzałaby człowiekiem, którym był po ślubie z Carolyn. I człowiekiem, którym stał się po tym, jak rzuciła go dla ogrodnika o imieniu Joe. Lecz ilekroć Marlena przynosiła mu aspirynę po ciężkiej nocy, stawała się mimowolnym świadkiem niemiłej rozmowy lub krzepiąco kładła mu dłoń na ramieniu w chwili, gdy potrzebował serdeczności, przypominał sobie, jak bardzo niegdyś chciał być dla swojej matki powodem do dumy.

I za sprawą stoickiego wsparcia Marleny na powrót nim się stał.

Od tamtych czasów bardzo się zmienił. Zmienił stanowisko i fryzurę, inaczej się ubierał. Stał się innym człowiekiem. I szło mu to lepiej niż wówczas, gdy na siłę starał się dopasować do innych, jak w pierwszych latach po przyjeździe do Nowego Jorku.

„Pogódź się z tym, że wyznajesz staroświeckie wartości", powiedział mu psychoterapeuta, kiedy obaj doszli do wniosku, że nie grozi mu już kompulsywne deptanie kwiatów i bicie ludzi o imieniu Joe, co oznaczało koniec terapii. „Po prostu jesteś Szkotem. Ale to może ci przysporzyć kłopotów we współczesnym świecie, dlatego zawsze ufaj swojej intuicji, Theo. Ona cię nie zawiedzie".

Intuicja dziś podpowiadała mu, że wprawdzie nie ma już matki, która służyłaby radą, lecz w uszach nadal dźwięczał mu jej głos. „Poznasz tę jedyną, kiedy ją znajdziesz", mówiła mama. Bez cienia wątpliwości. Problem polegał na tym, że chyba już ją znalazł, ale zgubił, zanim wątpliwości miały szansę położyć się cieniem lub rozwiać. Jego intuicja jednak trochę kulała – nie podpowiedziała mu na przykład w porę, aby poprosić Sugar o numer telefonu. Wciąż jednak dawała mu do zrozumienia, że kto szuka, ten znajdzie.

Od czasu nieudanej randki z Anitą Theo krążył po Alphabet City, rozpytując o Sugar w tybetańskiej galerii, indyjskim sklepie z przyprawami, a nawet w barze na rogu Szóstej Ulicy, gdzie z całą pewnością wzięto go za tajniaka.

Intuicja podpowiedziała mu, żeby stamtąd uciec, zanim oberwie. Podpowiadała mu też, że kawa w „Espresso" na Dziewiątej Ulicy jest lepsza od tej w kawiarni „Life", tylko że stamtąd nie miał widoku na Avenue B.

13.

Jeśli Sugar czuła się gdzieś jak ryba w wodzie, to tylko w grupie ludzi, którzy jeszcze nie zaznali rozkoszy kulturalnego obcowania z bliźnimi.

Gdy uciekła z Południa, pełna wstydu i skruchy z powodu swego niewybaczalnego braku dobrych manier, ogrom chamstwa w świecie, którego dotąd nie znała, prawie zwalił ją z nóg. Na zielonym półwyspie Charleston w Karolinie Południowej, gdzie się urodziła i wychowała, ludzie wciąż mówili „proszę", „dziękuję" i „przepraszam", nawet kiedy ktoś napadał ich z bronią w ręku i pozbawiał zawartości portfela. Lecz im dalej na północ, tym częściej miała do czynienia ze złym wychowaniem.

Do czasu gdy znalazła się z dala od rodziny, przyszłości, domu i przyjaciół, Sugar nie zdawała sobie sprawy, jaką wagę przywiązuje do zwykłej ludzkiej uprzejmości. Ba, w ogóle nie zdawała sobie sprawy, co jest dla niej ważne. W czasie owych pierwszych paru trudnych miesięcy miała jednakże mnóstwo czasu, by z uwagą się sobie przyjrzeć, i zrozumiała, co reprezentuje sama sobą, bez tego, co dotąd ją otaczało. Niewiele tego było. Dlatego liczyło się w dwójnasób.

Miała dobre maniery. I miała pszczoły.

Jedno i drugie odziedziczyła po dziadku, najważniejszej osobie z jej przeszłości i zagorzałym pszczelarzu, który nade wszystko stawiał dobre wychowanie. „Mniejsza z tym, że ludzie nie potrafią się zachować", mawiał. „Grunt, że ty potrafisz. Tak działa dobre wychowanie. Rób innym, co tobie miłe. Dobre maniery to nic innego jak uprzejmość, bez względu na zachowanie drugiej osoby. Dzięki nim świat staje się lepszy, możesz mi wierzyć na słowo, Sugar Honey. Dlatego obiecaj, że nigdy nie puścisz ich w niepamięć".

Obiecała i złamała tę obietnicę, lecz tylko raz. I rok w rok, jeżdżąc z miejsca na miejsce ze swoimi pszczołami i zbierając miód, próbowała lansować dobre wychowanie, jakby w ramach rekompensaty za to jedno odstępstwo.

Uznała, że tego życzyłby sobie dziadek. Poza tym nietrudno o poprawę, kiedy człowiek zaczyna od dna.

Gdziekolwiek się udała – do Kalifornii, Kolorado, Waszyngtonu, Pensylwanii, Vermontu – większość ludzi nie była tak zorientowana w temacie jak ona.

Flores Street także nie stanowiła wyjątku!

– Wierzę, że George może pomóc odmienić świat na lepsze – powiedziała Elżbiecie Szóstej, odprowadziwszy go na dół. – I wiem, co zrobić, żeby wszyscy przyznali mi rację.

Miało to sprawić wspólne spotkanie przy mrożonej herbacie i słodkościach.

Wczesnym rankiem następnego dnia usłyszała, że sąsiad obok szura skrzynkami na parapecie. Narzuciła szlafrok i uchyliła drzwi balkonowe, zza których napłynął smakowity zapach połączonych woni masła, mąki, cukru, jaj i rozgrzanego piekarnika.

Wschodziło słońce, malując niebo cukierkową poświatą, a poranne cienie układały się na okolicznych dachach niczym palce pianisty na klawiaturze fortepianu.

Sugar stała przez chwilę, napawając się widokiem, zapachem ciasta oraz świadomością własnego szczęścia, które pozwoliło jej zaznać jednego i drugiego.

I dostrzegła ruch za firanką sąsiedniego okna.

Wyśliznęła się na taras, przywitała z pszczołami, po czym stanęła na wprost okna.

– Tu Sugar Wallace z pięć b – powiedziała. – Zaprosiłam wszystkich mieszkańców na mrożoną herbatę i chciałabym się upewnić, czy dostali państwo liścik, który wsunęłam pod drzwi.

Postać za firanką znieruchomiała i głośno pociągnęła nosem.

– Oczywiście rozumiem państwa potrzebę samotności, ale jest pewien drobiazg, który wolałabym omówić z państwem osobiście, jeśli będą państwo tak mili.

Postać przysunęła się bliżej i jeszcze raz pociągnęła nosem.

– Chodzi o moje pszczoły. Chciałabym je przedstawić, bo mieszkają bliżej państwa niż ja.

Znowu usłyszała siąknięcie.

– Oto moja królowa, Elżbieta Szósta, i jej poddane. Jeszcze nie ma ich zbyt wiele, gdyż dopiero powiększa swoje szeregi, pragnęłabym jednak przysunąć ul bliżej państwa skrzynek, jeśli mogę.

Nastąpiło kolejne siąknięcie.

– Chusteczkę? Mam ich całą szufladę.

Postać ponownie się przesunęła i zza firanki wychynęła ręka, a w niej koszyk z rogalikami.

– To dla mnie? – spytała Sugar. – Ach, nie trzeba było! – Wzięła koszyk i ujęła dłoń, zanim właściciel zdążył ją cofnąć.

Była pokaźnych rozmiarów i musiała należeć do młodego mężczyzny. Robotnik, pomyślała Sugar. Chyba rudy.

– Miło mi pana poznać, panie...?

– Nate – odparł, jeszcze raz pociągając nosem. – Po prostu Nate.

Cofnął rękę i firanka opadła z powrotem.

– Pszczoły mi nie przeszkadzają – dodał. – Lubię pszczoły.

– A mrożoną herbatę?

– Nie.

– Nie lubisz drugiego śniadania czy nie przyjmujesz zaproszenia?

– Lubię, ale nie.

Nie tyle nerwowy, ile zwyczajnie nieśmiały, zawyrokowała Sugar. Nie szkodzi.

– Nie ruszaj się z domu – dodała. – I tak usłyszysz wszystko zza firanki.

Nie miała pewności, którzy z sąsiadów – jeśli w ogóle – się zjawią, w każdym razie w przeddzień wsunęła wszystkim pod drzwi zaproszenia z obietnicą poczęstunku i drobnych upominków. „Każdy lubi upominki", powiedziała do pszczół.

Jak się okazało, najbardziej lubiła je pani Keschl. Zjawiła się godzinę przed czasem.

– Nie chcę, żeby ten stary pryk McNally skubnął mój przydział – oznajmiła bez ceregieli. Weszła do środka i zlustrowała wzrokiem mieszkanko. – Poza tym lubię się upewnić, że jest czysto. Łóżko porządnie zaścielone. Aż miło spojrzeć.

– Kawy czy herbaty? – spytała Sugar.

– Może być. Lubisz ten pomarańczowy kolor?

– Lubię, choć nie jestem pewna, czy sama bym go wybrała. Powiedziałabym, że co rano sprawia mi przyjemną niespodziankę.

– Oho, jesteś jedną z tych – oświadczyła pani Keschl, świdrując ją paciorkowatym okiem.

– Jakich?

– Tych, co to zawsze mają szklankę w połowie pełną. Miałam do czynienia z takimi jak ty i coś ci powiem: niespodzianka to innymi słowy szok. Myślisz, że nie rozwiązuję krzyżówek? A szok to nic dobrego. Ten gość, co pomagał ci w przeprowadzce, to twój chłopak?

– Nie, nie mam chłopaka.

– A dziewczynę?

– Dziewczyny też nie mam. A pani?

– Co ja?

– Czy ma pani chłopaka? Albo dziewczynę?

– Żartujesz? Za moich czasów dziewczyn jeszcze nie wymyślono, a chłopaki to banda darmozjadów. Tylko patrzeć, jak zamieniają się w nudnych mężów, którzy wysysają z człowieka radość życia. Miałam takiego przez dwadzieścia trzy lata i wystarczy.

– Ach, przykro mi słyszeć, że ma pani tak niemiłe wspomnienia. – Sugar zanotowała w myślach, by nie sadzać przybyłej obok Ruby.

– Od dwudziestu siedmiu lat jesteśmy rozwiedzieni. – Pani Keschl lekceważąco machnęła ręką i wyszła za nią na dach. – Przy każdej okazji życzę mu śmierci lub, no wiesz, ciężkich obrażeń. Pszczoły! – Klasnęła w ręce, a po jej twarzy przemknął cień uśmiechu.

– Lubi pani pszczoły? – spytała Sugar.

– Moja babcia je hodowała, jeszcze na Węgrzech. Mówiła o nich jak o swoich dzieciach.

– Przywiozła je ze sobą?

– Nie mieszkała w takich luksusach! Ale klitkę miała większą, fakt. No, w dzisiejszych czasach nikt nie trzyma pszczół w mieście. Kiedyś jednak zabrałam ją do ogrodu botanicznego w Brooklynie... byłaś tam? Myślisz, że spojrzała na tulipany, róże czy kwitnące rododendrony? Gdzie tam! Interesowały ją tylko pszczoły. Była przeszczęśliwa, a Bóg jeden wie, że jej szklanka prawie zawsze była w połowie pusta.

Rozdzierający wrzask zaanonsował przybycie Loli z Ethanem.

– Ożesz – mruknęła pani Keschl. – Musiałaś zaprosić tę niewydarzoną baloniarkę?

– Zaprosiłam wszystkich mieszkańców – odrzekła Sugar.

– W takim razie rezygnuję z kawy – burknęła pani Keschl. – Wolę przysnąć na krześle.

Lola wyglądała na zmęczoną i miała podejrzliwą minę, ale odetchnęła, kiedy Sugar wzięła od niej Ethana i zaprowadziła ją na taras, do pani Keschl, która siedziała przy stoliku zastawionym chlebem na miodzie, rogalikami Nate'a, świeżymi owocami, śmietanką oraz dzbankami mrożonej herbaty.

Sugar wróciła z malcem do środka i pospiesznie zajrzała mu do gardła i uszu. Przyszło jej do głowy, czy przypadkiem nie ma zajętych zatok z powodu alergii, po czym dała mu plaster miodu z lodówki.

– Ludzie, chyba się zamknął – zauważyła pani Keschl, nie całkiem zgryźliwie.

Lola otworzyła usta, żeby coś odburknąć, ale tylko sięgnęła po rogalika. Mimo słonecznego ranka włożyła puszystą kamizelkę w jarzeniowym odcieniu i uczesała się w kitki. Na przekór swemu usposobieniu sprawiała wrażenie pogodnej kobiety.

– Dałam mu plaster miodu. – Sugar przyprowadziła Ethana z powrotem do stołu. – Jeśli nie masz nic przeciwko temu. Trochę się klei, ale jest pyszny i z mojej pasieki. Samo dobro.

Ethan wyjął plaster z buzi i uśmiechnął się szeroko.

Lolę zatkało.

– A daj mu, co chcesz.

– Całkiem ładny chłopczyk, kiedy nie ryczy – stwierdziła pani Keschl.

Ciche pukanie do drzwi obwieściło nadejście Ruby, kiedy jednak Sugar poszła otworzyć, pan McNally o mało nie zbił ich obu z nóg i bez przywitania pognał prosto na taras.

– Wiedziałem! – rzucił triumfalnie pod adresem pani Keschl, po czym jeszcze na stojąco porwał rogalika i zatopił w nim zęby, rozsiewając wokół okruszki. – Zawsze pierwsza do koryta.

– A ty siedzisz w domu z łapą w kieszeni – odgryzła się pani Keschl.

– Fuj – wtrąciła Lola.

– A ty co za jedna? – wsiadł na nią pan McNally.

– Lola z pierwszego piętra.

– A to Ruby z parteru – uzupełniła Sugar. – Przepraszam, myślałam, że już się znacie.

– Znam jego i to mi wystarczy – fuknęła pani Keschl.

– A ja ją, niestety.

– No dobrze – zakomenderowała Sugar w obawie, że zaraz skoczą sobie do oczu. – Zanim zdradzę wam powód, dla którego się tu zebraliśmy, chciałabym zaznaczyć, że te oto pyszne rogaliki są dziełem Nate'a z pięć a, który nie mógł się zjawić.

– Tego wielkiego z rudymi włosami? – spytała Lola.

– Wiem tylko, że wspaniale piecze i ma miły głos. Nie uważacie, że są przepyszne?

Wszyscy potwierdzili, nie licząc Ruby, która nie mogła nawet patrzeć na rogaliki.

– Chciałabym również spytać, czy nie macie nic przeciwko temu, bym trzymała tu pszczoły.

Pan McNally potoczył wzrokiem po dachu i namierzył ul. Rysy mu złagodniały i Sugar dostrzegła cień tego, jak musiał wyglądać, zanim się postarzał i obraził na cały świat.

– Miód z owsianką. Nie ma nic lepszego.

– Masz pozwolenie? – zapytała Ruby.

– Naturalnie, że mam, kochanie! Czy wyglądam na kogoś, kto łamie przepisy?

– Wyglądasz jak Julie Andrews w „Dźwiękach muzyki" – oznajmiła pani Keschl. – Tylko masz lepszą fryzurę. À propos, jestem gotowa na kawę.

– A zatem nikt nie zgłasza zastrzeżeń do ula? – upewniła się Sugar i wszyscy pokręcili głowami. – W takim razie biegnę po kawę. – Uśmiechnęła się i w tej samej chwili ktoś zdecydowanie zapukał do drzwi. – Ale najpierw muszę wam jeszcze kogoś przedstawić.

Sąsiedzi popatrzyli po sobie. Myśleli, że są w komplecie, poza Nate'em, który nie przyjdzie.

– Poznajcie George'a Wainwrighta – zabrzmiał od progu głos Sugar. Wszyscy spojrzeli w tamtą stronę i zobaczyli

George'a ściskającego oburącz framugę. – Nie dotrzyma nam towarzystwa, gdyż ma lęk wysokości i woli parter, gdzie będziecie go odtąd widywali. – Przedstawiwszy George'a gościom, podała mu rogalika.

– Miło mi państwa poznać – powiedział. – I dziękuję za zaproszenie. Ale jeśli to wszystko, to czy mógłbym...?

– To wszystko, George. Jak tam noga?

– Cud, tak jak mówiłaś.

– Cudów nigdy za wiele – oznajmiła Sugar. – Do zobaczenia na dole?

– Tak jest. Miłego dnia.

Zamknęła drzwi i odwróciła się z powrotem do sąsiadów.

– Co to za jeden? – spytała pani Keschl.

– Nasz nowy odźwierny – wyjaśniła Sugar, nalewając kawę do filiżanek.

– Odźwierny? – powtórzył jak echo pan McNally.

– Owszem – potwierdziła Sugar i poczęstowała go kolejnym rogalikiem. Skorzystał. – Biedaczysko ma sentyment do drzwi, lecz chwilowo został bez pracy, bo zastąpiła go kamera, więc zaproponowałam mu nasze. Mam nadzieję, że nie zgłaszacie sprzeciwu. Wiem, że się rządzę, i bardzo mi z tego powodu przykro, ale to nie będzie nic kosztowało. Poza tym mamy na dole dwoje drzwi, które lubią stawiać opór, nie zauważyliście? Zwłaszcza kiedy człowiek coś niesie.

– Chyba na głowę upadłaś – zawyrokowała pani Keschl. – To jest Alphabet City, nie żaden tam Ritz. Nie potrzebujemy odźwiernych.

– A właściwie dlaczego nie? – odparował pan McNally. – Nie jesteśmy gorsi od Upper East Side.

– Lepsi, moim zdaniem – wtrąciła Ruby.
– A drzwi są ciężkie – potwierdziła Lola.
Pani Keschl zamrugała.
– Mógłby pani pomóc z zakupami – dodała Sugar. – Mieszka pani na drugim piętrze, a to bliżej ziemi.
– Ja jestem za – oznajmiła Ruby.
– To budynek mieszkalny, a nie demokracja – warknęła pani Keschl.
– Wyrzuciłabyś staruszka na bruk, serca nie masz – rzucił gorzko pan McNally.
– Tego nie twierdzę. Powiedziałam tylko, że budynek mieszkalny to nie demokracja.
– Czyli odźwierny może zostać? – zapytała Ruby.
– Jeśli większość tak postanowiła – odrzekła pani Keschl – to chyba tak, może zostać.
– Czyli mamy jednomyślność. – Sugar z uśmiechem powiodła wzrokiem po zgromadzonych. – Mamy pszczoły i mamy George'a. A teraz pora na upominki. Zrobiłam woskowe świece, specjalnie dla was. Dla pani Keschl o zapachu róży, dla pana McNally'ego rozmaryn, dla Loli rumianek...
Dwoje starych ludzi spojrzało na nią, jakby z pieca spadła.
– Ruby i Lola, dla was mam też błyszczyki – ciągnęła Sugar. – I krem do rąk dla pani Keschl, ma pani takie śliczne paznokcie.
Panią Keschl zamurowało.
– I upiekłam moje ulubione cytrynowo-miodowe ciasteczka – dodała pospiesznie Sugar. – Na wypadek gdyby ktoś miał ochotę.
– Krem możesz zostawić sobie – oznajmiła pani Keschl,

wyrywając jej torebkę. – Ale biorę ciasteczka i świece pana McNally'ego. Jeszcze puści nas z dymem i gdzie się podziejemy?

– Mam zapas – zapewniła go Sugar po wyjściu starszej damy. – Dla ciebie też wystarczy, Lola.

– Niesamowite, że mamy odźwiernego – powiedziała Ruby. – Ale ekstra.

Po wyjściu gości Sugar zapukała w uchylone okno Nate'a.

– Słyszałeś?

– Tak – odparł. – Mamy odźwiernego.

Odsunął firankę i pociągnął nosem.

Miał przysadzistą sylwetkę, okrągłą, miłą twarz i gęste miedziane kędziory. Unikał wzroku Sugar, ale zdobył się na nieśmiały uśmiech.

– I smakowały im moje rogaliki.

– Owszem, Nate. Jeszcze jak. Na pewno nie chcesz aby tej chusteczki?

14.

Dwa tygodnie po ich pierwszym spotkaniu na ulicy Theo ponownie ujrzał Sugar, ale tym razem poczuł tak niezbitą pewność, że to ona, iż nie rozumiał, co skłoniło go do pogoni za ciężarną Azjatką.

Szła w jego stronę East 7th Street; smukła bogini w jasnozielonej sukience na chodniku, który nagle zatracił wszystkie barwy. Rozpuszczone włosy opadały jej za ramiona gęstą kaskadą, kołysząc się przy każdym kroku. Theo natychmiast zapragnął dowiedzieć się o niej wszystkiego: jak pachnie, co je na śniadanie, co śpiewa pod prysznicem, jak nazwała swoje pierwsze zwierzątko i kto dokuczał jej w szkole.

Chciał opowiedzieć jej o tym, jak zgubił pierwszy ząb, jak mama nie chciała go martwić swoim rakiem płuc, jaka piosenka ostatnio wpadła mu w ucho i że nagle czuje się gotów na nowy rozdział w życiu.

Czuł ją całym sobą. Matka miała rację. Ciotki miały rację. I Marlena. Była tą jedną jedyną, a on o tym wiedział. Głupie. Ale prawdziwe. Ale głupie.

Ale prawdziwe.

I gdy tak stał, wpatrując się w nią, oszołomiony tym niewytłumaczalnym przeświadczeniem, Sugar podniosła wzrok i go zobaczyła.

Stanęła jak wryta i bezwiednie uniosła rękę do cienkiego złotego łańcuszka z wisiorkiem, który miała na szyi.

Theo wciąż nawiedzał ją w snach, ale odganiała ich wspomnienie jak muchy, prawie zapominając, że naprawdę istniał. Tymczasem oto stał przed nią niezaprzeczalnie rzeczywisty, w kolejnej krzykliwej hawajskiej koszuli. I miał taką dziwną minę, podekscytowaną, a zarazem zbolałą. A do tego wyglądał, jakby przebierał nogami – wibrował niemalże jak pszczoła.

Sugar się uśmiechnęła. Nie chciała, ale nie mogła się opanować. Jej ciało zareagowało na niego w sposób całkowicie niezależny od umysłu. Nigdy nie pamiętała nawet, jak jej się w ogóle śnił, lecz zawsze budziła się z niejasnym poczuciem może nie zakłopotania, tylko... nie, jednak zakłopotania.

– O, cześć, Theo – powiedziała, przełączając się na domyślny tryb uprzejmości. Niezawodnie wypierał zakłopotanie. – Miło znów cię widzieć. Nazywam się Sugar Wallace. Poznaliśmy się niedawno na Avenue B podczas incydentu z George'em, pamiętasz? Ten starszy pan z papierkiem przylepionym do rękawa?

Tak kojarzyła George'a, pomyślał Theo. Po papierku?

– Wallace – powiedział. – No jasne. O tobie nie mógłbym zapomnieć, ale Wallace wyleciało mi z głowy. Co za dureń ze mnie. No przecież William Wallace. Waleczne Serce.

– Słucham?

– Słynny Szkot – odparł tonem wyjaśnienia. – Zbieżność przypadkowa, jak sądzę. Tak jak z amiszem. – Nagle przyszło mu do głowy, że nie obmyślił sobie, co powie Sugar, gdy ją spotka.

– Tak, przypadkowa – odrzekła. – Ale widziałam kiedyś Mela Gibsona w Kalifornii. A przynajmniej myślę, że to był on.

– Niski?

– Siedział.

– À propos – rzucił Theo z niesłychaną, jak mu się wydało, przytomnością umysłu. – Czy miałabyś ochotę na drinka? „McSorley" jest kawałek stąd, to najstarszy bar w Nowym Jorku.

Właśnie minęła jedenasta rano i tam, skąd pochodziła Sugar, dziewczynie nie wypada pić przed lunchem, a już na pewno nie w towarzystwie mężczyzny, którego widziała tylko raz, przy okazji zeskrobywania potencjalnego bezdomnego z chodnika.

– Hm – mruknęła.

Theo miał spotkanie za dziesięć minut i musiał przyznać, że pora jest niefortunna, ale „McSorley" był pod bokiem. A takiego miejsca ze świecą szukać w Edynburgu, a możliwe, że i w Dublinie i Londynie.

Przede wszystkim jednak nie mógł znieść myśli, że Sugar znów wyśliźnie mu się z rąk.

– Czy pomogłoby, gdybym dodał: proszę? – spytał.

Zawsze pomagało.

– No dobrze – ustąpiła.

Lecz gdy chwycił ją za łokieć, aby przeprowadzić przez ulicę, fala gorąca za sprawą jego dotknięcia okazała się ponad jej siły. Aż dech jej zaparło i bez niczyjej pomocy ruszyła do baru.

To było jak podróż w czasie. Wióry zaścielały podłogę, na ścianach tłoczyły się spłowiałe fotografie w kolorze sepii. Na dwuipółmetrowej skrzyni z lodem za wysłużonym kontuarem stały stare nocniki, dzbanki i wazy. U sufitu wisiały wiekowe końskie akcesoria, zakurzone starocie wypełniały każdy skrawek wolnej przestrzeni.

Pośrodku, między rachitycznymi stołami i krzesłami znajdował się czarny, żeliwny piecyk, nadający wnętrzu surrealistyczną poświatę, toteż całość wyglądała jak na starej fotografii.

Było pusto, ale Sugar nie zdziwiłaby się, gdyby z zaplecza wyszła panienka z saloonu albo wpadł do środka kowboj z raną od kuli. Tymczasem z półmroku na tyłach wyłonił się skwaszony siwowłosy barman w fartuchu jak worek od kartofli i stanął za kontuarem.

– Otwarte? – spytał Theo.

– A musieliście się włamywać?

– Nie.

– No to otwarte.

– Taka konwencja – zapewnił Theo i zaprowadził Sugar do małego okrągłego stolika w pobliżu okna. Światło sączyło się przez gałęzie wiązu na zewnątrz.

Sugar miała wrażenie, że zasnęła i znów ma ten swój sen.

– Zaczekaj tutaj – poprosił Theo. – Przyniosę ci drinka.

Otworzyła usta, aby powiedzieć, że prawie zawsze pije bourbon, bez względu na porę, ale Theo już odwrócił się do barmana i złożył zamówienie.

Pomimo pstrokatej koszuli, która wściekle gryzła się z bermudami, Sugar musiała przyznać, że od tyłu prezentował się nieźle. Wysoki, z szerokimi ramionami i biodrami w sam raz. Theo z jej snów wyglądał dokładnie tak samo, minus koszula i bermudy.

Nieznana fala gorąca wypłynęła z zakamarków w głębi jej istoty, budząc od lat uśpione motyle.

– Kupiłem ci podwójne – zaraportował Theo i postawił przed nią dwie szklanki piwa. – Jasne i ciemne. Może być? Specjalność lokalu.

Miał piękne, długie palce jak pianista.

– Oba dla mnie?

– Tak tu podają. Taka tradycja.

– Aha, no dobrze, dziękuję. A ty co zamawiasz?

– To samo – odpowiedział Theo i wrócił do baru po kolejne dwie szklanki. – Twoje zdrowie.

Sugar wypiła łyk jasnego piwa, które połaskotało ją w język, dodatkowo elektryzując motyle. Prawie zobaczyła, jak rozprostowują skrzydełka i machają nimi na próbę po długotrwałej hibernacji.

– Rzadko piję piwo – wyznała. – Powinieneś spróbować miętowego julepa z bourbonem z Kentucky. Któregoś popołudnia. Albo wieczoru. Może lepiej wieczoru. Prawdę powiedziawszy, o tej porze zwykle wybieram mrożoną herbatę. – Wypiła drugi łyk, tym razem ciemnego piwa, a uśmiech Theo zgasł nagle.

– Mrożona herbata byłaby pewnie lepsza – zgodził się. Że też na to nie wpadł. – Ja też rano nie piję piwa. Ani nic innego. Przepraszam cię, dureń ze mnie.

– Ależ nie ma za co przepraszać – zaoponowała. – W końcu nie zwabiłeś mnie do jaskini i nie zmusiłeś do zjedzenia surowego bizona.

– A zdarzyło ci się to kiedyś?

– Nie. – Przemknęło jej przez myśl, czy jaskinia z pewną dozą nieszkodliwego wleczenia nie przewinęła się przypadkiem w jej snach, i spiekła raka. – Chciałam tylko, żebyś lepiej się poczuł.

– Czuję się lepiej – zapewnił. – Nie tylko w tej kwestii, ale w ogóle.

– W ogóle?

– Właściwie to w związku z tobą. Myślałem o tobie, odkąd

się spotkaliśmy. Szukałem cię. Na serio. Więc to dzisiejsze spotkanie... sam nie wiem. Chciałbym nazwać je cudem, chociaż właściwie nie do końca to mam na myśli, ale nic lepszego nie przychodzi mi do głowy.

Miał oczy w tak hipnotyzującym kolorze, że Sugar musiała odwrócić wzrok. Za szybko wzięła się do tego piwa.

– Aha, hm... ja... no cóż – powiedziała. – To dobrze. Pracujesz w okolicy?

– Tak – odparł. – Niedaleko. I mieszkam. – Czemu tak dukał? – A ty?

– Niedawno się wprowadziłam – rzuciła wymijająco. – Ale pochodzisz ze Szkocji, tak?

– Z Glasgow – uściślił. – Syn nieżyjącej Shony Fitzgerald, ojciec nieznany. Przynajmniej mnie. Naturalnie ona go znała, jednak przelotnie. Nie była łatwa, nic z tych rzeczy. I naprawdę go kochała, chociaż zawsze był cień wątpliwości, tak mówiła.

Cień wątpliwości, czyli to, że ojciec był włamywaczem na pełen etat. Według matki stanowiło to różnicę pomiędzy małżeńską idyllą a odsiadką.

– Odszedł krótko po tym, jak, no wiesz... i na tym się skończyło.

Sugar pomyślała, że jego oczy są dziś turkusowe, a rzęsy gęste i ciemne niczym rzęsy chłopca w twarzy dorosłego faceta.

– Przykro mi z powodu twojej mamy – powiedziała. – I taty.

– Nie wiem, czemu ci to powiedziałem – wyznał w zadumie Theo. – Jakbym się nad sobą użalał. Owszem, mieszkaliśmy w małym mieszkanku z babcią i moimi czterema ciotkami, ale było super. Do czasu, gdy skończyłem osiemnaście lat, nawet nie odczułem braku ojca.

Motyle Sugar rozwinęły skrzydła i trzepotały nimi jak szalone.

– Widać, że nie spędza ci to snu z oczu.

– Mama byłaby tobą zachwycona – powiedział z przekonaniem Theo.

Sugar mało nie zachłysnęła się piwem.

– Słucham?

– Serio. Mam dobrą intuicję. Wszyscy tak mówią.

Roześmiała się, a jej śmiech brzmiał tak słodko, że Theo odetchnął z ulgą. Trochę jednak żałował, że tak się rozgadał o swojej rodzinie.

– I jak ci się tu podoba? – spytał. – W Nowym Jorku?

Aż się rozpromieniła.

– To najwspanialsze miejsce, w którym byłam. W moim domu jest sklep z balonami. A na naszej ulicy Dmitri ma sklep z akordeonami i uczy na nich grać. I w każdej chwili mogę iść na pierogi, chociaż rzadko miewam na nie ochotę. O, i chińskie naleśniki. Byłeś u Vanessy na Eldridge Street? Te kolory w Chinatown, niby kicz, ale tętnią życiem…

To, jak wyglądała, mówiła i pachniała (cytrynami z domieszką czegoś słodszego) i Theo nie mógł się na nią napatrzeć. Urzekła go bez reszty, nie potrafiłby inaczej tego nazwać. Jego życie nagle nabrało sensu w zakurzonej salce starego lokalu. Wszystko, co go dotąd spotkało, każdy podjęty krok zmierzał do tej właśnie chwili, do spotkania Sugar, tej jednej jedynej, bez cienia wątpliwości. Jednej jedynej! Wiedział to i już.

Sugar uśmiechnęła się do niego.

– Ładnie tu, prawda? Oczywiście jak na taką zapyziałą spelunę.

– Lubisz dzieci? – wyskoczył Theo.

– Mam około dwudziesciorga chrześniaków.

– A ostrygi?

– Jestem z Południa – odpowiedziała. – Się wie.

– „Per Se" czy „Babbo"?

– Masz na myśli restauracje? Na pewno obie są świetne, jednak tak jak powiedziałam, wolę naleśniki Vanessy. Poza tym sama gotuję. Lubię jeść w domu. A do czego tak właściwie zmierzasz?

– Sugar Wallace – powiedział – to zabrzmi naprawdę dziwnie, lecz od chwili, kiedy cię spotkałem, mam przeczucie, że... nie wiem, jak to ująć, żeby cię nie przestraszyć, bo mam świadomość, że takie rzeczy zdarzają się bardzo rzadko. Przeznaczeniem George'a było na mnie wpaść, a twoim poprosić, żebym pomógł mu się podnieść. Los nas dziś zetknął, bo jesteśmy sobie przeznaczeni, Sugar. Nie wiem, co będzie dalej, ale przysięgam, że widzę nas razem za czterdzieści lat, stare małżeństwo, które trzyma się za ręce i kuśtyka w blasku słońca w stronę Tompkins Square Park. Mam ten obraz przed oczami jak żywy.

Słowa płynęły bez zastanowienia. Lały się nieprzerwanym strumieniem, tworząc kałużę na blacie.

Mina Sugar świadczyła wyraźnie, że ów pośpiech jest niewskazany. Może szczerość to najlepsze wyjście, ale chyba nie zawsze.

– Przesadziłem? Chyba tak. Ale ja to wiem, Sugar. Nie potrafię tego wytłumaczyć, ale wiem. Mama zawsze powtarzała, że rozpoznam swoją „jedną jedyną", kiedy ją znajdę, i miała rację, niech jej ziemia lekką będzie. Znalazłem ciebie i właśnie to czuję. Ty nie?

– Że będziemy starym małżeństwem, które za czterdzieści lat pokuśtyka w stronę Tompkins Square Park, bo oboje lubimy ostrygi? – Sugar przestała się uśmiechać. – Tam, skąd pochodzę – dodała – nie stroimy sobie żartów z takich rzeczy.

Tam, skąd pochodziła, małżeństwo to nie żart.

– Tam, skąd ja pochodzę, również – odparł w panice Theo. – Wiem, że to dziwne, i wierz mi, na ogół nie opowiadam takich rzeczy, ale mam niezbitą pewność, że spędzimy razem resztę życia.

Sugar postawiła prawie pustą szklankę obok drugiej prawie pustej szklanki.

– Nic o mnie nie wiesz – zauważyła.

– Ależ wiem! Podniosłaś George'a z chodnika, a to w tym mieście niespotykane. W Barlanark owszem. Większość mieszkańców Barlanark w którymś momencie zalicza glebę, toteż przywykliśmy do tego, że pomagamy sobie nawzajem wstać. Ale nie tutaj. Jesteś dobra, Sugar. A do tego mądra i piękna. No i poszłaś ze mną na drinka, czy to nic nie znaczy?

– Z grzeczności przyjęłam zaproszenie. I wiem, co będzie dalej – dorzuciła, sięgając po torebkę – więc nie musisz się głowić nad zakończeniem swojej bajeczki.

– Nie idzie po mojej myśli – przyznał Theo. – Przestraszyłem cię.

– Ja się nie boję, ja... sama nie wiem. Powiem tylko, że spotkałam kiedyś na parkingu przed sklepem faceta, który chciał mnie zabrać do Norwegii. Ale łatwiej rozpoznałam w nim wariata, bo miał worki foliowe na stopach i koronę na głowie.

– Nie mam nawet kapelusza, jeśli to robi jakąś różnicę.

Sugar wstała.

– Nie robi. Nie powinieneś żartować i mówić obcym kobietom, że jesteście sobie pisani!

– Oczywiście masz rację, teraz to rozumiem. Bardzo cię przepraszam, Sugar.

– Ja też przepraszam, Theo, ale serio, wolę rano mrożoną herbatę, więc musisz mi wybaczyć. Dziękuję za piwo i wszystkiego dobrego. I uprzedzam, żebyś za mną nie szedł, jeśli miałeś taki zamiar, gdyż byłoby to stanowczo niezdrowe.

Odwróciła się, przeszła między stolikami i tyle ją widział. Siedział jak ogłuszony, zdjęty przemożnym pragnieniem, by na przekór jej prośbie rzucić się w pogoń. Jak to się stało, że popełnił tak straszny błąd?

Tymczasem serce Sugar galopowało jak szalone.

Wzbierało w niej coś mrocznego i skomplikowanego. Coś, co dotyczyło motyli, fali gorąca oraz hipnotyzującego spojrzenia Theo – i było wielce niepożądane.

Co za tupet: znają się kwadrans, a on ma czelność mówić jej takie rzeczy!

Nie będzie płakać, zawzięła się w duchu, absolutnie nie. Pójdzie do domu i skończy syrop dla Ethana oraz krem na łuszczycę dla pana McNally'ego.

Nie uroni ani jednej łzy.

A jeśli nawet, przyznała się uczciwie w drodze powrotnej na Flores Street, to na pewno nie z powodu pomyleńca, który sobie umyślił, że będzie trzymał ją za rękę za czterdzieści lat.

Jeśli się rozpłacze, to dlatego że na przekór wszystkiemu – a było tego mnóstwo – na ułamek sekundy, zanim uznała Theo Fitzgeralda za szaleńca, też ujrzała, jak kuśtykają w stronę parku. Razem.

Elżbieta Szósta łaskawie wysłuchiwała raportów o nader wonnej winorośli nie dalej niż przecznicę stąd, kiedy wyczuła nadejście Sugar.

Przerwała wykonywaną właśnie czynność – polegającą na składaniu tysiąc trzysta dwudziestego siódmego jaja tego dnia – i wyostrzyła wszystkie zmysły. Nie słyszała – nie miała uszu – ale wykorzystywała swój wzrok, węch, zmysł dotyku oraz sto pięćdziesiąt milionów lat ewolucji, aby trzymać czułki na pulsie otaczającego świata, ze szczególnym uwzględnieniem świata Sugar.

W oczach Elżbiety Szóstej (wszystkich pięciu), z każdym dniem, który minął od poznania Theo, Sugar zmieniała odcień, nabierając żywszych barw po tym, jak śnił jej się w nocy, a jeszcze bardziej, gdy myślała o nim za dnia.

Energia buchająca od właścicielki dodawała królowej sił do działania, ku wielkiemu zadowoleniu poddanych, które dwoiły się i troiły, aby ją wykarmić i ruszyć z produkcją miodu.

Ale po powrocie z „McSorleya" Sugar kipiała energią, jakiej pszczela pamięć genetyczna nie znała.

I nie wynikało to z piwa. Zmiana była namacalna i podszyta smutkiem.

Skołowana owym przesytem feromonów Elżbieta Szósta zwolniła obroty i poczęła składać jaja z większym niż dotąd rozmysłem i starannością.

Ku pewnej konsternacji podwładnych, które – zrazu zaniepokojone jej powolnością – dostroiły się do ruchów królowej i podjęły ów nowy, wolniejszy rytm.

15.

Nate otworzył „New York Timesa", co, jeśli zważyć na rozmiary jego lokum, było nie lada wyczynem. Otwarcie „Timesa" oznaczało, że musiał zamknąć lub przesunąć coś innego.

Z jego mieszkania może i roztaczał się cudny widok, ale w środku mieściło się tylko wąskie łóżko, stolik – którego używał jako blatu do pracy – piekarnik, zlew oraz minilodówka. Nie miał spiżarni, trzymał więc przyprawy w szafce z ubraniami, oleje w szafce łazienkowej, a warzywa w skrzynce na łóżku.

Usiadł teraz obok nich i ze ściśniętym sercem przeczytał najnowszą ocenę restauracji. Lokal „Citroen" Rolanda Moranta z Upper West Side dostał trzy gwiazdki, co stanowiło najgorszą z możliwych wiadomości.

Jego przełożony – rozwrzeszczany oprawca, który kazał się nazywać szefem, mimo że takie określenie nie miało nic wspólnego z tym, czym się trudnił – z całego serca nienawidził Moranta. Pracowali razem przed laty, lecz Morant poszybował na szczyty dzięki współpracy z kuchennymi guru Dannym Meyerem, Alfredem Portale'em i Jean-George'em Vongerichtenem, podczas gdy szef Nate'a od dziesięciu lat smażył hamburgery w jadłodajni swojego teścia w Tribeca.

„Ten partacz sam by na nic nie wpadł", wrzeszczał. „Dureń nie umiałby pokroić marchewki, gdyby ktoś nie naostrzył mu noża i nie pokazał, gdzie ma go wbić!"

Gdy w ubiegłym roku otwarto „Citroena", szef mało nie pękł ze złości. Twierdził, że miejsce Moranta jest w rynsztoku, razem z tymi, którzy bulą grube pieniądze po to tylko, żeby się struć.

A teraz „Citroen" dostał trzy gwiazdki!

Szef nienawidził wszystkich, a szczególnie Nate'a.

Dzisiaj wypatroszy go i nadzieje na ruszt.

Nate spojrzał na zegarek. Wystarczy mu czasu, aby skoczyć do piekarni „Poseidon" na Dziewiątej Avenue po melomakarona – orzechowe ciasteczka w syropie. Pracował nad przepisem, czegoś mu jednak brakowało i nie mógł dociec, w czym rzecz.

Zapowiadał się ciężki dzień i musiał go zacząć od czegoś naprawdę słodkiego.

Za oknem mignęła mu Sugar; zaglądała do ula i na grządki. Odkąd się wprowadziła, zdziałała na nich cuda. Gdyby nie czuł się tak podle, odsunąłby firanki i powiedział jej o tym.

16.

Sugar dorastała w Charlestonie w Karolinie Południowej, najbujniejszym chyba miejskim ogrodzie świata. Za każdą bramą z kutego żelaza albo ceglanym ogrodzeniem na malowniczym półwyspie rozkwitłym między rzekami Ashley i Cooper tłoczyły się kamelie, róże, gardenie, magnolie, drzewka oliwne, azalie i jaśmin, wszędzie jaśmin.

Zważywszy na bujną zieleń, gęste winorośle, okazałe żywopłoty oraz kolorowe donice balkonowe, nic dziwnego, że rodowici synowie i córy tego miasta uważali to miejsce za najpiękniejsze na ziemi.

W pierwszych latach wygnania Sugar starała się odtworzyć cuda, które zapamiętała z domu: toczyła walkę z wrogimi nieraz żywiołami, by opanować oporną roślinność i uprawiać ją zgodnie ze swoimi planami.

W Dolinie Napa jaśmin rósł jak na drożdżach i pszczoły go uwielbiały, podobnie jak Sugar – tak jej się przynajmniej zdawało. Jednak ilekroć zakwitał, dopadały ją przypływy mglistej melancholii, toteż z chwilą, gdy dostrzegła, że przyczyną jest słodki zapach, który budził w niej tęsknotę za domem, wykopała krzew i więcej go nie zasadziła.

Od tamtej pory hodowała tylko to, co poprawiało jej humor, i nigdy wbrew warunkom klimatycznym.

W Santa Fe na całym podwórku rozstawiła różnej wielkości donice z terakoty, w których miała wszystko, począwszy od rozmarynu i lawendy po gruszki ozdobne, śliwy, a nawet paprykę, ku umiarkowanej aprobacie pszczół.

W Kolorado stworzyła żyzną oazę ze starych kanistrów po benzynie i beczek na ropę naftową. Jej sąsiedzi zrazu kręcili nosem, ale z chwilą, kiedy wszystko się zazieleniło, przysłowiowe brzydkie kaczątko stało się łabędziem, a wysypisko śmieci ogrodem.

Do nowego domu George znalazł jej na budowie przy East River żelazne moduły rynien i poprosił Ralpha, kolegę swojego ciotecznego wnuka, i jego dwóch znajomych, by przytaszczyli to wszystko na poddasze.

Sugar próbowała zapłacić im za fatygę, lecz Ralph nie chciał o tym słyszeć.

– Przyjaciele pana Wainwrighta są naszymi przyjaciółmi – oznajmił. – Mama zawsze mówiła, że odkładał dla niej boczek, kiedy byliśmy mali. Coś mi mówi, że dlatego tata wprowadził się z powrotem do domu. Tak czy siak, to równy gość. I naprawdę lubi pani drzwi.

– Ja także go lubię – odpowiedziała Sugar i posłała go do domu z dwoma słojami koniczynowego miodu z północnego Idaho.

Ustawione na cegłach z odzysku rynny doskonale nadawały się na donice w lekko industrialnym stylu i stanowiły wymarzone tło do urokliwych ulubieńców Sugar: bratków, lantany, werbeny i heliotropu.

Dwie położyła pod ścianą wyższego z sąsiednich budynków i z jednej strony zasadziła klematis, a z drugiej wilec: ten pierwszy dlatego, że wybrana przez nią odmiana miała przepiękne fioletowe kwiaty, drugi zaś rozkwitał wczesnym wieczorem i czarował niebiańską wonią, której nie sposób było się oprzeć.

Eklektyczne meble tarasu ozdobiła pasiastymi pokryciami, na pchlim targu przy Hester Street znalazła chińskie lampiony i komplet barowych świateł, a następnie kupiła dwa ogrodowe świeczniki z pęknięciami na wyprzedaży przy Essex Street. Ozdobna donica ze sklepiku w Chinatown kosztowała ją dwadzieścia dolarów i dwa słoiki pyłku pszczelego. Posadziła w niej miniaturową magnolię, która wcale nie przypominała jej o domu, gdyż mama szczyciła się dorodnymi drzewami, a okaz Sugar był chyba najmniejszy z możliwych.

Trwało to parę tygodni, ale wspólnym wysiłkiem Sugar i miasta, które stanowiło tło, ogród na dachu powoli nabierał kształtu.

Po pamiętnym spotkaniu z Theo w „McSorleyu" wzięła się do pracy ze wzmożoną werwą. Targanie ciężkich worków z ziemią to niezawodne antidotum na wspomnienie zuchwalca, który... Zresztą mniejsza z tym. Na samą myśl o nim dostawała białej gorączki.

Tylko że wciąż jej się śnił. Bywały poranki, gdy prawie czuła w ustach jego smak, co w półśnie było rozkosznym doznaniem, a na jawie doprowadzało ją do szału. Był słonawy, z karmelowymi nutami, które musowały na języku jeszcze długo po śniadaniu.

– Muszę go wyrzucić z głowy – oznajmiła któregoś ranka, uklepując ziemię wokół małej magnolii, żeby wilgoć nie parowała. – Nie ma tam dla niego miejsca. Ani w moim życiu, gwoli ścisłości.

Pracę przerwało jej pukanie do drzwi: przyszła Ruby, blada i zmęczona, z zeszytem przyciśniętym do piersi.

Sugar miała oko na wątłą sąsiadkę i od czasu pamiętnego drugiego śniadania zaglądała do niej co parę dni. Ruby wprawdzie nie zatrzaskiwała jej drzwi przed nosem, co wciąż z upodobaniem czynił pan McNally, nie obrzucała kąśliwym spojrzeniem jak pani Keschl ani nie mijała w milczeniu na schodach na wzór Loli, lecz niezmiennie wiało od niej chłodem. Wkrótce tajała, Sugar wciąż jednak dręczyło poczucie, że zaczynają od zera, co zniechęciłoby kogoś innego niż ona.

– Mam parę nowych. – Ruby postukała wiotkim palcem w zeszyt. – Istne dziwolągi.

Sugar nie była w nastroju do rozmowy o ślubach.

– Właśnie miałam zajrzeć do królowej – rzuciła w ramach zmiany tematu. – Pójdziesz ze mną?

Ruby się skrzywiła.

– Hę?

– Słucham?

– Powiedziałam: hę?

Sugar postanowiła zadbać o jej maniery przy innej okazji.

– Właśnie miałam zajrzeć do Elżbiety Szóstej – dodała tonem wyjaśnienia. – Jeśli ze mną pójdziesz, to was sobie przedstawię.

Ruby przysunęła się bliżej i patrzyła nieufnym wzrokiem, jak Sugar zdejmuje nadstawkę ula.

– Czy nie powinnaś czasem włożyć kombinezonu i je oczadzić czy coś w tym stylu?

– Mam kombinezon, jeśli chciałabyś go włożyć, ale te pszczoły są raczej oswojone – odrzekła Sugar. – Dym je uspokaja, lecz są z natury spokojne, więc szkoda zachodu. Poza tym to nic miłego, dym w domu. Sami w takich sytuacjach dzwonimy po strażaków. Ale jeśli chcesz, możesz zostać w środku.

– Nie boję się – mruknęła Ruby, gdy Sugar wyjęła ze środka ramę z pszczołami.

– Widzisz, pokryły woskiem wszystkie komórki. W każdym jest mała pszczółka.

– A gdzie miód?

– Na razie jest go niewiele. Dopiero się rozkręcają. Kiedy Elżbieta Szósta, czyli Elżunia, jak ją czasami nazywam, złoży więcej jaj i wyklują się młode pszczoły, otwory piętro wyżej zostaną wypełnione nektarem. Pszczoły wysuszą go skrzydełkami i ani się obejrzymy, jak będzie miód!

Ale Ruby nie interesowała się miodem, bardziej ciekawiły ją skrzynki Nate'a.

– Czyli poznałaś tego rudzielca o wiecznie czerwonej twarzy?

– Rumieni się, bo jest nieśmiały, to wszystko.

Dziewczyna wzruszyła ramionami.

– Co on tam w ogóle hoduje?

– O, wszystko – zapewniła Sugar. – A potem zbiera i przyrządza coś pysznego. Niedawno zrobił marokański gulasz z jagnięcia; matko święta, od samego zapachu ślinka ciekła, aż musiałam zapytać, co to takiego. Ugotował go w cudnym naczyniu z kominem pośrodku i podał z kuskusem. Potem sprawdziłam, gdzie leży Maroko, żeby wiedzieć, skąd pochodzą takie cuda.

– Chodzisz z nim czy co? – spytała Ruby.

– Ależ skąd! Jest dla mnie za młody. Zresztą dopiero się poznaliśmy.

– Nie trzeba kogoś długo znać, żeby z nim chodzić. Czasem wystarczy chwila. W moim zeszycie to norma.

Sugar chrząknęła.

– Hm, ja się nie znam, bo mi z chłopakami nie po drodze.

Ruby zerknęła na nią z ukosa.

– Mnie tak samo. – Nigdy nie miała chłopaka. Nawet w przybliżeniu.

– Pszczoły są o wiele mniej skomplikowane – podjęła Sugar. – Gdzie ta moja królowa? – Wyjęła kolejną ramę, jeszcze gęściej nimi usianą, i starannie ją obejrzała w poszukiwaniu Elżbiety.

– Jak ją odróżniasz od pozostałych?

– Jest od nich większa i ma większą klasę, jak na królową przystało. Zwykle od razu rzuca się w oczy, ale... O, tu jest. – Wskazała na Elżbietę Szóstą, schowaną do połowy w jednym z otworów. – Zobacz, jest dłuższa, chociaż słabo to teraz widać. – Czekała, aż Elżunia złoży jajo i przesunie się dalej, lecz ta nie ruszyła się z miejsca. – Dziwne – stwierdziła po chwili. – Coś długo jej idzie. Lepiej nie przeszkadzajmy.

Wsunęła ramę do ula i przykryła daszkiem.

Ruby przycupnęła z zeszytem na jednej z pasiastych poduszek. Jej mina wyrażała na poły smutek, na poły nadzieję, jakby dziewczyna liczyła na coś wbrew sobie. Pszczoły nie były balsamem dla jej duszy tak jak dla Sugar, lecz nie ulegało wątpliwości, że balsam jest tu nieodzowny. Wyglądało na to, że w imię niesienia pomocy innym Sugar będzie zmuszona przełknąć nieco ślubnej sielanki.

– Proponuję, żebyśmy się napiły mrożonej herbaty – powiedziała. – A potem mi poczytasz, co ty na to?

– Co w niej jest?

– Tylko herbata i cytryna, może pół kalorii w całym dzbanku.

– Może być.

– Na pewno?

– A co jeszcze dodajesz?

– Czasem warto ją troszkę posłodzić.

– Nie mam zamiaru – oświadczyła Ruby.

Sugar nie podjęła dyskusji, ukradkiem jednak rozpuściła w dzbanku pół łyżeczki miodu z Jacksonville, gdyż Ruby nade wszystko potrzebowała osłody. Miał delikatny, a zarazem lekko cierpki smak, niewyczuwalny w herbacie.

Sugar mogła przysiąc, że w miarę picia policzki Ruby nieco poróżowiały, jakby życie wstąpiło w zwiędły kwiat, który rozchyla płatki po deszczu.

17.

Do kolejnego spotkania z Theo doszło, gdy Sugar sprzedawała lody na straganie farmy Ronnybrook na jarmarku ekologicznym przy Tompkins Square. Trzy tygodnie z rzędu udzielała się na ochotnika w budce informacji i kierownik targu poradził, aby na początek zaczepiła się u innego sprzedawcy, zanim wystawi własne stoisko.

Marcus Morretti z Ronnybrook niechętnie przystał na jej pomoc: nie miał zbyt dobrego doświadczenia z ochotnikami, gdyż zwykle około dziewiątej wychodzili na kawę i więcej się nie pojawiali. Ten targ nie miał rozmachu jarmarku przy Union Square, gdzie tłumy wyelegantowanych mieszkańców kupowały cukinie, a turyści strzelali fotki dorodnym malinom, pyszniącym się jak klejnoty obok dojrzałych truskawek i jeżyn jak z obrazka. Nikt nie rozpływał się nad bakłażanem i wegańskimi ciasteczkami ani nie ustawiał w kolejce po precelki z Pensylwanii i wegetariańskie tortille. Istniało nikłe prawdopodobieństwo, że ta impreza doczeka się wzmianki w kolorowych czasopismach czy przewodnikach turystycznych.

W miejsce eklektycznej zbieraniny East Village miejscowi mieli do wyboru około pół tuzina straganów, w tym rzeźnika, piekarza, dwóch sprzedawców warzyw, sadownika, hodowcę lawendy oraz Marcusa i jego organiczną lodziarnię.

Nastrój panował swobodny, większość sprzedawców znała większość kupujących, a barwna czereda narkomanów i bezdomnych dodawała smaczku całości. Ci ostatni zwykle pilnowali własnego nosa, ale ponoć bywało, że w niedzielę darli się od rana do nocy – lub co gorsza, śpiewali na całe gardło – uprzykrzając życie wszystkim naokoło.

Tamtego ranka jednak nikt się na nikogo nie wydzierał. Żonkile kwitły pełną parą pod słynnymi wiązami parku, rozsiane w trawie jak złoty pył. Grupa podstarzałych muzykantów grała cygański jazz na ławkach obok placu zabaw, a matki plotkowały i wystukiwały stopami rytm.

Dzień zapowiadał cudowne lato i Marcus w niespełna godzinę zauważył, że Sugar ma smykałkę do handlu. Po dwóch godzinach podliczył kasę i stwierdził, że zarobił dwa razy tyle co zazwyczaj w tym samym czasie. Sugar okazała się osobą, od której chce się kupić lody w niedzielny poranek: nie miała tatuaży i kolczyków i wniosła powiew świeżości w postaci uśmiechu, życzliwego i figlarnego zarazem.

Kiedy go oświeciło, że niektórzy klienci specjalnie czekają, aby to Sugar ich obsłużyła (chociaż on, Marcus, stał tuż obok), zostawił ją na posterunku i pospieszył na wczesny lunch z ukochaną. Ukochana nie miała w sobie za grosz życzliwości, więc pewnie dlatego tak ją lubił.

Po wyjściu Marcusa Sugar uwijała się jak w ukropie. Ludzie tłoczyli się przed nią i wykrzykiwali smaki, lecz gdy pewna osoba poprosiła śpiewnym tonem o lody imbirowe, Sugar poczuła się, jakby ranił ją prąd. Uniosła głowę i napotkała spojrzenie Theo.

– Ach, to ty – powiedziała, a jej dłoń, ściskająca łyżkę, lekko się spociła. – Witaj. – Grzeczność przede wszystkim. Jak zawsze. Poza tym miała pilnować straganu.

Jemu zaś oczy mało nie wypadły z orbit, kiedy zobaczył ją w błękitnej sukience, sprzedającą lody.

Po tym, jak ją spłoszył, tygodniami przeczesywał okolice East 7th Street w nadziei, że znów się spotkają i naprawi to, co zepsuł. Przećwiczył sobie nawet przemowę, ale teraz żałował, że jej nie zapisał, gdyż powabna postać i bijący od niej cytrusowy aromat zamąciły mu w głowie.

– Tak, to ja – odpowiedział.

– Imbirowe na miejscu? – spytała. – Czy na wynos? A może mam je przechować przez czterdzieści lat i dać ci na rocznicę?

– Gdzie się pcha bez kolejki? – warknęła młoda mama z dzieckiem na biodrze. – Poproszę waniliowe.

– Już się robi. – Sugar podała jej lody. Kobieta odeszła i Theo przysunął się bliżej lady.

– Wiem, że cokolwiek powiem – zaczął – zabrzmi jak bredzenie wariata…

– Owszem – ucięła Sugar. Przyjęła kolejne zamówienie i skonstatowała z rozdrażnieniem, że z całą świadomością chce być wobec niego grzeczna, co stanowi rażące naruszenie jej najświętszych zasad. – Przepraszam, ale niestety.

– Nie, to ja przepraszam – zaoponował Theo. – Wierz mi, naprawdę przepraszam, że cię wtedy zaciągnąłem na piwo. Przepraszam za wszystko. Za to gadanie o ślubie i trzymaniu się za ręce też. Nie miałem racji.

Sugar znieruchomiała z uniesioną łyżką.

– Nie miałeś racji, że na starość będziemy razem i pójdziemy do parku?

– Nie! – odparł szybko. – Mówię o czym innym. Co do tego jestem absolutnie przekonany.

– W takim razie wracamy do bredzenia wariata. Lody dla pani. Dwie gałki malinowych w wafelku z białą czekoladą. Smacznego.

– Nie miałem racji, mówiąc ci o tym w barze – uściślił. – To było niestosowne, ale nie myśl sobie, że wyśmiewałem się ze związków lub małżeństwa. Byłem już żonaty i mi nie wyszło, mimo to wciąż wierzę w tę instytucję. Na serio. Plotłem bez zastanowienia, bo tak na mnie działasz, i byłem jak w transie, lecz gdybyś tylko dała mi drugą szansę, spróbuję to naprawić. Uwierz mi. Proszę cię z całego serca.

– Przyszedłeś po lody czy na casting? – Szturchnął go starszy mężczyzna. – Dla mnie miętowe, złociutka.

– Czy wyście tu wszyscy powariowali? – wtrąciła piskliwie pulchna kobieta w wieku Sugar, ubrana w dresy. – Pół litra stracciatelli poproszę. – Nachyliła się do starszego mężczyzny. – Ledwo ją poznał i już się oświadcza? Mój stary czekał czternaście lat i wybąkał to w czasie przerwy na reklamy. – Skinęła na Sugar. – Zgódź się, kotku. Spójrz na chłopaka. Sama bym za niego wyszła, gdyby teście nie przychodzili na obiad. I ma taki słodki akcent. Jak Gerard Butler*. Ale tę koszulę mógłby sobie darować.

– Wygląda jak jeden z tych łachów z Zachodniego Wybrzeża, co to palą trawkę i piszą wiersze – przytaknął starszy mężczyzna.

* Popularny aktor, z pochodzenia Szkot.

– Nie palę trawki. I nie piszę wierszy, chociaż uważam, że nie ma w tym nic złego – zakomunikował Theo. – I nie poprosiłem jej o rękę, powiedziałem tylko, że widziałbym nas razem.

– Teraz gadasz jak prawnik – stwierdził starszy mężczyzna.

– Zaraz, jesteś prawnikiem? – zainteresowała się Sugar. – To by się zgadzało.

– Nieważne, i pal sześć ślub... zjesz ze mną kolację, Sugar? Proszę...

– Jeszcze czego! – wtrącił starszy mężczyzna. – Sam przyznałeś, że bredzisz.

– Czy ktoś tu sprzedaje lody? – włączył się mężczyzna z dzieckiem w wózku. – Czekoladowe poproszę. Dwie gałki.

– Chwila, my tu mamy kino – zaoponowała kobieta w dresach. – Jesteś mężatką? – zwróciła się do Sugar.

– Wolałabym poprzestać na temacie lodów, jeśli nie sprawi to pani różnicy.

– Masz chłopaka?

– Czekoladowe czy czekoladowe z kawałkami czekolady? – Sugar twardo zwróciła się do mężczyzny z wózkiem.

– Jak możesz nie mieć chłopaka? – zdumiał się starszy mężczyzna. – Gdybym był dwadzieścia lat młodszy, sam poprosiłbym cię o rękę.

– Chyba czterdzieści – prychnął facet z wózkiem.

– Idź na kolację z Gerardem Butlerem – kusiła kobieta.

– Byle do ładnego lokalu – dorzucił starszy mężczyzna. – I żadnego obmacywania w taksówce!

– I niech za ciebie zapłaci, kotku – uzupełniła kobieta w dresach. – Starczy tego dzielenia na pół. Kto to widział takie rzeczy?

– Po czym oddaliła się ze starszym mężczyzną, dyskutując przyjaźnie o wyższości stracciatelli nad miętą.

– Zaczekam, aż będziesz miała trochę luzu, jeśli nie masz nic przeciwko temu – powiedział Theo i wycofał się na zacienioną ławkę, ustępując miejsca fali klientów złaknionych ochłody. Sugar jednak wciąż czuła na sobie jego zamyślony wzrok.

Nagle zobaczyła panią Keschl, która co tydzień truła sadownikowi głowę, że jego jabłka nie smakują tak, jak powinny.

– Zje pani lody, pani Keschl? – zawołała.

Starsza pani podeszła bliżej, szurając nogami.

– Co to jest, to czarne z tyłu?

– Anyż, chyba niezbyt popularny.

– Poproszę. Z rabatem, skoro pomagam ci go opchnąć.

Niespełna pół godziny później pan McNally wypatrzył Sugar w stoisku z lodami i bezceremonialnie wepchnął się na początek kolejki, głuchy na protesty zebranych.

– Ty – powiedział.

– Wybaczcie, kochani – Sugar uciszyła wrzawę. – To mój sąsiad, pan McNally, ma spadek glukozy. – Bywa, że niewinne kłamstewko łagodzi obyczaje. – Co dla pana?

– Co to jest, to czarne z tyłu?

– Anyż. Zjadłby pan?

– A myślisz, że po cholerę tu stoję?

– Pani Keschl też lubi anyżowe – rzekła, podając mu wafelek. Przez chwilę myślała, że rzuci lodami jej w twarz. – Proszę spróbować, zanim podejmie pan pochopne kroki – dodała.

Spróbował i chyba mu zasmakowały, gdyż mruknął coś, co mogło być podziękowaniem, i odszedł, rozpychając się łokciami na boki.

Wreszcie zapanował względny spokój i Theo znów pojawił się przy ladzie.

– Tylko pomyśl – zaczął. – Gdybym nie wspomniał o ślubie, miałbym pełne prawo cię zaprosić. To po prostu kolacja, Sugar. Spójrz na to w ten sposób. Jeśli utwierdzi cię w przekonaniu, że mam nie po kolei w głowie, przysięgam, już nigdy cię o nic nie poproszę. I obiecuję, że więcej mnie nie zobaczysz.

Od wyjazdu z Charlestonu Sugar była na wielu kolacjach – lubiła męskie towarzystwo, przywykła do niego od urodzenia – ale ograniczała się do mężczyzn, którzy nie zainteresowaliby jej w głębszym tego słowa znaczeniu, co pomagało uniknąć komplikacji. Czasem pozwalała sobie na pewne odstępstwa i szła o krok dalej: na przykład spędziła cudowną zimę z instruktorem narciarskim w Idaho oraz gorące lato z winiarzem w Napa.

Lecz uniesienia i porywy serca to nie dla niej. Przerobiła już romans wszech czasów. Zrujnował jej życie, a przy okazji życie paru innych osób, więc na powtórce jej nie zależało.

Tymczasem oto stała wiosną w pięknym parku i aż ją roznosiło, aby znów dać się unieść i porwać.

Opuściła rękę i łyżka opadła w lody miętowe.

Pomyślała sobie, że latami twardo unikała podstępnej strzały Amora, lecz tonąc w lazurowych oczach Theo ponad tęczą organicznych lodów własnej roboty, nagle zwątpiła we własną siłę. I pomyślała, że może przez cały ten czas Amor celował gdzie indziej. Lub w nią, tylko zawzięcie pudłował.

Nie zakochała się w instruktorze narciarskim – ciągnęło ją do niego, bo cierpiał po stracie żony, która zmarła na raka, a ona, Sugar, wiedziała, że może mu pomóc. Nie szalała też na punkcie winiarza. Miał katar sienny, który wyleczyła miodem, a do tego bardzo ładne włosy.

I przez te lata bez porywającego romansu czuła się bardzo szczęśliwa. Pani Keschl miała rację: szklanka Sugar zawsze była pełna w połowie, a nawet w trzech czwartych. Przy okazji korzystały na tym cudze szklanki. Tak już miała. I na przekór wszystkiemu, co ją spotkało, pomimo tamtego pierwszego, opłakanego w skutkach romansu, nigdy – nie licząc tych paru pierwszych dni po wyjeździe z Charlestonu, co było zrozumiałe – niczego jej nie brakowało.

Panowała nad sytuacją.

Aż do teraz.

Dziś, patrząc znad lodów na pełne błagania oczy Theo Fitzgeralda i zmarszczkę namysłu między jego brwiami, poczuła nagle ów brak. Nie miał realnych kształtów, ale zatańczył w pustej przestrzeni między nimi jak ogień, przy czym sparzył ją naprawdę mocno. Od lat nie czuła tego żaru i nie odnotowała jego nieobecności, lecz oto płonął pod jej nosem i nie mogła zignorować tęsknoty, którą w niej budził.

Ale go nie chciała.

Za pierwszym razem przekonała się, że ów fizyczny pociąg i towarzyszący mu niedosyt niosą tylko zgryzotę, a przecież nie pragnęła znowu przez to przechodzić. Owszem, Theo był przystojny, dowcipny i niegłupi, lecz budził w niej doznania, od których chciała uciec, gdzie pieprz rośnie. A dosyć się już w życiu nauciekała.

Polubiła silną, niezależną kobietę, którą się stała w miarę upływu czasu. Stworzyła taką siebie praktycznie od zera i uznała za oczywiste, że już nic się w tej kwestii nie zmieni.

I nie pozwoli, aby jakiś wariat zmienił ją w kogoś zupełnie innego.

– Wybacz, Theo – powiedziała. – Lepiej przejdźmy od razu do tego, że więcej się nie zobaczymy. Dzięki, że wpadłeś, wolałabym jednak, żebyś nie przychodził w niedzielę na jarmark. Nie chcę być niegrzeczna i przepraszam, jeśli odnosisz takie wrażenie, ale nie mam dla ciebie czasu. – Kolejni amatorzy lodów oblegli stragan i Theo musiał dać za wygraną.

Nie przypomniał jej, że nie dostał swoich lodów imbirowych. Nie miał jednak zamiaru się poddać. Może Sugar nie życzy go tu sobie w niedzielę, lecz on znajdzie sposób, aby podbić jej serce, nawet jeśli jego noga więcej nie postanie na targu.

Tak się nieszczęśliwie złożyło, że Sugar też przepadała za lodami imbirowymi, tylko że im dłużej siedziała na tarasie, pochłaniając całe pół litra, tym większy mętlik w głowie miała Elżbieta Szósta.

Królowa wiedziała, że Theo Fitzgerald jest tym, na kogo czeka: owo przekonanie tkwiące w splotach jej DNA było równie oczywiste jak instynkt samozachowawczy. Nie wiedziała tylko, co dalej – w tej kwestii DNA milczało. Założyła więc – o ile można mówić o założeniu w przypadku królowej pszczół – że inicjatywa należy do Sugar. Ta jednak ograniczała się do zagarniania łyżką pełnotłustego nabiału o woni zdecydowanie imbirowej, może dobrej na zatwardzenie i katar, lecz stanowczo niemiłej dla pszczół.

Coś musiało się zmienić, i to bezwzględnie, a że Sugar dalej się dąsała, Elżbieta Szósta uznała, że pora przejąć pałeczkę. Wepchnęła odwłok do najbliższego otworu i tam została.

Innymi słowy, zastrajkowała.

W pierwszej chwili jej podwładne spanikowały. Ul nie przetrwa, jeśli królowa przestaje składać jaja. Obległy ją zatroskane, że słabnie, i pora zastąpić ją nową pretendentką do tronu. Tymczasem, wręcz przeciwnie, sygnały wysyłane przez Elżbietę Szóstą tylko nabierały mocy.

„Zaufajcie mi", powiedziała. I pomimo konsternacji tak właśnie zrobiły.

18.

Następnego dnia po południu pani Keschl zjawiła się u Sugar z prośbą o nowe świece. Od czasu drugiego śniadania paliła je dzień w dzień i przywykła do zapachu różanego olejku.

– Na ogół pachnie u mnie cebulą – powiedziała. – Lubię ten zapach. Jednak ostatnio wolę zapach świec.

– Mają poprawiać humor, pani Keschl. Czuje się pani podniesiona na duchu?

– W moim wieku to wykluczone – oświadczyła pani Keschl. – Od dwudziestu lat mam z górki.

Spojrzała ponad ramieniem Sugar na kalejdoskop roślinności na tarasie.

– No proszę. Mamy smykałkę do kwiatów – stwierdziła, po czym wyminęła gospodynię i wyszła na dach. – Jak w rajskim ogrodzie. Dobra robota. Kawy, jeśli łaska. Z mlekiem. I dwiema łyżeczkami cukru.

Sugar poszła do kuchni i przez okno zobaczyła, jak pani Keschl delikatnie wącha kwiat wilca i z uwagą ogląda magnolię.

Ucieszyła się z tej wizyty. Kiepsko spała w nocy i obudziła się z niecodziennym bólem głowy. Kubek miętowej herbaty i chwila kontemplacji horyzontu zwykle okazywały się najlepszym lekarstwem, ale tego ranka było inaczej. Musiała walczyć ze sobą, by nie zostać w łóżku i nie naciągnąć kołdry na głowę. Co gorsza, mało się nie popłakała.

– Mam cytrynowe tartaletki z miodem – oznajmiła, wracając z kawą. – Nate upiekł spody, a pszczoły i ja zajęłyśmy się resztą. À propos, posiedzi tu pani, kiedy sprawdzę ul?

– Posiedzę choćby i do świąt, byle nie o pustym brzuchu – zapewniła ją pani Keschl.

– Długo pani mieszka przy Flores Street? – spytała Sugar. Uniosła nadstawkę, po czym zdjęła ramkę, która powoli napełniała się miodem.

– Od zawsze – odrzekła pani Keschl. – Nie zawsze tak tu wyglądało. Kiedyś było więcej trupów.

– Trupów? – Sugar zdjęła najbardziej obleganą ramę i rozejrzała się za Elżbietą Szóstą.

– Narkomanów, dilerów i takich tam – wyjaśniła pani Keschl. – Potem w okolicy nakręcili drugą część „Ojca chrzestnego" i dzielnica ożyła.

– Dziwne – powiedziała Sugar.

– No nie? Po filmie o mafii powinno być tu więcej trupów, a nie mniej, prawda?

– Nie, to znaczy tak, ale mówiłam o Elżbiecie Szóstej. Nie składa jaj.

Odkąd ostatnio zaglądała do ula, nic się nie zmieniło. Lecz, o dziwo, królowa żyła, wyglądała na sytą i miała się świetnie.

Tyle że leniuchowała.

Sugar wsunęła ramę z powrotem i nakryła ul.

– Wyglądasz, jakbyś połknęła pszczołę – zauważyła pani Keschl. – Zostało trochę tych ciastek?

– Pierwszy raz widzę coś takiego – opowiadała Sugar George'owi następnego dnia. – To nie zespół masowego ginięcia, bo wtedy pszczoły po prostu znikają, i nie wirus roztocza, bo zauważyłabym pasożyty, a moje pszczoły nigdy ich nie miały. Zgnilec też nie, bo rzucałby się w oczy w ulu. To żadna z tych rzeczy, George.

– Przykro mi to słyszeć, panno Sugar.

Jeszcze nie widział jej tak poruszonej. Zbladła, miała podkrążone oczy, a jej uśmiech utracił zwykły blask.

W ciągu paru tygodni spędzonych na progu pomarańczowego budynku przy Flores Street George uważnie obserwował jego mieszkańców – na tym polegała rola odźwiernego – lecz szczególną uwagę zwracał na Sugar, za którą oczywiście przepadał w sposób szczególny. Jego zdaniem była prawdziwą perłą, bo ze świecą szukać w mieście ludzi, którzy przejawiają taką troskę o innych. Dla każdego znajdowała czas i miód i George'owi serce rosło na ten widok.

Na dodatek Flores Street pod numerem trzydziestym trzecim nie było pierwszym miejscem, gdzie uprawiała swoje czary. George jeszcze nie spotkał osoby, która dostawałaby tyle korespondencji ze wszystkich zakątków kraju. Czasem przychodziły dwa tuziny listów i kartek w jednym tygodniu – a to jeszcze nie wszystko. Raz pokazywała mu kartę z ocenami przysłaną przez dumną mamę z Kalifornii, innym razem haft, który wyszedł spod ręki dawnej gospodyni z Idaho, a następnego dnia poduszeczkę na igły wykonaną samodzielnie przez siedmiolatkę z Santa Fe.

George obawiał się jednak, że owa troskliwość ma charakter jednostronny. Sugar wkładała serce i duszę w pomaganie innym, a dla siebie nie pozwalała zrobić nic. Ile tak można?

– O, spójrz na świat Loli – powiedziała, wskazując na smętny balon. – Strasznie się skurczył. Marna to reklama.

– Raczej nie ma głowy do interesów – przyznał George. – Za to Ethan chyba czuje się lepiej. Przypuszczam, że to twoja zasługa?

– Ambrozja. – Sugar pojaśniała. – Z miodu, mleczka pszczelego i pierzgi. Czyni cuda.

– Może nie byłbym tego taki pewny, gdyby nie uśmiech na twarzy jego mamy. Sam widziałem – odpowiedział George. – A co zrobiłaś pani Keschl? Wczoraj słyszałem, jak śpiewała, a ta kobieta ma głos jak słowik.

– Obdarowuję ją świecami z olejkiem różanym – wyznała Sugar. – To ponoć balsam na skołatane nerwy.

– Których ma aż nadto.

– Sama zaczynam je palić – dodała. – Naprawdę nie pojmuję, czemu Elżbieta Szósta tak po prostu przestała składać jaja, George. Próbuję jej dogodzić, jak mogę, ale ona jakby wiedziała swoje.

– Wiesz co, jest takie miejsce, do którego zaglądam, kiedy mnie nachodzi na refleksję. Czy nie miałabyś ochoty wybrać się tam ze mną?

– Chodzi o bar? Bo o tej porze raczej nie piję.

– Ja nie piję wcale, panno Sugar. To miejsce ma związek z naturą i dlatego myślę, że ci się tam spodoba. A jeden z przywilejów bycia honorowym odźwiernym polega na tym, że nie muszę pytać szefa, czy mogę wyjść, bo nie mam takowego. Zresztą niedługo pora na lunch.

Nadstawił ramię, a Sugar wsunęła mu rękę pod łokieć.

Kilka przecznic dalej, na East 6th Street, na zardzewiałym płocie wciśniętym między dwoma domami wisiała niezbyt zachęcająca furtka.

George otworzył furtkę i ruszył przodem. Ku zdumieniu Sugar znaleźli się w kwitnącym ogrodzie strzeżonym na tyłach przez wielki dąb i porośniętym usianymi kwieciem krzakami oraz młodymi drzewkami, pod którymi ustawiono ekscentryczną kolekcję rzeźb, wyszczerbionych gnomów, ceramicznych ropuch i cherubinów pokrytych mchem.

– Ogród Grace – oznajmił George. – Istnieje od lat siedemdziesiątych, kiedy budynek w tym miejscu spłonął do cna i nikomu nie było spieszno go odbudować. Nikt nie pamięta, kim była Grace, ale tutejsi dbają o ten ogród od lat, aby tacy jak my mogli tu przychodzić i odetchnąć od świata.

– Pięknie tu – powiedziała Sugar.

Niebieskie hortensje pyszniły się jak polewa na bujnych krzakach u stóp porośniętej bluszczem ściany domu obok. Niewielką przestrzeń wypełniała zbieranina przypadkowych stolików i krzeseł, jakby w oczekiwaniu na ekscentryczny podwieczorek, ale George poprowadził Sugar ku dwóm drewnianym ławkom ukrytym wśród listowia, z widokiem na rządek czerwono-białych ptasich budek, zamocowanych na płotku pośrodku klombu.

Tam usiedli, wśród zajączków promieni igrających wśród liści dębu i sąsiedniej wierzby, po czym George wyjął z torby papierową torebkę. Odwinął ją starannie i poczęstował Sugar połową bułki.

– Wędzony łosoś norweski z topionym serem, kaparami i cebulką od „Russ & Daughters" z East Houston – oznajmił. – Kupuję tam bułki od tysiąc dziewięćset sześćdziesiątego dziewiątego roku i są coraz lepsze. Na szczęście, bo wcale nie tanieją.

– Wykluczone, George! Będziesz głodny.

– Czy kiedykolwiek odmówiłem twojego miodu, herbaty czy maści na nogę albo tego ciasta, którego zjadłem cztery kawałki?

– Nie, ale...

– Nie ma żadnego ale, panno Sugar.

– Kiedy ja naprawdę nie mogę, George. Nie mogę.

George przystąpił do zawijania torebki.

– No cóż, sam nie będę jadł, więc albo weźmiesz połowę, albo ptaszki dostaną całość. Wybieraj.

– Twardy z ciebie zawodnik.

– Nie pozostawiasz mi wyboru.

Z ociąganiem wzięła połowę.

– Dziękuję – powiedziała i ugryzła kęs. – Ale pycha.

– Widzisz? – ucieszył się George. – Wystarczyło pozwolić, żebym się z tobą podzielił.

Sugar przestała żuć bułkę.

– Bałam się, że dla ciebie nie wystarczy.

– A ja bałem się o ciebie.

– Jem jak koń, George. Nie musisz się o mnie martwić.

– Nie mówię o jedzeniu, panno Sugar.

– Nie?

– Nie.

– Hm. – Odłożyła kanapkę i delikatnie otarła kąciki ust. – To o czym?

– Skoro pytasz – zaczął George – wiedz, że jestem stary i szkoda mi czasu, więc jeśli pozwolisz, od razu przejdę do sedna.

– Ach tak!

– Widzę, że coś cię gnębi i pewnie wolałabyś to zachować dla siebie, bo taka już jesteś, ja jednak wiem, że z problemami łatwiej się uporać, kiedy się zwierzysz osobie, której na tobie zależy. Na przykład mnie.

– Ale tu chodzi o moje pszczoły – odrzekła. – Już ci się zwierzyłam.

– Pszczoły to zasłona dymna. Sedno problemu tkwi gdzie indziej, a mianowicie w twoim sercu. Sprawy sercowe to moja specjalność, więc jeśli mógłbym pomóc, wal śmiało i nie gniewaj się za moją bezpośredniość, bo, jak wspomniałem, zgrzybiały ze mnie starzec. I pamiętaj, jak ładnie poszło nam z bułką.

Tutaj miał rację: Sugar pochłonęła już swoją połówkę. Lecz to była tylko bułka, a kłucie w piersi nie miało z kanapką nic wspólnego.

– Skąd ten pomysł, że tu chodzi o moje serce, George?

– Bo do tego wszystko się sprowadza, tak czy inaczej – stwierdził. – Tak się składa, że jesteś najładniejszą dziewczyną w Alphabet City, a do tego mądrą, dobrą i życzliwą dla innych. Wydaje się, że masz wszystko, co można sobie wymarzyć – prócz kogoś, z kim mogłabyś to dzielić.

– O matko, przecież nie wszyscy potrzebują kogoś do pary. To nic złego być singlem! Niektórym dobrze w pojedynkę, George. W dzisiejszych czasach to normalne. Lepsze niż związek z kimś, kto nas nie kocha.

– Nie byłbym taki pewien, jeśli to strach każe ci tkwić w miejscu. Tak czy inaczej jesteś uziemiona.

Sugar oniemiała.

– Chyba przeholowałeś – zauważyła.

– Wiem i bardzo przepraszam. Może jednak być tak, że to, czego sobie odmawiasz, jest równie zgubne dla twojej duszy jak głodowanie dla panny Ruby. Wiem też, że starasz się jej pomóc, więc ja chcę pomóc tobie.

– Ale dlaczego, George?

– Bo każdy kiedyś potrzebuje anioła, panno Sugar. Ty byłaś moim, więc ja mogę być twoim.

Z sąsiedniego podwórka przyleciał drozd i przysiadł przed jedną z budek, świdrując Sugar okiem. Otworzyła usta, żeby zaprotestować, uprzejmie zganić George'a, wyśmiać jego troskę, lecz nie wykrztusiła ani słowa. Zamiast tego poczuła, jak zalewa ją coś na podobieństwo spokoju, począwszy od czubka głowy, a potem coraz niżej, w dół, aż do znękanego serca.

George miał rację. Oczywiście, że miał rację. Nie co do bycia aniołem, tylko w kwestii serca.

Nie chodziło tylko o Elżbietę Szóstą.

Chodziło o Theo.

Poruszył w niej coś głęboko uśpionego i nie mogła temu zaradzić. Utknęła, bo nadal uciekała przed grzechami przeszłości i bała się znowu popełnić ten sam błąd. To nie żądza przygód pchała ją do przeprowadzki ani odwaga czy nakaz królowej pszczół. Nosiło ją, gdyż bała się poczuć do kogoś to, co zaczynała czuć do Theo.

– Nazywał się Grady – zaczęła mówić. – Grady Parkes.

19.

Poznali się w jachtklubie, kiedy miała dwadzieścia lat. Sugar nie żeglowała, ale jej matka Etta wysłała ją tam z wiadomością do Troya, jej brata. Zastała go w klubowym barze z widokiem na migoczące wody rzeki Cooper, gdzie pił piwo z kolegą z wydziału prawa, Gradym Parkesem.

Słyszała o Gradym. Słyszały o nim wszystkie mieszkanki Charlestonu.

Parę lat starszy od innych młodych mężczyzn, z którymi wówczas miała do czynienia, był zabójczo przystojny: miał jasne włosy, szare oczy, sportową opaleniznę i elektryzującą charyzmę, która przyciągała ludzi tak, jak magnes przyciąga opiłki żelaza.

Grady spojrzał jej głęboko w oczy, błysnął tym swoim niedorzecznym uśmiechem i nalegał, żeby usiadła. Kiedy pół godziny później Troy pożegnał się i wyszedł, Sugar nadal siedziała.

Takie rzeczy i tacy ludzie rzadko jej się przytrafiali. Ba, Sugar zakładała, że nie dorasta do pięt takim jak Grady. Ale gdy skierował na nią reflektor swojej uwagi, niebawem poczuła, że jest kimś, a w ciągu godziny doszła do wniosku – tonąc w tych bystrych, szarych oczach, z migoczącą rzeką w tle – że jeśli Grady nie zaprosi jej na randkę, ona umrze, umrze i obróci się w pył.

Kiedy słyszała takie rzeczy od innych dziewcząt, w duchu uważała je za wariatki. Teraz jednak czuła się tak, jakby sama postradała zmysły.

Brakło jej tchu, dosłownie. Miała wrażenie, że słyszy łomot własnego serca.

Kiedy po jakimś czasie zjawiła się Etta i zastała ich pod parasolem, pogrążonych w rozmowie, nie ulegało wątpliwości, że jest zachwycona. Sugar jeszcze wówczas nie wiedziała, że spotkanie nie było przypadkowe, chociaż mogła się domyślić, gdyż tego popołudnia wybierały się z matką do klubu ogrodniczego. Etta pilnowała swoich zobowiązań na równi z zobowiązaniami córki, lecz gdy Sugar próbowała się wytłumaczyć, matka tylko machnęła ręką.

– Jak ładnie razem wyglądacie – westchnęła z zachwytu. – Mniejsza o klub ogrodniczy, Cherie-Lynn. Sama się tym zajmę. Bawcie się dobrze. Ależ nie przerywajcie rozmowy! Tak miło cię widzieć, Grady. Pozdrów swojego przystojnego tatę, dobrze? – I poszła, kołysząc biodrami, świadoma, że młody człowiek odprowadza ją wzrokiem.

Widok bioder matki i dźwięk jej zalotnego głosu zawsze uświadamiały Sugar własne braki. Wiedziała, że Etta marzyła o córce na swój wzór i podobieństwo, lecz Sugar po prostu nie miała tego we krwi. Może nie była chłopczycą – matka udusiłaby ją gołymi rękami – ale nie przepadała za przyjęciami, zakupami i długimi wizytami u kosmetyczki, za którymi szalała jej rodzicielka.

Zawsze wolała pomagać dziadkowi przy ulach nad rzeką Ashley. Lubiła czytać książki i spacerować z psem Łatką. Co gorsza, za nic w świecie nie umiała chodzić na obcasach, co ją, rodowitą mieszkankę Południa, pogrążało z kretesem. Urodziwa jedyna córka znanej piękności i majętnego przedsiębiorcy winna pójść w ślady matki, i to przynajmniej na siedmiocentymetrowych szpilkach.

Obie jednak były ulepione z innej gliny.

– Ona nie ma twojego tupetu, Etto! – podsłuchała kiedyś swego ojca, Blake'a. – Co nie znaczy, że coś z nią nie tak. Bóg jeden wie, że tupetu starczy ci za całą rodzinę. Wdała się w twojego ojca, nic więcej. I to cię najbardziej wkurza.

Sugar dotąd nie zdawała sobie sprawy, że wkurza matkę, lecz fakt faktem, ścierały się przy każdej okazji.

– Dziwna jesteś – powiedziała kiedyś Etta, patrząc na nią jak na cudaka. – Bóg raczy wiedzieć, dlaczego nie mam takiej córki jak Treena Murray czy Melissa Knowles. Melissa chodzi z mamą na lekcje golfa i planują wspólny wyjazd do spa na wyspie Kiawah.

Melissa Knowles była modną bywalczynią salonów, która nie spojrzałaby na Sugar, nawet gdyby jej życie od tego zależało. Do tego Sugar nie umiała grać w golfa. Ani w tenisa. Nie była wysportowana, muzykalna ani szczególnie obyta i nie przejawiała zainteresowania weekendami na wyspie Kiawah.

Nie chciała jednak uchodzić za cudaka, a już na pewno nie chciała denerwować mamy, więc bardzo się starała. Dbała o włosy, cerę, paznokcie i generalnie o wygląd, mimo że najchętniej całymi dniami doglądałaby pszczół, o czym Etta doskonale wiedziała i co doprowadzało ją do szału.

– Czy mama pomagała ci przy ulach, kiedy była w moim wieku? – spytała kiedyś dziadka Boone'a, gdy będąc w liceum, próbowała się zainteresować próbami cheerleaderek i jazdą konną.

– Twoja mama nigdy nie miała czasu dla pszczół, Sugar Honey – odpowiedział. – Interesował ją tylko własny ul. Oczywiście nie ma w tym nic złego, ma po prostu inne spojrzenie na świat. Taka się urodziła: zawsze chciała być gdzie indziej i kimś innym. Za to ty, słodziutka, wdałaś się we mnie i babcię. My zawsze mamy czas dla pszczół.

– I miodu – dodała Sugar.

– Pod tym względem jesteś wykapaną babcią – przytaknął. – Wyleczyła więcej osób niż jakikolwiek doktor. Przez ulicę spokojnie nie przeszła, żeby komuś nie pomóc.

Sugar odziedziczyła ów dobroczynny instynkt, jak nazywała to jej mama. Już wówczas robiła maści i eliksiry, mieszała olejki babci z dziadkowym miodem i kurowała Łatkę, nauczycielkę muzyki oraz bezdomnego, który pod sklepem żebrał o drobne.

– Miło czasem pomagać ludziom, Cherie-Lynn – mówiła Etta. – Tylko nie rób z tego powołania.

Ale Sugar nie miała nic przeciwko temu. I pod koniec liceum postanowiła zostać pielęgniarką, lecz rodzice postawili veto.

– Wallace'owie nie będą opróżniali nocników – oznajmił ojciec. – Jesteśmy powołani do innych celów. Nie musisz być pielęgniarką, kochanie. Nie musisz być nikim. To żaden wstyd młodo wyjść za mąż i założyć rodzinę. Tak zrobiła twoja mama i spójrz, jaka jest szczęśliwa.

Sugar nawet nie przyszło do głowy, że Etcie może czegoś brakować. Zazdrościła matce talentu czerpania przyjemności z układania kwiatów w wazonie, odnawiania mebli i spotkań z koleżankami, lecz sama nie umiała się na to zdobyć. Poszła do college'u na specjalizację z biologii, którą traktowała jako namiastkę szkoły pielęgniarskiej. I dostrzegła przed sobą pewne perspektywy przyszłości; biologia i miód wespół mogły ją do czegoś doprowadzić.

Owszem, chciała mieć męża, kogoś takiego jak dziadek, który nosiłby żonę na rękach, dbał o rodzinę i naturalnie hodował pszczoły, lecz do czasu poznania Grady'ego było to raczej odległe marzenie aniżeli nikłe choćby prawdopodobieństwo. Wspólne oglądanie regat w klubie niespodziewanie nadało owej mrzonce realny kształt. Jednak biologia na coś się przydała.

Chłodne palce Grady'ego na jej ramieniu, dotyk jego warg na policzku, silny, słony męski zapach rozniecił w jej brzuchu – i nie tylko – żar, o który się nie podejrzewała.

– Bethany Towers mówi, że twoje rówieśnice ustawiają się do niego w kolejce – oznajmiła córce Etta, gdy Sugar była już po trzeciej randce. – Dobrze to rozegraj, Cherie-Lynn, bo lepszego nie znajdziesz, mówię ci.

Sugar sama to wiedziała. Nie była lepsza od innych ślicznotek, które tylko czekały, aż jakiś przystojniak z dobrymi genami i świetlaną przyszłością przyjedzie po nie na białym koniu. Zresztą nie dbała ani o jego geny, ani o przyszłość, tylko zakochała się w nim po uszy. Dotąd nie zdawała sobie sprawy, że zakochanie jest jak skok w przepaść: człowiek leci na łeb, na szyję i nigdy nie wie, gdzie spadnie. Wcale nie było słodkie i bezpieczne, jak sobie to wyobrażała. Było przerażające. Jakby w środku miała czarną dziurę, którą mógł wypełnić tylko Grady, jego głos, dotyk i zainteresowanie. Bez niego czuła, że tonie. A kiedy miała go blisko, świadomość własnego szczęścia prawie ją obezwładniała.

Im częściej go widywała, tym bardziej pochłaniała ją myśl o jego ustach na swojej szyi, o tym, jak leży naga w jego ramionach.

Oczywiście na myślach się kończyło. Grady był dżentelmenem, choć im dłużej się spotykali, tym częściej rzucała się z boku na bok i marzyła o dniu, kiedy będzie się tak rzucać wraz z nim.

Tymczasem na sam dźwięk jego imienia dostawała gęsiej skórki.

„Grady i ja postanowiliśmy jutro iść na plażę", mówiła, czując rozkoszny dreszcz. „Grady i ja idziemy w niedzielę na obiad z jego siostrą". „Grady i ja jedziemy na weekend do Savannah". „Grady i ja, Grady i ja, Grady i ja..."

Etta ze szczęścia fruwała nad podłogą. Ojciec i bracia Sugar też nie kryli zadowolenia. Grady Parkes senior był właścicielem dużej firmy przewozowej i miał wpływy; taki partner w interesach to skarb, nawet dla Wallace'a.

Ale Sugar nie trzeba było namawiać do kochania Grady'ego. Chemia o to zadbała i po latach odstawania od reszty rówieśniczek dziewczyna poczuła, że może jednak sprosta stawianym jej wymaganiom.

Rzuciła szkołę („I dobrze", parsknęła matka), przestała czytać książki, wyprowadzać psa, odwiedzać dziadka i pomagać mu przy pszczołach. Robiła to, czego oczekiwał Grady, była na każde jego skinienie. Lecz nie traktowała tego jako wyrzeczenie: nie miała dość ani jego, ani tego, jak się przy nim czuła. To była miłość, Sugar kochała i już.

Kiedy przyszedł prosić o jej rękę, zaledwie cztery miesiące po ich pierwszym spotkaniu w jachtklubie, odniosła wrażenie, że tata ucieszył się jeszcze bardziej niż ona, a to nie byle co, bo była w siódmym niebie. A ponieważ nigdy nie kochała do tego stopnia, uznała, że wytrwa w tym stanie do końca swoich dni.

I tu się myliła, rzecz jasna.

Zaczęło się na ich przyjęciu zaręczynowym, wyprawionym w rezydencji Wallace'ów przy Legare Street, gdzie dwieście pięćdziesiąt osób, najbliższych przyjaciół i krewnych rodziny, świętowało szczęście przyszłych oblubieńców.

Sugar bawiła się wspaniale, tańczyła z Gradym, jego braćmi i swoimi oraz ze wszystkimi panami, którzy ją poprosili. Wygrzewała się w blasku powszechnego zainteresowania i delektowała rolą królowej balu.

Dręczyła ją tylko myśl o dziadku, który został zaproszony, ale nie przyszedł. Mówił, że źle się czuje, co było do niego niepodobne, lecz istotnie stronił od rodzinnych bankietów i przyjęć. Twierdził, że dostaje od nich wysypki. Dodał, że Sugar kiedyś też dostawała, jednak roześmiała się tylko i odparła, że Grady ją wyleczył. Doskwierało jej to, bo narzeczony jeszcze nie poznał dziadka. Mówił, że nie lubi wsi, ale obiecywał, że pojedzie z Sugar do Summerville, jak tylko nadarzy się wolny weekend.

Na przyjęciu był taki przystojny, taki kulturalny i czarujący. Wszystkie panie traktował z jednakową uwagą, począwszy od wąsatej ciotki Emmerline aż po Meredith Burrows, modelkę z Nowego Jorku, która była zjawiskowa, acz zbyt koścista jak na jego gust, czego nie omieszkał zaznaczyć na użytek Sugar.

W czasie swojej krótkiej znajomości bywali już razem na innych uroczystościach. Grady uwielbiał brylować w towarzystwie i będąc przy nim, Sugar nie krzywiła się na to tak jak kiedyś. Tylko czy zawsze tyle pił, błysnęła jej myśl w połowie przyjęcia. Nigdy nie widziała go pijanego, poza tym nie zataczał się i nie robił z siebie głupka. Mężczyźni z Charlestonu słynęli ze swojego umiarkowania w piciu, lecz pomimo galanterii ukochanego przypomniała sobie później dziwny błysk w jego oczach, którego nigdy wcześniej nie zauważała. Wówczas nie przyszło jej do głowy, że mógł skrywać coś niebezpiecznego, no ale skąd miała wiedzieć? Przecież właśnie zaręczyła się z księciem z bajki.

Po tym, jak dwaj dumni tatusiowie wygłosili mówki, a mamusie uroniły łzy (Etcie nawet tusz nie spłynął), Grady zaciągnął Sugar do pokoju, który matka nazywała pracownią.

– Jesteś taka śliczna – wymamrotał, wciskając ją w ścianę. – Ja pierdolę, jaka śliczna. Boże, jak ja cię kocham. Jesteś niesamowita. Wiesz o tym? Ja cię, kurwa, tak kocham. Jesteś wspaniała. Zajebiście wspaniała.

Myślała, że poczekają do ślubu. Oczywiście była tak beznadziejnie zacofana, choć marzyła o tym pierwszym razie i widziała oczami wyobraźni, jak powoli rozbierają się w półmroku sypialni i u progu wspólnego życia czule uczą się siebie nawzajem. Lecz na dźwięk jego wyznania, które jakby rozdzierało go na pół, pomimo ordynarnych słów, od których się wzdragała, nagle poczuła się prawie nowoczesna.

I tak długo na to czekała: pragnęła go ze wszystkich sił i czuła, że dłużej tego nie wytrzyma.

Zadarła spódnicę.

– Jesteś najlepszym, co mnie spotkało. – Grady całował ją w szyję, gryzł w ucho i wpychał kolano między nogi. – Naprawdę, Sili. – Tak ją pieszczotliwie nazywał. – Mówię poważnie.

Zanim jednak podniosła ku niemu złaknione usta i odwzajemniła pocałunek, rozpiął spodnie i natarł na nią z przymkniętymi oczyma.

Jakby jej tam wcale nie było.

Chwila dotkliwego bólu i było po wszystkim. Grady oparł się o ścianę obok Sugar; pot kapał mu z czoła, kiedy zapinał rozporek.

– Ja pierdolę, warto było czekać – mruknął. – Chodź, lepiej wracajmy, nim zauważą naszą nieobecność.

Sugar poprawiła włosy drżącymi rękami, oszołomiona tym, co przed chwilą zaszło.

Grady zobaczył jej minę i źle ją odczytał.

– Nic się nie stało, kochanie – powiedział. – To i tak miałem być ja. Czy to ważne, kiedy?

Rozbrzmiała głośna muzyka i ktoś zawołał Grady'ego.

– Uwielbiam ten kawałek – dodał. – Chodź, Sili. Zatańczymy.

Goście byli zbyt zmęczeni, pijani albo jedno i drugie, aby zwrócić uwagę, że przyszła panna młoda utraciła nieco blasku. Oczy jej błyszczały, ale inaczej niż na początku.

W czasie przyjęcia zaręczynowego Sugar dostrzegła u Grady'ego coś, co nie pasowało do jej marzenia o przyszłym kochającym mężu, czarującym zięciu i charyzmatycznym prawniku. Zobaczyła spoconego pijaka, który ją rozdziewiczył. I zrozumiała, że wprawdzie chemia między nimi była niezaprzeczalna, czegoś jednak w niej brakowało.

20.

Na starym zegarze zawieszonym na gałęzi podskakiwał drozd, lecz nie spuszczał oka z Sugar. Patrzył z ukosa, jakby też słuchał.

– Miłość boli, panno Sugar – stwierdził George. – Zwłaszcza kiedy człowiek jest młody i nie wie, że może być inaczej.

– Stare dzieje. – Odprowadziła wzrokiem ptaka, który przeskoczył na wyższą gałąź dębu. – Poza tym ostatnio raczej o nim nie myślę. Przez ostatnie piętnaście lat starałam się nie myśleć wcale, lecz pojawiła się biedna Ruby ze swoim upodobaniem do romansów. Zachowuje się, jakby ich nie znosiła, ale biedaczka ma bzika na punkcie ślubów i mogłaby w kółko o nich rozmawiać, a mnie aż cierpnie skóra. Poza tym…

– Poza tym?

– E, może to bez znaczenia.

– Wszystko ma znaczenie.

– Chodzi o to, co mówiłeś o strachu. Że też w ogóle biorę pod uwagę coś takiego!

– Mianowicie?

– Poznałam kogoś, George.

– Tak?

– Owszem.

– I co?

– I nic, ale skręca mnie na samą myśl.

– Czyli jednak trafiłem w sedno.

– Nawet go nie znam, a on mnie, poza tym to czubek.

– Większość najwspanialszych ludzi to czubki, panno Sugar. Jeszcze nie zauważyłaś?

– Przeraża mnie ta sytuacja.

– Musisz się wyzbyć strachu.

– Muszę się wyzbyć przeszłości, ot co.

– Nie da rady. Powinnaś już to wiedzieć. Ale z odrobiną pomocy możesz zmniejszyć jej wpływ.

– Naprawdę w to wierzysz?

– No ba. Jestem tego jak najlepszym przykładem.

Po przyjęciu zaręczynowym Grady był tak miły i uroczy, że Sugar ukryła głęboko rozczarowanie w „pracowni" wraz z pozostałymi wątpliwościami.

Pierwszy raz zawsze jest niewypałem, a ona doświadczyła go później niż większość koleżanek. Znała parę dziewcząt w swoim wieku, które czekały z tym do nocy poślubnej, większość jednak straciła już wianek.

– Czy ty i tatuś przed ślubem...? – spytała któregoś ranka mamę, siląc się na swobodny ton.

Etta siedziała przy biurku i Sugar zobaczyła, że na szyi matki występują znajome plamy.

– Grady jest dżentelmenem – oznajmiła mama. – Nie prosiłby o to, do czego nie miałby prawa.

– Nawet jeśli to...

– Nawet, Cherie-Lynn! Mężczyźni mają swoje potrzeby. To nie żaden przesąd, tylko fakt. Ślub z Gradym Parkesem to najlepsze, co mogło ci się trafić, więc bądź łaskawa tego nie zepsuć, gdyż Bóg mi świadkiem, nigdy ci tego nie wybaczę. Twój ojciec tak samo.

I zaczęła mówić o tym, jak tu posadzić na weselu swoją starą znajomą Louisę tak, aby nie widziała i nie słyszała swojego byłego męża Hanka, skoro widać go i słychać aż z Teksasu.

Tydzień po przyjęciu zaręczynowym doszło między nimi do kolejnego zbliżenia, tym razem w samochodzie, za barem z owocami morza na Folly Island. I znów skończyło się, nim na dobre się zaczęło. Grady nawet na nią nie spojrzał, nie wspominając o całowaniu. A potem był do rany przyłóż.

Próbowała zasugerować, żeby pojechali do hotelu, zakradli się do jej pokoju albo przynajmniej trochę wyhamowali, ale zaczęła się plątać i Grady się obraził, że stosunek – byle jaki, szybki i prawie na widoku publicznym – mógł wzbudzić w niej każde uczucie oprócz zachwytu.

– Nigdy nie miałem zażaleń – burknął. – A poza tym mam wprawę.

Nie łudziła się, że jest jego pierwszą dziewczyną, lecz aż ją zmroziło. I pomyślała, że mógł sobie darować tak oczywistą aluzję.

Po kolejnych paru tygodniach przekładania zrehabilitował się zgodą na wizytę u dziadka Boone'a. W któreś niedzielne popołudnie zjawili się w Summerville, w chwili gdy staruszek zaglądał do ula i sprawdzał ilość nagromadzonego miodu.

Sugar od razu chciała pobiec do dziadka, lecz Grady złapał ją za rękę, jeszcze zanim zdążyła wysiąść z samochodu.

– Co on robi?

– Czyści ul. Puść mnie, Grady, chcę mu pomóc.

– Czyścić ul? Wykluczone.

– Grady, kochany, puść, to boli. Od dziecka pomagałam dziadkowi czyścić ule i dbać o pszczoły. Pamiętam, jak dawał mi miód z plastra. O co ci chodzi?

– Mnie? O nic. Martwię się o ciebie. To ty chcesz się babrać w jakimś świństwie jak parobek.

– Jakim świństwie? Dziadek spodziewa się, że mu pomogę. Zawsze to robię.

– Już nie – odparł Grady, ale puścił jej rękę, na której został ślad. Gdy Sugar szła w stronę domu, nadgarstek palił ją żywym ogniem.

Dziadek obserwował zajście zza siatki na kapeluszu pszczelarskim i chcąc oszczędzić wnuczce zakłopotania, zamknął ul, stanął na ganku i zdjął kombinezon, jakby skończył to, co miał do zrobienia.

Sugar mocno go objęła; nie zrobił na niej wrażenia szczuplejszego niż zwykle ani chorego.

– Grady, poznaj drugiego najważniejszego mężczyznę w moim życiu.

– Miło mi. – Grady podał dziadkowi rękę, ale jego zwykła kurtuazja gdzieś wyparowała. – Czy moglibyśmy stanąć dalej od pszczół? – zapytał, przechodząc na drugi koniec werandy. – Jakoś za nimi nie przepadam.

Sugar zaczęła paplać i szurać krzesłami, pobiegła po whisky dla panów i mrożoną herbatę dla siebie.

Dziadek opowiedział im, co robił tego dnia. Z grzeczności nie nawiązał do pszczół i uprzejmie wypytał narzeczonego o firmę, przyjęcie zaręczynowe i ślubne plany.

Lecz gdy zbierali się do odjazdu i Grady ruszył w stronę samochodu, zatrzymał na chwilę wnuczkę i zaprowadził ją do pszczół.

– Jeszcze nie miałem takiej królowej, Sugar – oznajmił, gdy stanęli obok ula. – Nazwałem ją Elżbietą; musisz zobaczyć, jak ona składa jaja, rach-ciach i już. Jeszcze czegoś takiego nie widziałem. Da nam dużo miodu.

– No, jej podwładne chodzą jak w zegarku – zauważyła Sugar, patrząc na pszczoły, które uwijały się przy wlocie do ula. – Tyle mnie ominęło.

– Byłaś zajęta, Sugar Honey.

– Ale powinnam mieć czas dla ciebie i pszczół. Bardzo was kocham. Mam nadzieję, że Elżbieta mi wybaczy.

– Nie ma takiej potrzeby, ale w razie czego na pewno – powiedział dziadek. – Jest naprawdę silna, Sugar. Zupełnie jak ty.

– Ja? – Sugar się roześmiała. – Skąd ta myśl?

– Mówię na podstawie obserwacji z ostatnich dwudziestu lat – odparł. – Nie jesteś trutniem, Sugar, tylko królową. Bądź łaskawa o tym pamiętać.

– Miło, że tak mówisz, dziadku.

– Nie chcę być miły. Mówię, żebyś pamiętała o tym w trudnych chwilach.

Wymienili spojrzenia.

– Jesteś silna – powtórzył. – Pamiętaj. I nie wierz nikomu, kto twierdziłby inaczej. Słowo?

– Nie wiem, co masz na myśli – odpowiedziała zaczerwieniona Sugar, unikając jego wzroku.

– Po prostu mi to obiecaj.

– No dobrze, obiecuję, skoro nalegasz, ale naprawdę…

– Jesteś dla niego za dobra – wpadł jej w słowo. – I to nie w kontekście Charlestonu, tylko w ogóle.

– Mówisz o Gradym?

– Sugar, on nie lubi pszczół.

– Mnóstwo ludzi nie lubi pszczół!

– Owszem, ale ty do nich nie należysz.

Chciała zaoponować, bronić ukochanego mężczyzny, za którego miała wyjść za mąż, lecz dostrzegła okazję, aby porozmawiać o swych wątpliwościach z człowiekiem, który rozumiał ją jak nikt inny. Prawda wyglądała tak, że w miarę jak zbliżał się dzień ślubu, Sugar coraz mniej czuła się sobą. A że brakowało jej tej prawdziwej, wymarzonej więzi z narzeczonym, początkowy entuzjazm jakby zbladł.

Chciał, aby zrobiła sobie złote pasemka, nosiła rozpuszczone włosy i chodziła na obcasach, choć od tego bolały ją stopy, i nazywał ją Sili, za czym nie przepadała. Oczywiście żadna z tych rzeczy sama w sobie nic nie znaczyła i Sugar niezręcznie było o nich wspominać, ale wespół sprawiały, że budziła się zlana potem w środku nocy z poczuciem, że stoi o krok od popełnienia głupoty stulecia.

Jakby tego było mało, Grady nie chciał, żeby pomagała dziadkowi.

O czymś to świadczyło.

Ale potem zatrąbił i pomyślała o rodzicach, braciach i domu, który urządzali sobie na Church Street, a także o miesiącu miodowym we Francji i obawy jakby się rozwiały.

– Nic się nie martw, dziadku – powiedziała i nachyliła się, żeby go pocałować na pożegnanie, a pszczoły brzęczały im nad głowami. – U mnie wszystko w porządku.

– Kocham cię, Sugar Honey – rzucił na pożegnanie.

– Wiem, dziadku – odkrzyknęła i mu pomachała. – Ja ciebie też!

Wtedy widziała go po raz ostatni.

Zmarł spokojnie we śnie cztery dni po ich wizycie w Summerville, pozostawiając ją nieutuloną w żalu.

– Przecież był stary, Sili – perswadował Grady znudzony jej rozpaczą. – Czego się spodziewałaś?

Gdy tydzień po pogrzebie wciąż błąkała się z kąta w kąt, matka, zmęczona „histerią" córki, kazała jej wziąć się w garść.

– Wyglądasz jak potwór – nie wytrzymała. – Pora osuszyć łzy, Cherie-Lynn. Ślub za pasem.

Ale to Etta wybałuszyła oczy po odczytaniu testamentu, jako że główną spadkobierczynią jej ojca okazała się Sugar. Nie chodziło o pieniądze – dzięki mężowi od dawna nie musiała się o nie martwić – zdziwił ją po prostu sam fakt ich istnienia. Thea i Jim Boone zawsze żyli skromnie, o wiele za skromnie jak na gust ich córki, w związku z czym już jako mała dziewczynka Etta postanowiła uciec z „wiochy", po tym jak zobaczyła Grace Kelly na okładce kolorowego czasopisma. Wtedy zrozumiała, że piękne blondynki zasługują na przystojnych królewiczów i luksusowe pałace, których ze świecą było szukać w Summerville.

Tymczasem jej ojciec umarł jako bogaty człowiek. Miał głowę do interesów, oświadczył prawnik, sprzedawał po kawałku grunt, o którym Etta nie miała pojęcia, i rozsądnie gospodarował akcjami i lokatami.

– Jesteś bogatą kobietą, skarbie – powiedziała do córki po powrocie z kancelarii. – Niczego wam nie zabraknie. I tak by nie zabrakło, ale odrobina własnego kapitału nie zaszkodzi. Kto wie, kiedy zechcesz wyremontować letni domek albo jechać na zakupy do Londynu?

– Nie chcę jechać na zakupy do Londynu. – Sugar znów zaczęła płakać. – Nie chcę jego pieniędzy. Chcę, żeby żył.

– Posłuchaj mnie, Cherie-Lynn, musisz się otrząsnąć. Myślisz, że chciałby widzieć, jak się ośmieszasz? Jak doprowadzasz wszystkich, łącznie z przyszłym mężem, do szału tym żałosnym spektaklem?

– Ale co będzie z domem? I kto się zajmie pszczołami?

– Niech cię o to głowa nie boli. Wszystko załatwione. Twoi bracia zajmą się sprzedażą domu i ziemi, a pszczoły trafią do kolegi dziadka – oświadczyła mama. – Zadbał o wszystko. Poza... ależ ten staruch potrafił być denerwujący!

– Poza czym?

– Niczym się nie przejmuj, kochanie. Masz o czym myśleć.

– Poza czym, mamo?

Matka przewróciła oczami.

– Poza tym jednym głupim ulem, który zostawił tobie, stary wariat. Pojęcia nie mam, co on sobie wyobrażał. Przecież nie będziesz trzymać ula na Church Street...

– Którego ula, mamo?

– A czy to ważne? Nie zabierzesz tych pszczół.

– Ważne! Zostawił mi je, więc są moje.

– Zostawił ci też ten cuchnący, stary gruchot, ale chyba go nie zabierzesz, co?

– Masz na myśli ul sprzed domu?

– Tak mi się zdaje. Ponoć dopisał to w testamencie parę dni przed śmiercią. Bóg wie, po co.

Tego wieczoru Sugar i Grady pokłócili się o pszczoły. Zamierzała po nie jechać i postawić ul przy domu, w którym mieli zamieszkać po ślubie. Grady nie chciał o tym słyszeć.

– Skoro mówię, że nie weźmiesz tych cholernych pszczół, to ich nie weźmiesz! – krzyczał. – Może jeszcze zaczniesz uprawiać kukurydzę, suszyć zioła i palić fajkę, co?

– Mogłabym oddawać miód na jarmark dobroczynny – zaproponowała. – Albo przyjaciołom pod choinkę. To nie żadne widzimisię, Grady, tylko przysmak. A pszczoły nie będą ci przeszkadzać, obiecuję. To tylko pszczoły.

– Ani mi się waż trzymać je koło domu. – Jego ton nie wróżył nic dobrego.

– Bo co? – odparła uprzejmie.

– Jezu, tylko nie zaczynaj. Nie chcę tego słuchać. Daj spokój, bo jak następnym razem zadzwoni do mnie Meredith Burrows, może wezmę sobie do serca jej rady i przemyślę swoją decyzję.

– Meredith do ciebie dzwoni?

Spojrzał na nią spod uniesionych brwi, a na ustach błąkał mu się zagadkowy uśmieszek, od którego zmroziło ją całą, aż po stopy w niewygodnych pantoflach.

– Tak tylko mówię – odpowiedział.

– Co mówisz?

Sugar pomyślała o opuszczonej królowej, która czekała na nią przy pustym domu, o dziadku, który ją kochał i powtarzał jej, że jest silna i niech nie da sobie wmówić, że jest inaczej, i przyszło jej do głowy, że za nikim nie będzie w życiu tęskniła jak za nim.

Spojrzała na Grady'ego, który wciąż przyprawiał ją o drżenie kolan i zniewalał uśmiechem, lecz nie dorastał dziadkowi do pięt. Zapewne jak większość mężczyzn. Ale wstrząsnęło nią, że pomyślała tak o ukochanym, za którego miała wyjść za mąż i z którym miała spędzić resztę życia.

Ochoczo poświęciła dla niego fryzurę, karierę, część znajomości, a nawet wygodę własnych stóp. Ale dziadkowe pszczoły? Którymi od dziecka pomagała mu się opiekować? Wykluczone.

Grady wyczuł zagrożenie i jego złość zgasła jak świeczka na wietrze. Przytulił Sugar, zapewniając ją, że wszystko będzie dobrze, że już zawsze będzie się nią opiekował, więc nie musi się o nic martwić, bo ją kocha, potrzebuje jej, a z Meredith tylko żartował. Przecież mówił, że jest dla niego za chuda.

I Sugar oczywiście zmiękła.

Jednakże nocą strach znów dał o sobie znać i poczuła, że życie „długo i szczęśliwie" prześlizguje jej się przez palce.

– Kto to widział tak chudnąć, Cherie-Lynn – powiedziała z dezaprobatą Etta do córki parę dni później.

Poszły na ostatnią przymiarkę do krawcowej i okazało się, że wspaniała suknia, dzieło najbardziej rozchwytywanej projektantki w Charlestonie, wisiała na niej jak worek.

– Dziewczyno, ty nikniesz w oczach – jęknęła krawcowa. – Wygląda pięknie, ale zaczyna mi brakować szpilek, aby ją zwęzić.

Sugar przejrzała się w lustrze, prawie nie rozpoznając własnego odbicia.

– To pewnie z nerwów – uznała.

– Nie masz czym się denerwować – oświadczyła Etta.

– I będziesz piękną panną młodą – westchnęła krawcowa. Cofnęła się i popatrzyła na swoje dzieło. – Nie mogę się doczekać, aż cię zobaczę w kościele.

– Miejmy nadzieję, że będziesz miała weselszą minę – dodała

Etta. – Na miłość boską, to najszczęśliwszy dzień twojego życia, Cherie-Lynn. Rozchmurz się wreszcie, bo nie uszczęśliwisz tego swojego męża.

W weekend przed ślubem poszli z rodzicami na kolację i Sugar ze zgrozą zobaczyła, że Grady pije więcej niż zwykle, a w jego oczach znów pojawia się ten szklisty wyraz, który nadawał mu wygląd obcego człowieka.

– Grady, czy nie możemy zaczekać? – powiedziała, kiedy zaparkował samochód nieopodal jej domu, cofnął fotel i szarpał się z pasem bezpieczeństwa.

– Po co? – wybełkotał.

– Chcę, żeby było nastrojowo – nalegała Sugar. – No wiesz, w noc poślubną. Hotel, szampan, muzyka. Niech to będzie niezapomniane przeżycie.

– Jak uważasz – burknął, z powrotem przesuwając fotel. – Ale dla jasności: ktoś taki jak ja nie lubi na nic czekać, Sili. Ani na nikogo.

– Wolałabym, żebyś mnie tak nie nazywał – odrzekła.

– Będę cię nazywał, jak chcę – prychnął. – Jezu, co w ciebie wstąpiło?

Po powrocie do domu sięgnęła po zdjęcie dziadka, stojące w srebrnej ramce na toaletce. Gdzie się podziała dziewczyna, która pomagała mu przy ulach, mieszała miód z olejkiem lawendowym i robiła eliksiry na zimowe przeziębienia? Dobrze chociaż, że nie musiał na to patrzeć.

– Jesteś silna – powiedziała do siebie na głos, co przydało jej słowom dodatkowej mocy. – Silna – powtórzyła, tym razem głośniej, a potem jeszcze raz, aż w końcu rozpoznała osobę w lustrze.

Następnego ranka pojechała do domu dziadka po ul, który jej zostawił. Posesja zaczynała wyglądać na zapuszczoną. Przez parę tygodni, które upłynęły od śmierci dziadka, bracia Sugar nie kiwnęli tam palcem. Ale jego półciężarówka stała zaparkowana za domem, jakby dopiero co podjechał, z kluczykiem w stacyjce.

Pszczoły były rozdrażnione, prawie nie miały wody, lecz rzut oka na królową potwierdził, że wciąż sumiennie robi swoje.

– Witaj, Elżbieto – powiedziała Sugar. – Wybacz mi spóźnienie, ale wystąpiły pewne trudności.

Wyczyściła ul, po czym umieściła ramy wypełnione miodem w bagażniku, a korpus z królową na tylnym siedzeniu.

Pszczoły zwykle jeździły w przyczepie starej półciężarówki, więc podróż w volvo niespecjalnie je uszczęśliwiła. Auto, prezent od Grady'ego, wciąż pachniało skórą i nowością, co zapewne stanowiło źródło problemu. Latały po samochodzie tak poruszone, Sugar dla bezpieczeństwa włożyła na drogę kombinezon pszczelarski dziadka.

Kiedy ostrożnie wracała do Charlestonu, siatka trochę zasłaniała jej widok. Rękawice dziadka też nie ułatwiały zadania, ale przyjemnie było włożyć ręce tam, gdzie jeszcze niedawno trzymał je on sam.

W kombinezonie dziadka, którego znajomy zapach mieszał się z miodowym zapachem pszczół za jej plecami, wreszcie poczuła się jak w domu.

– Jakbym leciała na skrzydłach – powiedziała do siebie głośno, pędząc Ashley River Road pod baldachimem dębów po obu stronach, a rozkołysana na wietrze oplątwa jakby machała jej na pożegnanie.

W końcu mogła odetchnąć pełną piersią.

Lecz im bliżej była Charlestonu i Church Street, tym bardziej stawała się niespokojna. Grady wyraził się jasno na temat pszczół, toteż siła, która dotąd pchała ją naprzód, nagle zaczęła słabnąć. Kiedy tak siedziała przed nowym domem i zastanawiała się, co teraz, wynajęci przez matkę Grady'ego pracownicy firmy projektującej zieleń wsiedli do samochodu i pojechali na przerwę obiadową, co Sugar wzięła za znak do działania.

Znalazła idealne miejsce na ul w kącie ogrodu między krzakiem fioletowego bzu i kępą azalii. Było otwarte na południowy wschód, czyli dobrze nasłonecznione, a w pobliżu znajdowała się fontanna zaprojektowana na wzór znacznie większej, z ogrodu przyszłych teściów na East Battery. Sugar aż do dziś nie przepadała za tą ozdobą – uważała ją za niepotrzebny zbytek, nawet w pomniejszeniu – ale płytka misa na wodę stanowiła wymarzony pojnik dla pszczół, a rosnąca dalej magnolia zasłaniała ul tak, że był niewidoczny z okien domu.

Zanim Grady zauważy obecność pszczół, Sugar udowodni mu, że nie sprawiają problemu.

Ale one miały inne plany.

Gdy po paru dniach Grady poszedł, żeby się rozliczyć z ogrodnikami, pszczoła użądliła go w kark i rozpętało się istne piekło. Kiedy Sugar przyjechała po niego (mieli jechać na próbę w kościele), miotał się po podwórku, kopał, co popadnie, i trzymał się za kark, który puchł w oczach.

– Musiałeś je zdenerwować – stwierdziła. – One nie żądlą bez powodu.

– Chrzanisz! Przecież ci mówiłem, że nie chcę tutaj żadnych pszczół! – wrzeszczał. – Wyraziłem się jasno, a ty postawiłaś na swoim!

– Dziadek mi je zostawił, Grady. Nie mogłam ich porzucić na pastwę losu. To byłby brak szacunku. A do tego okrucieństwo.

– Już ja ci pokażę brak szacunku! – odgrażał się Grady. – Zaraz zobaczysz!

– Kiedy ich obecność mnie uszczęśliwia. Nie chcesz, żebym była szczęśliwa?

– Zasrana pszczoła nie da ci szczęścia, Sili, tylko ja. Ja tu decyduję i nie życzę sobie żadnych szkodników, rozumiesz?

Chciała mu powiedzieć, że też ma prawo głosu, że pszczoły to nie żadne szkodniki, a on zachowuje się po chamsku i za bardzo się wyperfumował. Pszczoły nie lubią wody kolońskiej.

Ale siły ją opuściły.

– Pokaż. – Chciała obejrzeć napuchnięte miejsce, lecz odepchnął jej dłoń z taką siłą, że zachwiała się, potknęła o szpadel i poleciała do tyłu.

Przez chwilę – ułamek sekundy – myślała, że Grady ją kopnie. Gniew w nim kipiał, jakby zaraz miał się wylać na zewnątrz. Lecz zaraz się opamiętał i podbiegł, by ją podnieść.

– Przepraszam, kochanie. Ja nie chciałem… O cholera. Nic ci nie jest? To nie było specjalnie, nie chciałem tylko, żebyś mnie dotykała. Nic ci się nie stało, skarbie?

– Nie. – Wstała i się otrzepała. – Jeśli pozwolisz, wejdę do środka i doprowadzę się do ładu.

– Strasznie mi przykro, kochanie. Naprawdę. Ja nie chciałem.

Patrzył na nią tak jak tamten Grady, w którym się zakochała. Poczuła żar bijący od jego ręki i serce mocniej zabiło jej w piersi.

Poczuła jednak coś jeszcze. Strach.

– Znajdę dla nich dobry dom, obiecuję – dodał. – Ogrodnicy się tym zajmą. Nie jestem potworem, Sili, nie chcę wyjść na drania. Szaleję za tobą. Wiesz o tym, prawda?

– Naturalnie. – Zmusiła się do uśmiechu. – Jutro nasz ślub.

Przecież już nie było odwrotu.

21.

Sugar wstała i podała rękę George'owi, a wtedy drozd przeleciał nad ogrodzeniem i tyle go widzieli.

– Starczy jak na jeden dzień – oznajmiła. – Bóg wie, że dzisiaj mówiłam o tym więcej niż w ciągu ostatnich piętnastu lat.

– Lepiej ci? – spytał George.

– Mam wrażenie, jakbym się obudziła pośrodku ruchliwej ulicy w koszuli nocnej i bez makijażu – przyznała.

– Grunt, że się obudziłaś.

– Dziękuję, George – odpowiedziała, gdyż, choć nie do końca zgadzała się z jego uwagą, wiedziała, że chciał dobrze.

– Nie ma za co, panno Sugar. Nie ma za co.

Pod domem zobaczyli wysokiego, chudego mężczyznę w czerni, który wymykał się ze sklepu z balonami.

– Fajna jesteś – rzucił przez ramię do Loli. – Rollo miał rację. I tania.

Lola zamknęła drzwi, nie zauważywszy pełnej nadziei twarzy Sugar na schodach. Nie było sensu zostawiać otwartego sklepu. I tak nikt tu nie zajrzy.

Z westchnieniem rozejrzała się po ciasnym pomieszczeniu. Pod ścianami piętrzyły się pudełka kolorowych baloników, ułożone jak kostka Rubika. Za ladą tłoczyła się eklektyczna rodzina w postaci Kaczora Donalda, olbrzymiej truskawki, Empire State Building, słonia i ogórka ludzkich rozmiarów. Słoniowi zmiękła trąba. Od początku nie trzymała powietrza, ale Ethan lubił za nią pociągać, więc tak zostało.

Chłopczyk spał w wózku obok lady, rzęsy kładły mu się cieniem na policzkach, w pulchnych piąstkach ściskał jabłko, które mu obrała, a na jego ustach widniała banieczka śliny.

Po blisko dwóch latach Lola wciąż nie mogła uwierzyć, że taki niewydarzony nieuk i wieczna uciekinierka jak ona, z talentem do podejmowania niewłaściwych decyzji, stworzyła ów cud. Ethan był jej największym błędem – popełniła ich na pęczki – a zarazem wybawcą.

W czasach kiedy zaszła w ciążę, często piła na umór, utrzymywała się ze striptizu i wyczyniała różne rzeczy z różnymi ludźmi, co nie robiło jej specjalnej różnicy. Ethan był pamiątką po dwóch szalonych nocach z gitarzystą, którego poznała w barze na Lower East Side. Nie zapamiętała jego imienia, tylko smutne, brązowe oczy i czułe dłonie. Był chyba Włochem. Albo Hiszpanem. Spędzili razem tylko te dwie noce i z grubsza o nim zapomniała do dnia, kiedy jedna z tancerek w spelunie, gdzie razem pracowały, spytała, czy Lola nie przesadza aby z tłustymi frytkami, bo przytyła.

Nadwaga okazała się Ethanem.

A najdziwniejsze było to, że Lola bardzo się ucieszyła.

Zakochała się w synku, gdy tylko go zobaczyła. Właściwie to miała wrażenie, jakby zawsze tam był, jakby dryfował w powietrzu na kształt odległej możliwości, czekając, by nadać kształt jej życiu.

Wiedziała, że jest dobrą matką. Często padała na nos, gdyż bycie samotną mamą to nie przelewki, nigdy jednak nie miała do niego o to żalu, nigdy się na niego nie złościła ani nie traciła cierpliwości. Z miejsca rzuciła pracę w klubie. Chciała, aby w przyszłości Ethan był z niej dumny, wyniosła się więc z meliny, w której koczowała z innymi striptizerkami, i znalazła to mieszkanie przy Flores Street.

Kiedy się wprowadziła, w suterenie mieścił się gabinet wróżki – otyłej blondynki, która szlochała głośno w przerwach między klientami, lecz pewnego dnia znikła i lokal został pusty. W tym samym czasie Ethan po raz pierwszy uśmiechnął się na widok balonika, który ktoś jej dał z okazji otwarcia nowego baru nieopodal i który przywiązała do wózka. Był niespokojnym dzieckiem, wciąż męczyła go kolka i dużo płakał, więc Lola uznała ten uśmiech za istny dar od losu.

Nagle wszystkie jej błędy odeszły w niepamięć, uradowana ruszyła w stronę domu, gruchając do synka i go zagadując, a po powrocie na Flores Street jej wzrok padł na pustą suterenę.

A może by tak sklep z balonami?, spytała samą siebie. Jeśli jeden balonik sprawił jej synkowi taką frajdę, ileż mógłby zdziałać cały sklep? To musiało wypalić.

Taki był jej pomysł na dalsze życie.

Wskutek recesji lokal okazał się tani jak barszcz, a Lola miała odłożone trochę grosza, więc wystarczyło na towar. Przez pierwszy miesiąc przesiadywała tam z Ethanem i nadmuchiwała pandy, Kubusie Puchatki oraz Myszki Miki w oczekiwaniu na klientów. Ci zaglądali z rzadka, zwykle bez otwierania portfela i długo nie siedzieli, gdyż choć Ethan był miłością jej życia, darł się jak syrena alarmowa.

Po niedługim czasie Lola przestała schodzić codziennie do sklepu, a balony zaczęły budzić w niej niechęć.

Potem dostała pracę kelnerki w wegańskiej kawiarni przy Drugiej Alei. Na czynsz wystarczało – ale ledwo, ledwo – a do tego nie musiała się rozbierać, tylko że zaczynało jej już brakować znajomych do opieki nad Ethanem i nie miała siły ich prosić.

Potrzebowała kasy, a Rollo znalazł sposób, aby pomóc jej zarobić, a następnie przysłał kumpla po to samo. Nachylając się, żeby pocałować Ethana, Lola musiała przyznać, że się boi. Ale, bądź co bądź, była dobra w te klocki.

– Mama! – zawołał malec, jakby zdziwiony jej widokiem, jej ustami tuż nad swoją puszystą główką. Rozpromieniony sięgnął po obwisłą trąbę słonia. Ten syrop od Sugar zdecydowanie mu służył.

Odwróciła zawieszkę na drzwiach na „otwarte", lecz Sugar już poszła.

22.

Pan McNally zdybał ją na schodach, kiedy wracała na górę.

– Ta babka z parteru – rzucił. – Patyczak? Kiedy schodziłem po pocztę, leżała zimna jak trup.

Upłynęła dłuższa chwila, zanim Ruby zareagowała na natarczywe pukanie Sugar, a kiedy wreszcie otworzyła, oczy miała zgaszone, była szara na twarzy i jeszcze chudsza, niż gdy widziały się ostatnio, co prawie nie mieściło się w głowie.

– Kochanie... – odezwała się Sugar, na co Ruby wybuchnęła płaczem.

– Tylko nic nie mów – załkała. – Już to słyszałam. I nie lubię ludzi, którzy to mówią, więc ani słowa.

– Dobrze, nic nie powiem – obiecała Sugar, po czym weszła do środka i delikatnie objęła dziewczynę za roztrzęsione, chudziutkie ramiona. Ruby przypominała zasuszony szkielet liścia, z którego pozostał tylko zarys, cień tego, czym dawniej był. Miły dla oka, ale gotów się w każdej chwili rozsypać.

Wolała nie zmuszać Ruby do jedzenia. Żywności tu nie brakowało, mogła po nią sięgnąć, gdyby chciała, lecz najwidoczniej nie chciała albo nie mogła. A wymuszanie prowadziło donikąd, więc tymczasem należało przyjąć inną strategię.

– Wiesz co, mnie też jakoś słabo – oznajmiła. – Moim pszczołom padło na głowę, a ja chyba zaraz pójdę ich śladem, więc zrobię dla nas obu herbatę cytrynową i wiesz, co zrobimy?

Wytarła łzy z zapadniętych policzków dziewczyny.

– Położymy się na twoim wielkim łóżku i pooglądamy zeszyt.

Dziadek zawsze powtarzał, że gdy nasuwa się proste rozwiązanie problemu, tylko głupek by z niego nie skorzystał. Sugar nie miała pomysłu, jak nakłonić Ruby do jedzenia, lecz wiedziała, jak poprawić jej samopoczucie. Grunt to punkt zaczepienia.

W kuchni dosypała do herbaty dziewczyny łyżkę pyłku, który nosiła przy sobie. Pyłek pszczeli był jej zdaniem jednym z najbardziej niedocenianych pokarmów świata, i choć nie zastąpi Ruby śniadania, obiadu i kolacji, da jej zastrzyk energii niezbędnej do przetrwania kolejnych paru godzin. Ona sama też potrzebowała wzmocnienia, dosypała więc nieco także do swojej herbaty i zaniosła filiżanki do pokoju, gdzie czekała już Ruby, krucha jak gałązka wśród rozrzuconych poduszek. Na kolanach trzymała otwarty zeszyt.

– To był dobry tydzień – oświadczyła. – Poczytasz mi?

Obecnie żywiła się jedną ósmą wafla, dwiema cząstkami pomarańczy, łodygą selera naciowego, połówką słoiczka dla niemowląt i marchewką, zrezygnowała jednak z dietetycznej coli. Nie wróci do szpitala i nie tknie komosy, chce tylko posłuchać miłych rzeczy o szczęśliwych ludziach.

Sugar zrzuciła buty, oparła się na poduszkach i sięgnęła po zeszyt.

– „Brenda Lord i Victor Hamilton pobrali się wczoraj w parafii rzymskokatolickiej pod wezwaniem Niepokalanego Poczęcia w Westhampton Beach w stanie Nowy Jork – zaczęła. – «Od razu wiedziałam, że się pobierzemy», powiedziała panna młoda, która przybrała nazwisko męża. «Ale musiało upłynąć parę lat, zanim to dotarło do niego»".

– Typowe zjawisko – zawyrokowała Ruby – że u niektórych to trochę trwa.

– No cóż, według pana Hamiltona „Brenda dokładnie wie, czego chce, i z czasem zaczęło mi to odpowiadać" – kontynuowała Sugar. – „«Nasz los był przesądzony, kiedy Victor po raz pierwszy zapewnił mnie, że wszystko będzie dobrze», dodała pani Hamilton. «Nie mógł tego wiedzieć, lecz i tak byłam pod wrażeniem»".

– Facet jest spoko – stwierdziła Ruby. – Ale ona się szarogęsi. Przeczytaj następną.

– A dodałabyś do tego „proszę" albo „dziękuję"?

– Proszę albo dziękuję – przystała wspaniałomyślnie Ruby.

– „Benjamin Fielding i Gail Greenberg pobrali się w niedzielny wieczór w kongregacji Beth El w Nowym Jorku – przeczytała Sugar. – Młodzi poznali się przez swoich ojców, którzy spotkali się w synagodze pana Greenberga i uznali, że ich dzieci są sobie pisane.

«Oczywiście byłem innego zdania», powiedział pan Fielding. «Dlatego nie zadzwoniłem do Gail, kiedy ojciec dał mi jej numer».

«A ja nie umówiłabym się z nim, nawet gdyby zadzwonił» – oświadczyła pani Greenberg. «Randki inicjowane przez rodziców rzadko bywają udane»".

– Tak się składa, że jestem skłonna przyznać jej rację – dodała Sugar.

– Czytaj dalej, proszę – poleciła Ruby.

– „Ale po paru miesiącach młodzi spotkali się na kolacji

u wspólnej znajomej i ku swemu rozbawieniu od razu znaleźli wspólny język.

«Była mądra, dowcipna, a do tego prześliczna», powiedział pan Fielding. «Znalazłem bratnią duszę – i przekonałem się, że rodzice mieli rację!»". Widzisz? – dodała Ruby. – Trochę to trwało, jednak wszystko dobrze się skończyło.

– Ładnie to ujął: mądra, dowcipna, a do tego prześliczna – przyznała Sugar.

– Czy ktoś powiedział kiedyś tak o tobie?

– Nie ostatnio – odrzekła Sugar. – Ale mama kiedyś mnie wyswatała, oczywiście bez mojej wiedzy.

– I co?

– I nic – skwitowała Sugar. – Koniec końców.

– A na początku?

– Na początku? Ciekawe, że o to pytasz. Dawno nie myślałam o początku, aż do dziś.

– No i?

– No i po namyśle stwierdzam, że początek był niczego sobie, jednak początek to tylko początek, najważniejsze są środek i zakończenie.

– Co to znaczy „niczego sobie"?

– Ano byłam w nim szaleńczo zakochana i myślałam, że reszta sama się ułoży.

– Jakie to uczucie być „szaleńczo zakochaną"?

Sugar oparła się na poduszkach. Co za pytanie. Jakie to uczucie?

– Hm, zakochanie to nie bajka, którą oglądamy w filmach. Bardziej przypomina niestrawność. Głowa mówi jedno, a ciało drugie. Jakbyś po obiedzie wsiadła na karuzelę.

– Wyobrażam sobie tę karuzelę – odrzekła Ruby. – Ale bez obiadu. Aż się boję.

– I słusznie, kochana, bo nigdy nie wiadomo, co też drugiej stronie chodzi po głowie. Ty siedzisz na karuzeli, lecz ukochany może siedzieć zupełnie gdzie indziej i kręcić się w rytm innej melodii. To skomplikowane.

– I jak to się skończyło?

Przed oczami Sugar stanął Grady, w chwili gdy widziała go po raz ostatni.

– Nie jestem pewna, czy mam ochotę teraz o tym rozmawiać.

– Złamał ci serce?

– Nic mi o tym nie wiadomo.

– Człowiek musi wiedzieć, czy ma złamane serce, Sugar. Musi czuć, że go boli, jakby było czarne, stwardniałe i może nie martwe, jednak prawie.

– Hm, w takim razie myślę, że chyba złamał – stwierdziła Sugar. – Ale to nie odbyło się tak, jak sobie wyobrażałam, co mnie zdziwiło. I nie nastąpiło nagle, tylko stopniowo, jakby łamał je po kawałku, aż któregoś dnia roztrzaskało się całe. I stało się to nagle, spadło na wszystkich jak grom z jasnego nieba, co tylko pogorszyło sprawę.

– Czy wciąż jest złamane? – zapytała Ruby.

– Nie, kochanie, serca się zrastają. I to jest fajne. Można je naprawić, jak wszystko. Zresztą to było dawno temu.

Ruby odwróciła głowę i pogładziła ciemnozieloną zasłonę w oknie, z którego był widok na sąsiedni budynek.

– Chyba nikt nie pokocha mnie tak, jak pan Fielding kocha panią Greenberg – bąknęła.

– Ależ tak – zaoponowała Sugar. – Pokocha na pewno. Może już kocha, tylko ty o tym nie wiesz.

– Wiedziałabym – odrzekła dziewczyna. – Wiedziałabym na pewno.

– No właśnie w tym sęk, Ruby. Czasami ludzie nie wiedzą. Pan Fielding i pani Greenberg to doskonały przykład. Nie chcieli się w sobie zakochać, a potem bum! Miłość w pełnej odsłonie. I nie mieli nic do powiedzenia.

Pomyślała o Theo, o tym, co poczuła, gdy ich dłonie się zetknęły, jak ściskało ją w brzuchu na samą myśl o nim, jak coś w niej stopniało (coś nieskażonego jej przeszłością), gdy przystojny nieznajomy o niebieskich oczach z niezachwianą pewnością mówił o ich wspólnym życiu.

– Ale ja się nie znam na miłości – ucięła. – Lepiej pogadaj z George'em. Ma co nieco na ten temat do powiedzenia.

– Zostaniesz chwilę? – spytała Ruby. – Dopóki nie zasnę?

– Oczywiście, kochanie. Oczywiście.

Jak dziecinnie wyglądała, leżąc w ogromnym łóżku. Zbyt dziecinnie, aby wiedzieć, jakie to uczucie, gdy serce jest czarne, stwardniałe i może nie martwe, jednak prawie. Dobrze to ujęła, Sugar wiedziała co nieco na ten temat. Wiedziała po dziś dzień. I nie powinna mówić Ruby, że serca się zrastają, bo to nieprawda. Podobnie było w jej przypadku. Zrozumiała to z chwilą, gdy na jej drodze stanął Theo Fitzgerald.

23.

Nate wśliznął się do kuchni, w chwili gdy zegar obok wywietrznika wskazywał piętnaście sekund po rozpoczęciu zmiany. Wszyscy wiedzieli, że zegar spieszy się o siedem minut, ale właściciela to nie obchodziło.

– Miło, że wasza wysokość zechciał się wreszcie zjawić – burknął zgryźliwie szef. – Zaspałeś, bo całą noc bzykałeś swojego chłopaka? Jakże miiiiiło mi, że cię widzę. Czekaj, a wcale że nie. Nie, mam gdzieś, kogo i co bzykasz, oraz całą resztę twojego żałosnego życiorysu. A teraz rusz grubą dupę i jazda do roboty.

Nate stanął przy kuchence, twarz mu płonęła. Na szczęście wokoło panował zwykły zgiełk. Cisza tylko pogorszyłaby sprawę.

– Nie powinieneś mu pozwalać na takie traktowanie, stary – mruknął LeBron, miły chłopak, który pracował tu zaledwie od paru miesięcy, ale już rozgryzł szefa. – Drania coś dzisiaj ugryzło.

I z każdym dniem gryzło coraz bardziej, odkąd „Citroen" dostał trzy gwiazdki.

– Na nic mu nie pozwalam – odparł Nate ściszonym tonem, szorując kuchenkę.

– Nie gadać, tylko smażyć, panienki – huknął szef.

– Smażymy, smażymy – zaraportował LeBron. – Wszystko pod kontrolą. Wyrabiamy się na bieżąco. Prosimy o kolejne zamówienia.

Nate zerknął na świstki z zaległymi zamówieniami nad głową LeBrona. Chłopak miał cenny dar, tryskał naturalną pewnością siebie, za którą Nate dałby się posiekać. Do tego świetnie wyglądał. Ćwiczył sześć razy w tygodniu ze starszym bratem, o czym nie omieszkał poinformować Nate'a może lekko znaczącym tonem, acz bez złośliwości. Ba, zaproponował mu nawet, żeby się przyłączył, ale Nate nie chciał.

Miał nadwagę, odkąd sięgał pamięcią, jednak wstydził się chodzić do siłowni.

Dziewczyny z kuchni przepadały za LeBronem. Mógłby umówić się z każdą, gdyby chciał, lecz powiedział Nate'owi, że nie są w jego typie, nawet Tracy, najładniejsza ze wszystkich, blondynka z lokami prawie do pasa. W przypływach odwagi, które jednak zachowywał dla siebie, Nate dochodził do wniosku, że Tracy mogłaby być w jego typie. Kiedyś podniosła fartuch, który szef zdarł z niego w ataku szału, a potem uśmiechała się do Nate'a przynajmniej raz dziennie.

I na tym się kończyło.

Tym razem LeBron pracował tylko pół dnia, więc po serii skomplikowanych piątek, których Nate jak zwykle nie potrafił przybić, tamten z ulgą się ulotnił.

Nate chciałby się znaleźć na jego miejscu, jednak tylko usiadł w drzwiach sąsiedniego budynku z lunchem przyniesionym z domu. W połowie pierwszej kanapki uświadomił sobie, że Tracy wyszła z koleżankami na papierosa – i rozmawiają na jego temat.

– Nate jest homo, nie? – rzuciła Felicia.

– Szef tak uważa – odpowiedziała jej przyjaciółka Beatty.

– Nie wiem, czy homo, ale to zero – oświadczyła Tracy. – Mój kuzyn Lucas jest taki sam. Całymi dniami siedzi przy komputerze i żre chipsy. Przestał nawet wychodzić z domu.

– Pewnie ogląda pornole – zasugerowała Beatty.

– No właśnie nie, ciotka raz sprawdziła komputer, kiedy poszedł do łazienki. Baran ogląda nieruchomości. Koleś nawet nie ma pracy, a zdaje mu się, że mógłby kupić dom.

Wybuchnęła śmiechem i rozmowa zeszła na innego frajera, a on przywarł do drzwi, w nadziei, że dziewczyny go nie zauważyły, i wbił zęby w drugą kanapkę z żytniego chleba z karczochami i pomidorami suszonymi na słońcu, z dodatkiem świeżej wiejskiej szynki i mozzarelli. Nie był „homo", ale szefowi nie sprawiłoby to różnicy, zwłaszcza gdyby wiedział o jego pechu w relacjach z dziewczynami. Tracy nie była jednak w jego typie. Jak mogła nazwać go zerem? Jak w ogóle można tak nazwać innego człowieka? Nikt nie jest zerem.

Może jej kuzyn Lucas siedzi w domu i tylko się opycha, jednak ma przynajmniej marzenia. I cóż w tym złego? Nate też smaży hamburgery dla ludzi, którym jest obojętne, co wrzucają na ruszt, co nie znaczy, że to potrwa wiecznie. Przecież skończył studia gastronomiczne, i to ze świetnym wynikiem, a jego nauczyciele przyznali jednomyślnie, że urodzony z niego kucharz i zajdzie daleko. A chociaż jego rodzina pukała się w czoło: „Toż to robota dla baby! Mało tego, w Nowym Jorku?!" – Nate zrozumiał na studiach, że odnalazł swoje miejsce na ziemi.

Niestety, prawdziwe życie było dopiero przed nim.

W tej przeciętnej garkuchni na Manhattanie nie chodziło o ucztę dla podniebienia, nikt nie myślał o tym, jak połączyć młodą rzymską sałatę ze szczyptą parmezanu, sparzonym jajkiem i filecikami sardeli, by stworzyć wybitną sałatę Cezara. Oczywiście rzecz miałaby się inaczej, gdyby Nate pracował u Mario Batalego, Daniela Bouluda czy choćby Rolanda Moranta.

Prawda wyglądała tak, że wrodzony talent kucharski to zaledwie mała cząstka tego, czego od niego wymagano. Przede wszystkim liczył się tupet; hierarchia w tej grupie sprzyjała głośnym, którzy szli po trupach, tratując strachliwych i nieśmiałych.

Czyli zera.

Ale gdzieś tam w głębi, pod warstwą migdałowych rogalików, kunsztownych kanapek i szarlotki własnej roboty, Nate wiedział z całą pewnością, że jest świetny w tym, co robi. Pracował w garkuchni, lecz jego hamburgery były pierwsza klasa. Wiedział o tym nawet szef, dlatego tak nim pomiatał, zamiast wyrzucić go na zbity pysk. Kiedyś Nate mu pokaże, na co go naprawdę stać. Kiedyś pokaże im wszystkim.

Tak przynajmniej sobie powtarzał, zajmując się nocą swoimi roślinkami z czułością, której nikomu więcej nie okazywał.

24.

Sugar przywykła do nocnego szurania Nate'a. Częstokroć te hałasy kołysały ją do snu, dziś jednak zamartwiała się o Ruby i nie mogła przestać myśleć o Theo, a na dodatek wciąż kołatały jej w głowie słowa George'a, toteż wstała, narzuciła szlafrok, zaparzyła dwie herbaty z kapką bourbona i wyniosła je na taras.

Była pełnia, blask księżyca odbijał się od okolicznych dachów, rzucając pajęcze cienie pod wieżami ciśnień i na schodach pożarowych.

Za dachami na północy Sugar zobaczyła rozkołysane wierzchołki wiązów w parku Tompkins Square i odniosła wrażenie, że słyszy nawet ich szelest.

– Jak w innym świecie, nie? – powiedziała, podając Nate'owi filiżankę przez okno. – Widzimy wszystkie rzeczy z wierzchu. Jesteśmy istną wisienką na torcie.

Nate głośno pociągnął nosem i kopał dalej.

– Kiepski dzień w pracy? – rzuciła domyślnie.

– Mam zamiar wyhodować w tym roku pomidorki koktajlowe – oznajmił. – Znalazłem grecki przepis na danie z fetą i krewetkami. Smakowałoby ci.

– Na pewno – zgodziła się Sugar. – Ale śnią mi się po nocach twoje ciastka. À propos, widziałeś ogłoszenie, że w „Citroenie" szukają cukiernika?

Nate opowiedział jej o Rolandzie Morancie, o tym, jakim to podobno jest geniuszem, i o wściekłości szefa po zdobyciu przez tamtego trzech gwiazdek. Jasne, że widział ogłoszenie – akurat w momencie, kiedy myślał, że już nie może się gorzej poczuć. Widział ogłoszenie i aż go skręciło, zrobił tiramisu, zasiał kolejny rzut bazylii, upiekł biszkopciki z pistacjami, odtworzył w myślach słowa Tracy, a potem pragnął umrzeć.

– Nie chcesz spróbować? – spytała Sugar.

– Nie – mruknął, po czym raz jeszcze pociągnął nosem i wsadził w ziemię trawę cytrynową.

– Nie marzy ci się zmiana pracy?

– Nie jest tak źle – odparł, lecz nawet w półmroku zobaczyła, że poczerwieniał.

– Hm, skoro tak twierdzisz, ale próbowałam twoich pyszności, Nate, i uważam, że marnujesz się u pracodawcy, który cię nie szanuje. Twoje miejsce jest u kogoś, kto doceniłby twój talent, podobnie jak klienci. I wszyscy byliby zadowoleni.

– Masz pojęcie, ilu zgłosi się kandydatów?

– Ale nie dorastają ci do pięt! Na próbę mógłbyś upiec te obłędne rogaliki migdałowe albo biszkopty. Dam ci miód. A w ogóle, wiesz ty co, mógłbyś mieć własny ul i trzymać go na dachu Rolanda Moranta. Jeszcze nie wpadł na to żaden cukiernik! Co myślisz?

– Odpadnę w przedbiegach. Nie radzę sobie pod presją.

– Dzień w dzień masz do czynienia z despotą, Nate, zawsze pracujesz pod presją. No wiesz, fajnie być skromnym i tak dalej, zaryzykowałabym wręcz stwierdzenie, że to jedna z twoich licznych zalet. Tylko że ludzkość sporo na tym traci.

Nate wiedział, że nie ma na to dość pewności siebie. W głowie mu się nie mieściło, iż mógłby wejść do restauracji z ulem pod pachą. Jak przywitałby się z Morantem? Jak otworzyłby sobie drzwi? Spociłby się jak szczur. A gdyby tak pszczoły uciekły?

Nie, wykluczone. Na dodatek poczuł się o niebo gorzej niż wcześniej.

– Dobrze mi tak jak jest – rzekł i znów pociągnął nosem.

– Chusteczkę? – spytała Sugar.

– Czemu bez przerwy mnie o to pytasz?

– Bo bez przerwy siąkasz nosem, skarbie.

– Nie – odparł. – Nie chcę chusteczki. – Zamknął okno i zaciągnął firankę.

Nate bardzo lubił Sugar, bardziej niż kogokolwiek innego. Ale wystarczy, że pomiatają nim w pracy. Sam musi wziąć się w karby. Może kiedyś. Byle nie dziś. Ani jutro.

Przestawił skrzynkę z warzywami, schował narzędzia ogrodnicze i położył się na wąskim łóżku. To miło, że ktoś widzi jego zalety. Mimo wygórowanych wymagań Sugar miała dobre chęci, wiedział o tym.

25.

Amor, wyrwany z drzemki, zebrał się w sobie i postanowił nadrobić czas stracony na strzelaniu do drzew i w znaki stopu. Minęły zaledwie dwa dni od rozszarpywania ran romantycznej przeszłości i odsłonięcia złamanego serca, gdy Sugar wpadła na Theo w chińskim sklepie, gdzie pozostała ostatnia pieczona kaczka w Chinatown.

– Cześć – powiedziała. Aż ją zelektryzowało. Theo miał na sobie kolejną hawajską koszulę, tym razem w odcieniu fuksji, z turkusowymi falami i deskami surfingowymi, a wszystkie te barwy podkreślały kolor jego oczu. – A podobno ustaliliśmy, że więcej się nie spotkamy.

– Nie chcę mówić jak prawnik – odparł z ostrożnym uśmiechem – ale jednostronna decyzja nie ma nic wspólnego z obopólną umową. Zresztą nie miałem z tym nic wspólnego. Los tak chciał. W tym mieście mieszka osiem milionów ludzi, Sugar, a jednak planety czterokrotnie uznały za stosowne zetknąć nas ze sobą.

– A nie pomogłeś im przypadkiem za drugim i trzecim razem?

– Owszem, lecz nie za pierwszym i nie dziś. Czy to o czymś nie świadczy?

– Świadczy o tym, że możesz sobie wziąć tę kaczkę – odparła. – I tak myślałam o sałatce krabowej. Dwa sklepy dalej sprzedają żywe kraby. I krewetki, które wciąż machają czułkami. Jeśli krewetki mają czułki.

– Oszczędzę ci tego widoku – rzekł Theo. – Nie przełknąłbym tej kaczki, mając świadomość, że odjąłem ją komuś od ust, zwłaszcza tobie.

– Co zamierzałeś przyrządzić?

– Naleśniki z kaczką to gwóźdź programu w moim dość ograniczonym repertuarze gastronomicznym – oświadczył. – Zwłaszcza gdy gotuję dla siostrzenicy. Ma dopiero dziesięć lat, ale wyostrzony zmysł krytyczny. Coś jak mini Gordon Ramsey. Który à propos też jest Szkotem, wiedziałaś o tym? Nie lubimy się do tego przyznawać, gdy pomiata jakimś nieszczęśnikiem na antenie.

– Gotujesz dla siostrzenicy? – Zabrakło jej tchu z wrażenia, choć nie z powodu Theo. Miała cztery bratanice, którym z chęcią by coś ugotowała. Ale nawet nie trafiła jej się okazja, żeby je poznać.

– Raz na dwa tygodnie moja była szwagierka idzie na randkę z mężem – wyjaśnił Theo – i z tej okazji daję się zmasakrować w scrabble, monopolu i grze w pociągi, a od ostatniego miesiąca również w pokera. Ta mała nie ma litości, możesz mi wierzyć na słowo.

Starsza Chinka za ladą cmoknęła i powiedziała coś do męża.

– Kto bierze? – spytał małżonek.

– Ty bierz – zachęciła go Sugar. – Zostanę przy sałatce.

– Kiedy nie mogę. – Theo pokręcił głową.

– Ty, ona albo ktoś inny. Wszystko jedno – odparł mężczyzna za kontuarem, a jego żona znowu cmoknęła z przekąsem.

– Naprawdę, niech on bierze – powiedziała w przypływie paniki Sugar. Czuła, że jej równowaga nagle została zachwiana.

Czyżby z powodu rozmowy o siostrzenicy Theo? A może miętowo-skórzanej woni, którą wyczuła, kiedy stanął tak blisko? Lub oczywistego założenia sprzedawców, że cmokanie wisi w powietrzu? Albo nagłej tęsknoty za szkockim „r", dźwięczącym w uszach, ramionami, które ją obejmą, niezliczonymi pocałunkami i dłońmi, które będą ją pieściły bez końca?

– A właściwie wiesz co? – rzuciła czerwona jak piwonia. – Muszę lecieć. Po kraba i tak dalej, więc żyjcie sobie z kaczką długo i szczęśliwie, a ja znikam. Było miło, powodzenia z naleśnikami i dobrej zabawy z siostrzenicą. Tymczasem.

Czując, jak serce jej wali, wybiegła na ulicę, po czym źle skręciła w Grand Street i ponownie stanęła na skrzyżowaniu Chrystie Street.

George miał rację: była przerażona. Śmiertelnie. Ale świadomość tego wcale nie sprawiła ulgi Sugar. Zawrócić czy przejść na drugą stronę? A jeśli więcej go nie zobaczy? Może skończy się na czterech razach? Czy też może cztery to o cztery za dużo?

– Chwileczkę! – zabrzmiał z tyłu zdyszany głos Theo. – Wiem, że nie chcesz się deklarować, Sugar, kolacja i piwo też odpadają, ale może usiądziemy i pogadamy?

Nie powinna. W żadnym wypadku. A może jednak?

Gdy toczyła ową wewnętrzną walkę ze sobą, zdradzieckie nogi poniosły ją w stronę Theo i dała się poprowadzić na ławkę w parku Sary Roosevelt, gdzie grupka młodych Brazylijczyków kopała piłkę, a trzy starsze panie ćwiczyły tai-chi.

– Trudno nie kochać tego miasta, prawda? – odezwał się, kiedy usiedli.

– Owszem – przyznała Sugar. – Zgadzam się z tobą. Zdecydowanie nie we wszystkim, lecz w tym wypadku jak najbardziej.

Theo się roześmiał.

– Cieszę się, że cię widzę – odparł. – Nawet nie masz pojęcia, jak bardzo. Słuchaj, chciałem tylko oczyścić atmosferę. Przede wszystkim jednak nie powinienem był przyjąć tej kaczki. Proszę. – Wcisnął jej torbę. – Jest twoja. I tak nie mógłbym jej przełknąć, a Frankie zorientowałaby się od razu, że coś nie gra, i przemaglowałaby mnie jak na bystre dziecko dwojga akademików przystało. Musiałbym jej wszystko wyśpiewać, ona wyśpiewałaby Ninie, a wtedy nie śledziłbym cię w pojedynkę, tylko byłoby nas dwoje, a może nawet i troje.

Sugar spojrzała na kaczkę.

– Kto to jest Nina?

– Ach, przecież ty nic o mnie nie wiesz! Wiecznie o tym zapominam. Otóż Nina to ktoś w rodzaju przyszywanej siostry; byłem mężem jej siostry, Carolyn, przez trzy lata, dopóki nie uciekła z ogrodnikiem o imieniu Joe. Obecnie mieszkają we Włoszech i są bardzo szczęśliwi, a ja się cieszę z ich szczęścia. Serio.

– Serio?

– Odbyłem terapię, opanowałem to do perfekcji. Doszedłem do wniosku, że w ogóle nie powinniśmy byli się pobrać. Od tamtej pory nikogo nie miałem. Na stałe. Czekałem, a poza tym, uhm, jestem prawnikiem. Wybacz. Kiedyś byłem złym prawnikiem, zarabiałem kupę kasy, a teraz jestem dobrym prawnikiem, który zarabia może niewiele, ale mu to odpowiada. Mówić dalej?

Sugar pokiwała głową.

– Nie znałem swojego ojca, chyba już ci mówiłem, miałem jednak cudowną matkę, więc mi to nie przeszkadzało. Zmarła dzień po moich dwudziestych dziewiątych urodzinach i była to najgorsza rzecz, jaka mnie spotkała. Stuknęła mi czterdziestka, ale nie ma dnia, żebym za nią nie tęsknił. Uważasz mnie za mięczaka?

– Wcale nie. Ja też tęsknię za dziadkiem. – Tęskniła też za resztą rodziny, chociaż nie lubiła się do tego przyznawać, nawet sama przed sobą.

– Tak czy siak należę do tych nieszczęśników, którymi chętnie pomiata Gordon Ramsay. Fatalnie gotuję, nie licząc naleśników z kaczką. To w zasadzie jedyne danie w moim repertuarze. Co jeszcze... Nie lubię cykorii. Jest taka gorzka! Lubię natomiast hawajskie koszule, bo stanowią przeciwieństwo wszystkiego tego, co kiedyś nosiłem, chociaż Frankie mówi, że wyglądam, jakbym uciekł z cyrku, a ja nie znoszę cyrku. Ani opery. Błagam, nie każ mi chodzić do opery. Lubię koty, ale wolę psy. Chciałbym sprawić sobie psa i jestem uczulony na...

Sugar nie potrafiłaby powiedzieć, co ją napadło, wiedziała jednak, że nie zniesie ani słowa więcej. Przysunęła się i uciszyła go pocałunkiem, długim i czułym, jakby mieli zwyczaj całować się tak bez przerwy.

Nie wierzyła, że to robi, nie wierzyła też, że tak późno się na to zdecydowała. Poczuła jego zapach, smak, szorstkość zarostu na swojej gładkiej skórze. Muszę przestać, pomyślała. Muszę przestać, zanim przyzwyczaję się do jego smaku, dotyku, do tego, co ewentualnie mogłoby być...

Lecz klamka zapadła, więc przestała myśleć. Poddała się, pozwalając, by jej ciało lgnęło do niego, jak gdyby była kluczem, a on drzwiami do domu.

Theo nie okazał zdziwienia. Przysunął się bliżej i oparł jedną rękę na plecach Sugar, a drugą wsunął jej we włosy.

Chciało mu się płakać, a zarazem śpiewać i dziękować Bogu, matce i całemu światu, jednak przede wszystkim chciał zatrzymać tę kobietę w ramionach na zawsze. W końcu się odsunęła, ale Theo ujął oburącz jej twarz.

– Wiedziałem – powiedział. – Wiedziałem i już.

Bała się odwrócić wzrok, bała się, że czar pryśnie, a wraz z nim błogość, która na nią spłynęła.

– Musisz się temu poddać – dorzucił. – Czułem to samo. Czuję to samo. Odkąd cię ujrzałem. Byłem tylko dwa kroki naprzód.

Ujął jej dłonie – w których nadal ściskała torbę, jakby kaczka zaraz miała sfrunąć jej z kolan – i znów ujrzała, jak za czterdzieści lat idą razem w stronę parku. Nie sądziła, że kiedyś jeszcze to zobaczy. Pomyliła się za pierwszym razem i nie chciała ponownie narażać serca. Ale taki pocałunek, takie usta, ramiona i taki uśmiech mogły naprawić wiele szkód.

– Powiedz coś – poprosił Theo. – I błagam, niech to będzie coś, co chciałbym usłyszeć.

– Kaczka – wykrztusiła zdrętwiałymi wargami.

Theo ani drgnął, tylko wstrzymał oddech.

– Miałam zamiar urządzić kolację w sobotę – podjęła. – Byłoby miło, gdybyś wpadł.

– Tak – odpowiedział. – Tak, tak i jeszcze raz tak. I... tak. Dziękuję. Będę. Naturalnie, że wpadnę. Wpadłbym od razu, gdybym nie musiał zrobić naleśników dla Frankie. Ale tak. A może jutro? Albo pojutrze?

– Wolałabym w sobotę – odparła Sugar.

– Masz rację. Powinniśmy zaczekać. Ja powinienem. Ale uwierz we mnie, Sugar. Czas robi dziwne rzeczy z ludźmi. Zaufaj mi, proszę. Wiesz, że to spadło na nas tak znienacka i straciliśmy grunt pod nogami. Masz tu mój numer, jeżeli nie przyjdę, to na pewno umarłem. Tylko śmierć może mnie powstrzymać.

– Jeśli mówisz to każdej napotkanej dziewczynie, nic dziwnego, że ostatnio nie masz nikogo na stałe.

– Nie miałem, bo nie chciałem, Sugar. Tylko o ciebie mi chodziło. Liczysz się jedynie ty. Jesteś tą, na którą czekałem.

Wiedziała z zeszytu Ruby, że ludzie mówią takie rzeczy dziennikarzom, ale sobie nawzajem? W publicznym miejscu? Mając z jednej strony kobietę grzebiącą w śmieciach, a z drugiej medytującego buddystę w szafranowych szatach?

Wzięła jego wizytówkę, na drugiej zapisała swój adres i wyjaśniła, że nie ma komórki.

Nie chciał odejść, nie chciał spuścić jej z oczu, lecz wzywały go naleśniki. Szedł tyłem, żeby patrzeć na nią do ostatniej chwili. Czuła na plecach jego wzrok.

Znowu przeszedł ją dreszcz i był cudowny.

Elżbieta Szósta wyczuła w Sugar zmianę, niczym front ciepła z południa. „Nareszcie", oznajmiła podwładnym, kiedy opiekunka powróciła z parku Sary Roosevelt. Nareszcie.

Natychmiast wznowiła składanie jaj, i to w ekspresowym tempie. Swojego rekordu może nie pobije, ale grunt, że wzięła się do pracy.

Potem przyszła Ruby i Elżbieta Szósta jeszcze przyspieszyła. Miała słabość do tej dziewczyny. Wbrew otaczającej ją aurze melancholii emanowała siłą z otwartego serca, a to królowa zawsze sobie ceniła.

Dziś Ruby opowiedziała Sugar o Patience Vincent i Ryanie Rossie, którzy pobrali się w zeszły weekend w bostońskim hotelu „Four Seasons". Patience kochała się w Ryanie od czasów liceum, lecz nie dawała niczego po sobie poznać, w związku z czym dowiedziała się, że Ryan odwzajemnia jej uczucia dopiero dwadzieścia pięć lat później, kiedy się spotkali na Facebooku.

Elżbieta Szósta nie wiedziała, co to Facebook, lecz wyczuła nadzieję i podniecenie bijące od Ruby. A gdy Sugar opowiedziała przyjaciółce o pocałunku z Theo w Chinatown, wicher namiętności niemal przeniósł monarchinię z jednej komórki w drugą.

Wicher namiętności – oto, czego było jej trzeba.

Uznała, że może jednak pobije wcześniejszy rekord.

26.

Skąd ta zadowolona mina, panno Sugar? – spytał w sobotni ranek George, gdy pędziła do sklepu. – Czyżby jakiś przełom na dachu?

– Nie inaczej, George – odpowiedziała. – Niech mnie kule biją, jeśli Elżbieta Szósta nie wzięła się w garść. Wygląda na to, że świat wrócił na właściwe tory, chociaż miałam nadzieję, że kupię parę balonów, ale widzę, że sklep jest zamknięty na głucho.

Z globusa kompletnie uszło powietrze i wisiał na balustradzie jak rodzynek, superbohater zwiotczał w okolicy głowy i kończyn, za to wciąż wypinał klatę. Dinozaur opierał się na tym, co zostało z jego naprężonych muskułów.

– Nie mam pewności, co ona tam sprzedaje, mało kto jednak wychodzi z balonami – stwierdził George. – Czyżby pszczoły stanowiły dziś jedyny powód do radości?

– O, bynajmniej. Otóż sprawy ruszyły naprzód, George. Z tym kimś, kto może nie mieć z niczym nic wspólnego.

– Albo mieć coś wspólnego ze wszystkim.

– Będzie dziś na kolacji.

– O, doprawdy? W takim razie koło siódmej będę wypatrywał księcia z bajki.

– Obawiam się, że prędzej oślepi cię jego koszula, George. Może go pamiętasz, kiedyś posłużył ci jako amortyzator.

George uniósł brwi.

– No proszę! Nasz przyjaciel z komórką z Avenue B. Cóż za zbieg okoliczności.

– Żałuję, że nie będziesz dziś z nami. Może jednak dasz się namówić?

– Jeszcze raz dziękuję za zaproszenie, panno Sugar, ale posiłki wolę spożywać na parterze. Niemniej jednak chętnie wysłucham jutro szczegółowej relacji.

– Masz to jak w banku.

George się rozpromienił, aż zrobiło jej się ciepło na sercu, że niektórzy czerpią radość z drobiazgów.

Nawet pani Keschl sprawiała wrażenie prawie rozradowanej, gdy zjawiła się prawie pół godziny przed czasem.

– To za późno dla mnie – oświadczyła. – O siódmej kładę się do łóżka z sudoku, więc liczę, że kolacja będzie warta zachodu.

– Czy napije się pani mrożonej herbaty, aby skrócić sobie czas oczekiwania na pozostałych gości?

– A ty co, mormonka? Jeśli mam w nocy wstawać siku, wolę się napić czegoś konkretnego.

I do czasu przybycia Loli z Ethanem pani Keschl zdążyła pochłonąć dwie mrożone herbaty z dolewką whisky, więc humor miała szampański.

– Dawaj dzieciaka – zażądała, wyrywając malca z objęć matki i niosąc na taras, co go bynajmniej nie zmartwiło.

– Zrobić ci drinka? – spytała Sugar Lolę, która była blada i miała podkrążone oczy.

– Podwójnego. – I wymknęła się na taras w ślad za sąsiadką.

Pan McNally tradycyjnie mało nie stratował Ruby, żeby się dorwać do orzeszków w miodzie, które namierzył od progu.

– Halo, nie jestem z powietrza – zaprotestowała Ruby. Niosła duży karton z ciastem, ale z każdym opuszczonym posiłkiem stawała się coraz bardziej przezroczysta.

– Przepraszam – odezwał się za jej plecami Nate.

Nie mówił, że przyjdzie, Sugar jednak przygotowała dla niego nakrycie i oto się zjawił, niosąc drewnianą miskę sałatki posypanej świeżymi ziołami z własnej skrzynki i przystrojonej nasturcją.

Wbijał oczy w podłogę, lecz Sugar wyprowadziła go na dach razem z Ruby i zerkała ukradkiem, jak usiedli obok siebie bez słowa, unikając kontaktu wzrokowego.

– Co wystaje z tamtej rynny? – zapytała pani Keschl, kiedy gospodyni nadeszła z dzbankiem świeżej herbaty.

– Chcę posadzić pnące róże – wyjaśniła Sugar. – Hybrydowe, więc trzeba zrobić podpórkę.

– Róże? Niektórym to dobrze. – Pani Keschl pociągnęła nosem.

– Że co proszę? – warknął pan McNally. – Ona ich nie wyczarowuje, tylko urabia sobie przy tym ręce po łokcie.

– A co ty wiesz o różach? – odburknęła pani Keschl. – Oho, mój wrzód. Czy możemy zacząć jeść?

– Czekamy na jeszcze jedną osobę – powiedziała Sugar.

– Nikt z obsługi, mam nadzieję? – wtrącił zrzędliwie pan McNally. – Portier w zupełności wystarczy.

– Bynajmniej, poza tym George nie dostaje ani centa, toteż nie robimy mu żadnej łaski.

– Ochotników też nam nie trzeba – oznajmiła pani Keschl. – Chociaż nie pogniewałabym się za pokojówkę.

– Za pokojówkę dałabym się posiekać – dodała Lola.

– Czy to on? – spytała Ruby i rozpromieniła się, gdy Sugar pokraśniała i przytaknęła.

– Co za on? – dopytywała pani Keschl.

– Znajomy – odpowiedziała pospiesznie Sugar. – Nic takiego. Na serio. Komuś dolewkę?

Ale to nie było nic takiego, więc gdy minęło wpół do ósmej i Theo nie zapukał do drzwi, nieubłagane tykanie kuchennego zegara przyprawiało ją o istne katusze.

Prosił, żeby mu zaufała, i zaufała, chociaż wiele ją to kosztowało. Miotała się jak piłka pingpongowa, rozdarta między wspomnieniem tego rozkosznego pocałunku a chęcią natychmiastowego wyjazdu z Nowego Jorku, bez możliwości powrotu. Ale powtarzała sobie w głowie jego słowa, raz po raz, aż w końcu osiągnęła względny spokój.

O ósmej miała w brzuchu tysiąc piłek pingpongowych. Już nigdy nie posłucha ani Theo, ani George'a, ani żadnego innego faceta. Ich puste obietnice i rzewne bajeczki nie są jej do niczego potrzebne.

– Powinnaś mieć komórkę. – Ruby wślizgnęła się do kuchni. – Wtedy mógłby zadzwonić i powiedzieć, dlaczego się spóźnia.

– Nie powinien się spóźniać – oświadczyła Sugar. – Od tego dostaje się raka mózgu.

– Nie, raka mózgu dostaje się od komórek – uściśliła Ruby.

– Widzisz! Jedno i drugie to dopust boży.

– Mogłabym zadzwonić z mojej.

– I narazić swój cenny mózg? O nie, Ruby, wykluczone.

– Mam wrażenie, że wcale go tu nie chcesz – stwierdziła Ruby.

Sugar zamieszała zupę marchewkową nieco energiczniej, niż należało. Owszem, w tej chwili nie chciała. W tej chwili wolałaby wyrwać sobie serce i nakarmić nim lamparta w zoo, aniżeli narazić się na męczarnię uczuciowych wzlotów i upadków. Uchybiały jej... godności.

– Wygląda na to, że zjemy sami – stwierdziła i przystąpiła do nalewania zupy. – Pomożesz mi je wynieść? – Lecz oto grzmot obwieścił nadejście letniej burzy.

Błyskawica rozdarła niebo, rozświetlając pięknie nakryty stół, ukwiecony ogródek, okoliczne dachy i most w oddali. Raz jeszcze huknął grzmot i na prośbę Sugar Nate z panem McNallym chwycili stół i wnieśli go do środka.

Ledwo zmieścił się między łóżkiem a drzwiami na taras, ale wszyscy jakoś się ścisnęli. Sugar stanęła na chwilę i patrzyła na strugi z nieba, które spływały po posadzce, tańczyły na ulu oraz przyprawiały o dreszcze liście i kwiaty.

Widok szaleństwa za oknem przywrócił jej spokój.

– Jakie to ładne – powiedziała. – I smutne. Jak balet.

Lola i pani Keschl przewróciły oczami.

Sugar przesunęła kanapę i stolik pod ścianę i wszyscy siedmioro usiedli do kolacji w ciasnym mieszkanku, które rozbłyskiwało raz po raz niczym automat do gier.

– Znowu pomarańczowy – oznajmiła pani Keschl, patrząc z wyrzutem w talerz.

– Kobieto, nie gadaj, tylko jedz – fuknął pan McNally.

– Może Ethanowi będzie smakowała – powiedziała Sugar do Loli. – Dzieci zwykle ją lubią.

– Nie radzi sobie z łyżką – uprzedziła ją Lola i sama spróbowała zupy. – Ale dobra. Z czego?

– Zgadniesz, Nate? – zapytała Sugar.

Nate poczerwieniał na dźwięk swojego imienia, po czym skosztował i z namysłem podniósł oczy do sufitu.

– Marchewka – ogłosił cicho. – Imbir. I chyba miód.

Ethan skorzystał z okazji i machnął łyżką, posyłając jej zawartość dokładnie w pomarszczony dekolt pani Keschl.

– Dawno nie doczekał się tyle uwagi – skwitowała, nie przerywając jedzenia.

– Jezu, Ethan, do buzi! – Lola nie wytrzymała i upuściła łyżkę, jakby nagle nie miała siły jej utrzymać.

– Daj małemu spokój – powiedział pan McNally.

– Ja to zrobię. – Pani Keschl przysunęła się z krzesłem do Ethana, odebrała mu łyżkę i zaczęła go karmić.

Lola nie oponowała.

– Pomóc ci sprzątnąć talerze? – spytała Ruby i nie czekając na odpowiedź, podniosła się z krzesła.

Sugar wiedziała, że chce w ten sposób zatuszować fakt, iż sama prawie nic nie tknęła, ale wypiła pół szklanki herbaty z dodatkiem pyłku, a to już coś.

W tym momencie Sugar poczuła, że ma dość martwienia się o Ruby, Nate'a, o balony. Nagle zapragnęła, żeby wszyscy sobie poszli, a wtedy ona wpełznie do łóżka i odeśpi swoją głupotę i naiwną wiarę w to, że kiedyś znajdzie się w nim z Theo, a ich serca będą uderzały wspólnym rytmem, uciszając tęsknotę, którą w sobie nosiła.

Pokój znów się rozjaśnił i piorun walnął tuż nad nimi, aż podskoczył stół. Dopiero po chwili zrozumiała, że ktoś puka do drzwi.

– Na co czekasz? – zapytał pan McNally. – Na lokaja?

27.

W progu stał George z przemoczonym do suchej nitki Theo. Jego jaskrawozielona koszula ociekała wodą, a wymalowane na niej kiście bananów kleiły się do torsu.

– Wybacz najście – oznajmił George. – Ale chyba znalazłem zgubę.

– Przepraszam! – wybuchnął Theo. – Musiałem zajrzeć do pracy, a potem spanikowałem, że się spóźnię, a tego nie chciałem, i za mocno ściskałem kartkę z adresem. Rozmazałem tusz! – Na dowód swoich słów pokazał kartkę, którą mu dała. Po adresie nie było śladu. – Nie mogłem cię znaleźć. I jeszcze się rozpadało.

Sugar słyszała w uszach łoskot własnego serca. Nie była pewna, czy dłużej zniesie tę huśtawkę.

– Poznaj pana, któremu zamortyzowałeś upadek – powiedziała uprzejmie i wskazała na George'a.

– Tak, tak, już go przeprosiłem, że nie jestem dość... miękki – odparł Theo.

– A ja przyjąłem przeprosiny – uzupełnił George. – Człowiek, który umie przeprosić, poradzi sobie w życiu.

– Słyszałeś? – powiedziała pani Keschl do pana McNally'ego.

– Wiem, że nie słyszysz ode mnie nic oprócz przeprosin, Sugar – podjął Theo. – Zapamiętałem nazwę ulicy, niestety, numer wyleciał mi z głowy. Byłem pewny, że chodzi o dwie wybrzuszone cyferki, ale zapomniałem, że dwie takie same. Błąkałem się po całej ulicy. A ty nie zadzwoniłaś. Przecież mówiłem, że prędzej skonam, niż nie przyjdę.

Zahuczał grzmot i cały pokój znów podskoczył.

– Jeśli pozwolicie, zejdę na dół – jęknął George.

– Miałeś pójść przed paroma godzinami – zwróciła się do niego Sugar, uparcie ignorując Theo. – Martwię się, że stoisz tak długo.

– A ja, że stoję tak wysoko – odpowiedział George. – Mam zawroty głowy, więc pozwólcie, że się pożegnam.

– Sugar, proszę – odezwał się Theo.

– A wpuśćże dziada – wtrącił pan McNally. – I tak sprosiłaś całą hałastrę.

– Zobaczyłem balony – dorzucił Theo i odgarnął z oczu wilgotne włosy. Był wyższy, niż zapamiętała, a zlany deszczem, o dziwo, jeszcze jakby wyprzystojniał. – Przypomniało mi się, że wspominałaś o nich u „McSorleya". A potem spotkałem George'a. Wiem, że się spóźniłem, ale to do mnie niepodobne. Na ogół jestem bardzo punktualny.

– No wpuść go – ponagliła ją Ruby, w chwili gdy Lola wyszła z łazienki z ręcznikiem i podała go Theo nad głową Sugar. Posłusznie wytarł twarz. Twarz, dodajmy, teraz markotną, z mocno zarysowaną szczęką i boskim dołeczkiem.

Sugar wyczerpała swój wątły zasób opryskliwości. Pingpongowa piłeczka wylądowała z powrotem na polu Theo.

– No dobrze – powiedziała z ociąganiem i cofnęła się z przejścia. – Słuchajcie, to jest Theo.

– Klapnij sobie – zachęcił go pan McNally, wskazując na krzesło obok siebie, na którym przysypiał Ethan. – Przeniosę małego na kanapę, bo zaraz padnie.

I z delikatnością, która zdziwiła Lolę oraz panią Keschl, wziął chłopca na ręce. Ruby i Nate nie zwrócili uwagi, pochłonięci gościem.

– Ominęła cię zupa – oznajmiła Sugar. – Ale zdążyłeś na pieczonego kurczaka ze słodkimi ziemniakami.

– To cudownie – odpowiedział Theo. – Grunt, że nareszcie dotarłem. Ze szczęścia nawet nie wspomnę, że nie zadzwoniłaś, kiedy cię szukałem.

– Bała się raka mózgu – wyjaśniła Ruby. – I myślała, że ją wystawiłeś do wiatru.

– Wiele można mi zarzucić, ale mój mózg działa bez szwanku. Mówię zupełnie poważnie. Adres się rozmazał! – tłumaczył się Theo. – Dzwoniłem do wszystkich domofonów. Pan spod osiemdziesiąt sześć zaproponował mi wino. Za to nie mam pewności, co zaproponowała mi blondynka spod trzydzieści osiem.

– Ona nie jest naturalną blondynką – oświeciła go pani Keschl.

– Podoba mi się pani sukienka – odpowiedział Theo. – Moja babcia miała taką samą, a ja bardzo lubiłem moją babcię.

– A umiesz tańczyć? – Pani Keschl wprost rozkwitła. – Bo ja chętnie bym zatańczyła.

– Duch ochoczy, ale ciało mdłe – odparł wesoło Theo. Na tarasie znów błysnęło. – Śliczne mieszkanko, Sugar. Bardzo przytulne.

– Patrzcie, jaki cwany – zgasił go pan McNally. Po delikatności nie zostało ani śladu. – „Przytulny" to uprzejme określenie na „ciasny".

– Pewnie jest stremowany – broniła gościa Ruby. – Powiedział

Sugar, że chce spędzić z nią resztę życia, chociaż dopiero się poznali. Zapewniał, że jest tą jedną jedyną. No to zaprosiła go na kolację, a on się nie zjawił.

– Ruby! – Sugar zmartwiała.

– Zjawił – uściślił Theo. – Tylko z małym poślizgiem. I przesadziłaś z tym spędzeniem reszty życia. W mojej wersji zdecydowanie lepiej to brzmiało.

– Co nie zmienia faktu – wtrąciła pani Keschl – że strasznie bełkoczesz. Dopiero się zorientowałam, że mówisz po angielsku.

– Jest Szkotem – uświadomiła ją Ruby.

– Czyli tańczysz z rękami po bokach? – stwierdziła z rozczarowaniem pani Keschl.

– Nie, tak tańczą Irlandczycy. My tańczymy z rękami nad głową – wyjaśnił Theo. – I nosimy spódnice.

– Dopiero teraz mi mówisz? – pani Keschl się ożywiła.

– Zbaczając z tematu... – Theo uśmiechnął się do Sugar. – Ten kurczak jest przepyszny.

I znowu zmiękła. Jakby siedział tu od zawsze.

– Ciasno, ale wszędzie blisko. – Pani Keschl łypnęła znacząco na łóżko.

– Właśnie, mogę sięgnąć po deser, nie ruszając się od stołu – skwitowała Sugar. Starała się nie myśleć o łóżku i niczym, co z nim związane. Postawiła na stole paterę z lepkim orzechowym przysmakiem, przyniesionym przez Ruby.

– A cóż to znowu? – zapytała pani Keschl.

– Baklawa – wyjaśnił Nate, zaczerwieniony aż po koniuszki uszu. – Turecka. Z ciasta filo i orzechów.

– I miodu – dodała Ruby. – Dlatego ją kupiłam, ze względu na miód.

– Pyszna. – Nate oblizał wargi. – Skąd?

– Z cukierni „Posejdon" w Dziewiątej Alei – odpowiedziała Ruby. – To moja ulubiona.

– O – mruknął Nate. – Moja też.

Pani Keschl zerknęła na nich znad talerza.

– Wygląda na to, że jedno z was musi częściej tam zaglądać, a drugie przechodzić, nie zatrzymując się.

Sugar zanotowała w myślach, aby zwiększyć ilość różanego olejku w jej świecach.

– Pierwszy raz jem baklawę – oznajmiła. – Ale masz rację, jest pyszna, Nate. Umiałbyś ją zrobić?

– Jasne.

– U Kalustyana na Lexington mają świetne pistacje – wtrąciła Ruby. – Najlepsze, moim zdaniem.

– Można też je zamawiać na nutsonline – poinformował Nate.

– Tak, ale kiedyś zamówiłam i pomieszali pistacje kalifornijskie z importowanymi.

– Kalifornijskie łatwiej otwierać, jednak nie są takie dobre w smaku – zauważył Nate.

– No właśnie – potwierdziła Ruby.

Wymienili spojrzenia i na ich twarzach zamajaczyło coś na kształt uśmiechu.

– Znasz się na rzeczy, Ruby – oświadczył przyjaźnie Theo i Sugar spojrzała na niego, ujęta jego życzliwością wobec dziewczyny, która ewidentnie stroniła od takich przysmaków.

Deszcz ustał równie nagle, jak zaczął padać, i chmury powędrowały dalej, pozostawiając za sobą lśniące czystością niebo.

Sugar otworzyła drzwi na taras, wciągnęła w płuca zapach mokrej roślinności i odwróciła się do zebranych.

– Proponuję, żebyście wynieśli krzesła i stół, a ja tymczasem tu ogarnę i przygotuję coś specjalnego w ramach ukoronowania wieczoru.

Biesiadnicy podnieśli się od stołu, pozbierali brudne naczynia i przeszli na taras. Sugar i Theo zostali sami w maleńkiej kuchni. Musnęli się ramionami i znów przeskoczyła między nimi iskra.

– Czułaś? – spytał Theo, a jego dołeczek pogłębił się w uśmiechu.

Włosy mu sterczały i Sugar przyszło do głowy, czy to aby nie za sprawą tej iskry. Stał tak blisko, że jego oddech owiewał jej wargi i prawie poczuła smak baklawy.

– Pięknie wyglądasz – powiedział. – Mogę? – Wziął ją w ramiona i ucałował po raz drugi, a ich serca zabiły unisono niczym dwie zagubione nuty w doskonałej konfiguracji.

Wszystko do siebie pasowało. Jakby nagle odnalazła coś, czego jej brakowało, ale nie zdawała sobie z tego sprawy. Jego ręce na jej ciele, jego usta na jej wargach... Jakby utworzyli jedną całość i nie musiała się obawiać, że on zburzy coś, co budowała przez lata.

Nie było czego się bać.

Czuła jego siłę i jej łaknęła, czuła też własną. I w tej samej chwili wystawiła na światło dzienne ostatnią z ran, które latami ukrywała. Przestała osłaniać swoje biedne, złamane serce i uwierzyła, że Theo mówi prawdę. I choć straciła grunt pod nogami, poczuła, że żyje.

– Mamy czas – powiedział. – Całą wieczność. O nic się nie martw.

I znów zapragnęła, by goście rozpłynęli się w powietrzu. Chciała go tylko dla siebie, w łóżku, i żeby mieli dużo czasu na odkrywanie siebie nawzajem. Ale tamci nie przejawiali ochoty do wyjścia, więc chcąc nie chcąc, pociągnęła Theo na taras.

Ruby miała minę, jakby chciała zacząć wiwatować, lecz przyjaciółka spojrzała na nią ostrzegawczo, więc tylko się uśmiechnęła.

– Oto mój kawałek raju – oznajmiła Sugar, zataczając ramieniem krąg, a Theo raz jeszcze podziękował w duchu psychoterapeucie, który wyleczył go z niechęci do flory.

Otoczenie nie przypominało klombów, które tak przypadły do gustu jego żonie, że uciekła z ich twórcą. Rośliny były tu prawie stłoczone i cieszyły oko wielością barw dobranych zgoła przypadkowo. Pachniały nieziemsko, pewnie za sprawą ulewy, która przemoczyła wszystko do cna.

Theo uświadomił sobie ze zdziwieniem, gdzie się znajduje. Zanim jednak otworzył usta, jego wzrok padł na ul.

– Co to? – wykrztusił.

– Ul – odpowiedziała Sugar. – Moje pszczoły.

Krew odpłynęła mu z twarzy.

– Twoje pszczoły?

– Tak. Jestem pszczelarzem.

– Pszczelarzem – powtórzył. – Pszcze...

– ...larzem. Z tego się utrzymuję. Sprzedaję miód i inne rzeczy na targu ekologicznym.

– Z tego się utrzymujesz?

– Tak, zdaje się, że nigdy o tym nie rozmawialiśmy.

– Ma pszczoły od piętnastu lat – wtrąciła Ruby. – Odziedziczyła je po dziadku.

– Jej miód pomaga mojemu synkowi – dodała Lola.

– Leczy trądzik – szepnął nieśmiało Nate.

– I pasuje do whisky – zaraportowała pani Keschl. – Ona ma fioła na punkcie tych pszczół.

– A lody? – spytał Theo. – Na Tompkins Square? Myślałem, że tym się zajmujesz. Myślałem, że masz fioła na punkcie lodów.

– Nie, zastępowałam lodziarza. Mam już teraz własne stoisko. A co? Co się stało? Wszystko w porządku?

Theo puścił jej dłoń i szarpnął za połę bananowej koszuli. Spocił się i zabrakło mu tchu. Tocząc wokoło błędnym wzrokiem, umknął do pokoju, ścigany zdumionymi spojrzeniami zebranych.

– O kurwa – oznajmił.

– Słucham? – Sugar nigdy nie słyszała, żeby przeklinał. I bardzo jej to odpowiadało.

– Wyglądasz, jakbyś się skichał – poinformowała go pani Keschl.

– O kurwa – powtórzył Theo. Nie mógł oddychać. Nie mógł zebrać myśli. Doszczętnie stracił głowę. – Wybacz. Ja chyba... Mogę to wyjaśnić. Tylko daj mi chwilę. Ale nie... Ja... To nie... Zadzwonię.

I zanim Sugar zdążyła zareagować, już go nie było. Usłyszeli tupot, gdy zbiegał po schodach, przeskakując po dwa lub trzy na raz, byle szybciej. Wreszcie pisnęły pierwsze drzwi wyjściowe, trzasnęły drugie i zapadła cisza.

– Jezu, co za palant – obwieściła pani Keschl. – A już myślałam, że zatańczymy.

– „Zadzwonię"? – Lola przewróciła oczami. – Mam nadzieję, że nie zdążyliście wybrać wzorku na serwisie?

Sugar odetchnęła głośno i upchnęła rozpacz głęboko pod sercem. Uchyliła je tylko na moment, ale ból był potworny.

– No dobrze – powiedziała. – Kto ma na co ochotę? Proponuję kawę albo wino deserowe. Są chętni?

Elżbieta Szósta z pewnym niezadowoleniem przyjęła całe zamieszanie. Zacznijmy od tego, że pszczoły nie znoszą deszczu. Człowiekowi po prostu kropla kapnie na głowę bądź szybę samochodu, ale dla pszczoły to pewny zgon. Szczęściem podwładne zakończyły już pracę i skryły się bezpiecznie pod dachem.

A gdy się przejaśniło, nastąpiła radosna chwila – która wystarczyła do złożenia sześćdziesięciu trzech jaj – gdy wszystko jakby pięknie się ułożyło.

Elżbieta od razu wyczuła obecność Theo, a wraz z nią zapowiedź szczęścia, która zabłysła w wonnym powietrzu i znikła jak za dotknięciem różdżki. A gdy gwiazdy zamigotały w górze, wieszcząc nieuchronne nadejście wieczoru, nie popsuło to Elżbiecie humoru. Bądź co bądź intuicja jej nie zawiodła. Był tam, w zasięgu jej radaru, więc poczuła to, co miała poczuć, i zrozumiała, co było do zrozumienia.

Sugar miała szczęście zapisane w gwiazdach. Królowa wydała stosowne polecenia i dalej robiła swoje.

28.

Stoisko Sugar, wypełnione złotymi, bursztynowymi i ciemnymi słojami, szybko zrobiło furorę na Tompkins Square. Po jednej stronie ustawiła maści i balsamy, błyszczyki oraz kremy do twarzy, po drugiej nalewki, spreje na ból gardła oraz puszki z cennym pyłkiem, propolis i świece.

Na obu końcach straganu umieściła ukwiecone miseczki z orzechami pekanowymi w miodzie, aby klienci mieli co pogryzać w czasie zakupów.

Sąsiedzi z obu stron, znani jako pan Jabłko i pani Lawenda, pewnie byliby niezadowoleni z konkurencji, gdyby oboje nie zakochali się w Sugar, gdy tylko otworzyła stoisko. Pierwszego dnia ich znajomości pan Jabłko przytrzasnął sobie rękę drzwiami samochodu, a gdy pojechał ją opatrzyć, Sugar zastąpiła go kosztem własnego utargu. Potem nakupowała suszonych kwiatów od pani Lawendy i zrobiła lawendowy miód, którego połowę rozlała do plastikowych pojemniczków i podarowała sąsiadce, aby rozdawała je klientom jako dodatki do zakupów. Pani Lawenda była w siódmym niebie.

W niedzielny poranek po wiadomej kolacji żadne z targowych przyjaciół Sugar nie zauważyło w niej zmiany, gdyż na jarmarku panował ogromny ruch. Ona sama też nie miała czasu myśleć i bardzo jej to odpowiadało. Nie przeszkadzał jej nawet raper amator, który dawał koncert przez cały ranek.

O czwartej wyruszyła na Flores Street. Zamierzała pogrążyć się w kojących aromatach, by uzupełnić wyprzedany towar. Ale gdy dotarła pod dom, George swoim zwyczajem stał pod drzwiami, a Theo siedział na schodach. Na jej widok zerwał się na równe nogi.

– Czeka od paru godzin – zaraportował George. – Chociaż panna Lola dała mu do zrozumienia, że jest tu niemile widziany. Dodam, że ujęła to bardziej dosadnie.

– Nie przyszedłem na jarmark, bo wiedziałem, że sobie tego nie życzysz... – zaczął Theo, lecz Sugar podniosła rękę, aby go uciszyć.

– Nie chcę być niegrzeczna... naprawdę, mówię zupełnie poważnie... dlatego zrozum, że cokolwiek masz mi do powiedzenia, nie chcę tego słuchać. Nie chcę słyszeć ani słowa. Nic a nic. Dlatego teraz pójdę do domu, a kiedy wyjdę, nie chcę cię tu więcej widzieć.

– Ale musisz pozwolić mi wytłumaczyć, Sugar – błagał.

– Ależ zapewniam cię, że nie muszę. Bynajmniej. Dosyć się nasłuchałam twoich wymówek i wolałabym, żebyś mnie nie wciągał w swoje gierki.

– O Boże, tak strasznie mi przykro. Ja...

– Nie wątpię, że ci przykro, a teraz bądź łaskaw sobie pójść i niech ci będzie przykro gdzie indziej. Masz zostawić mnie w spokoju.

– Ty nie rozumiesz...

– Proszę cię po dobroci, Theo. Będziesz tak dobry i otworzysz mi drzwi, George?

– Oczywiście, panno Sugar. Theo, do rzeczy – ponaglił go George.

– Jestem uczulony! – wrzasnął z rozpaczą Theo. – Uczulony na pszczoły! Nie trochę uczulony, ale uczulony jak diabli. W dzieciństwie mało nie umarłem. Dwa razy! Noszę specjalną bransoletkę! Ja się boję pszczół. Spanikowałem, kiedy zobaczyłem twój ul, bo nie miałem przy sobie antidotum. Wiem, że to żałosne. Jestem żałosny, ale tylko jeśli chodzi o pszczoły. Nigdy o nich nie wspominałaś. To był dla mnie szok. Nie zmieniłem jednak zdania o tobie, o nas. Po prostu strasznie boję się pszczół. To wszystko.

Udręczone serce Sugar gruchnęło o asfalt i rozsypało się na kawałki.

– To wszystko?

Pospiesznie minęła George'a, który przytrzymywał jej drzwi, i ruszyła po schodach na górę, myśląc o Elżbiecie Szóstej, mieszance nasion kwiatów łąkowych, olejku rozmarynowym, o herbacie, którą wypiła przed chwilą z uśmiechniętym mężczyzną w indyjskim barze, groszku pachnącym, który spróbuje wcisnąć między klematis i wilec... o wszystkim, tylko nie o Theo Fitzgeraldzie.

Nie będzie więcej o nim myśleć.

Lecz następnego ranka korytarz pod jej drzwiami tonął w czerwonych różach. Pomiędzy drzwiami jej i Nate'a znalazły się ze dwa tuziny bukietów. Sugar uklękła i sięgnęła po najbliższy bilecik. „Przepraszam" przeczytała na nim i na pozostałych.

Wzięła nożyczki i pocięła wszystkie bileciki, a następnie zgarnęła tyle bukietów, ile mogła unieść, i zaniosła je pod drzwi sąsiadów. Dwa podarowała uśmiechniętemu Hindusowi z baru, a pozostałe dziewczętom ze sklepu z tybetańskim rękodziełem. Dla siebie nie zostawiła nawet płatka.

– Mówiłem posłańcowi, żeby je zabrał – tłumaczył się George. – Ale Theo musiał go przekupić.

Kwiaty nie zmiękczyły serca Sugar, które na powrót otoczyło się grubą skorupą.

Na coś jednak się przydały.

Ruby pomyślała, że to Nate przysłał jej kwiaty, i choć nawet go nie znała i nie lubiła ani lubić nie chciała, no, niespecjalnie, wstawiła róże do kryształowego wazonu, który dostała na urodziny od matki (był to najgłupszy prezent na dwudzieste pierwsze urodziny, jaki można sobie wyobrazić), i postawiła na parapecie. Postanowiła też wybrać się do Kalustyana po pistacje do baklawy dla Nate'a, w razie gdyby na niego wpadła.

Lola nie mogła dociec, kim jest tajemniczy ofiarodawca, bo nie znała nikogo tego pokroju. Ostatecznie wytypowała faceta, którego poznała przez Internet i z którym była na jednej mało ekscytującej randce, zanim porzuciła nadzieję o choćby namiastce życia towarzyskiego. Nie pamiętała nawet jego imienia, ale zrobiły na nim wrażenie kwiaty, które miała wytatuowane na przedramieniu, i nie zraził się zbytnio opowieścią o Ethanie. Większość facetów zwijała żagle na samą wzmiankę o malcu, tamten jednak oświadczył, że sam ma sześcioro rodzeństwa, więc dzieci mu nie przeszkadzają. Przypomniała sobie, że nie znikał w łazience, aby wciągnąć działkę, nie wykręcił się od zapłacenia rachunku, nie spił, nie świntuszył i tak dalej. Był po prostu... uprzejmy. Wówczas uznała, że to nudziarz, ale teraz zastanowiła się, czy nie zaproponować mu spotkania. Gdzieś chyba jeszcze ma jego numer.

Pan McNally starannie obejrzał swój bukiet, by sprawdzić, czy nie został spryskany trucizną lub obsikany przez psa, a gdy oględziny wypadły pomyślnie, wypracował sobie własną teorię co do tego, kto go przysłał.

I dawno nic go tak nie ucieszyło. Włożył róże do dzbanka na wodę i ustawił obok plazmy.

A niech mnie drzwi ścisną, myślał, ilekroć na nie spojrzał. A niech mnie drzwi ścisną.

Pani Keschl też lekko podskoczyło serce i to nie za sprawą zwykłej arytmii. Podniosła kwiaty, spomiędzy których wypadł bilecik ominięty przez Sugar. Otworzyła go sękatymi palcami.

– „Przepraszam" – odczytała głośno.

Uniosła bujne pąki do nosa. Ostatnimi czasy węch jej osłabł, ale wyobraźnia pracowała na najwyższych obrotach. Rozejrzała się za wazonem i spostrzegła ze zdumieniem, że go nie posiada. W czasie rozwodu straciła połowę mebli i nigdy nie uzupełniła braków, w związku z czym miała tylko dwa fotele (on zabrał kanapę), dwa krzesła od laminowanego stołu (wziął pozostałe dwa i stolik do kawy) oraz jedną z nocnych szafek, która ostała się wraz z łóżkiem.

Wciąż spała po tej samej stronie. I choć parę lat temu kupiła nowy telewizor, postawiła go na starym zenicie w dużym pokoju. Walczyła o niego jak lwica i jego widok wciąż nasuwał jej miłe wspomnienie zwycięstwa.

Szukając czegoś, co posłużyłoby za wazon, pani Keschl ujrzała w przelocie własne odbicie w lustrze w przedpokoju (toaletkę zabrał on).

Kiedyś mówiono, że była pięknością: miała wysoko sklepione kości policzkowe, duże ciemnoniebieskie oczy i burzę kasztanowych loków, których jej zazdrościły wszystkie koleżanki. Te pierwsze z biegiem czasu obniżyły loty, włosy zaś przerzedziły się i posiwiały. Nic dziwnego zatem, że w związku z nieubłaganym upływem czasu oraz nieudanym małżeństwem, o którym wciąż nie mogła zapomnieć, humor jej nie dopisywał od lat osiemdziesiątych.

Ale coś w czerwieni tych róż poruszyło zakamarki jej pamięci. Olśniło ją, że miała wtedy siedemnaście lat, a on był niewiele starszy: zaprosił ją na tańce i przyniósł czerwoną różę. Jak mogła o tym zapomnieć! Od lat nie myślała o tamtej róży i tamtym wieczorze. Coney Island, muzyka, taniec, pocałunek. Pocałunek? Wówczas w to wierzyła: w szczęśliwe życie, miłość, rodzinę, więź, która wszystko wytrzyma. I na widok tych kwiatów, czerwonych jak szminka na ustach ładnej dziewczyny, pani Keschl przez chwilę poczuła się jak tamta smukła ślicznotka z czasów swojej młodości.

Pobrali się zaledwie miesiąc po tamtym pocałunku na Coney Island i wprowadzili do tego oto mieszkania, gdzie przynajmniej pięć minut myślała, że życie będzie miską czereśni, a ona tą najpiękniejszą, na samym wierzchu, uwielbianą i podziwianą przez całą wieczność.

Niestety. Od prawie trzydziestu lat była sama i nawet nie miała wazonu. Zawsze uważała, że kwiaty są dla sentymentalnych wariatek, lecz teraz skłaniała się ku zmianie zdania – wszak ona nie jest sentymentalna, a jednak róże dały jej posmak czegoś rozkosznego z młodości.

Ponownie przejrzała się w lustrze, po czym spróbowała unieść kości policzkowe i wytrzeszczyć oczy. Bóg jeden wie, że wzrok jej szwankował, ale mimo przymykania oczu i popatrywania raz jednym, raz drugim dalej wyglądała jak stary rupieć. Tak czy inaczej uznała, że nie zaszkodzi zakręcić włosy i przebrać się w inną sukienkę, zanim pójdzie po pierogi do sklepu na Pierwszej Alei.

W korytarzu wpadła na pana McNally'ego, zanim jednak ochłonęła na tyle, by wyskoczyć z obelgą, usłyszała:

– Ładnie ci z tymi napuszonymi włosami.

– Hę?

– Powiedziałem, że ci ładnie. Jezu, nigdy nie słyszałaś komplementu?

– Nie pamiętam, zwłaszcza od ciebie. Upiłeś się?

– Nie tknąłem tego świństwa od czerwca osiemdziesiątego siódmego, jak sama wiesz.

– A to dobre.

– Nie czujesz się na siłach uwierzyć w jedno moje słowo?

– Nie czujesz się na siłach powiedzieć prawdę?

Lola wystawiła głowę z mieszkania i syknęła, żeby się zamknęli, bo obudzą Ethana, a jak nie będą uważać, to każe im go niańczyć.

– I tak mogę niańczyć smarkacza – odsyknęła pani Keschl.

– Nie, bo ja – zaoponował pan McNally.

– Chętnie wyskoczyłabym na dwie godziny, dopóki śpi, więc może przyjdziecie razem?

Pani Keschl i pan McNally wytrzeszczyli na siebie oczy. Żadne nie kwapiło się pierwsze zgodzić ani odmówić.

– No to jak będzie? – spytała Lola.

– No, ja mogę, jeśli ona chce – ustąpił pan McNally.

– Jasne, że chcę, sama zaproponowałam!

– To jazda – warknęła Lola. – Długo będę czekała?

Następnego ranka George wysłał posłańca na górę, aby sam oznajmił Sugar, że do końca tygodnia ma przywozić jej kwiaty.

– Bardzo przepraszam – odezwała się grzecznie – ale nie radzę panu więcej tu przychodzić, bo wezwę policję.

– Jak pani uważa – odparł. – I tak miałem już dość tych schodów.

– Twarda sztuka ta spod pięć b – powiedział na dole do George'a. – Większość dziewczyn dałaby się pociąć za takie kwiaty.

Sugar jednak nie była większością dziewczyn, poza tym George wcale nie uważał jej za twardą sztukę, tylko miękką jak masło.

– Jak śmie przysyłać mi drogie bukiety bez mojej zgody – rzuciła tego samego ranka, wychodząc na jarmark na Union Square, rzekomo by obejrzeć stoiska z miodem, tak naprawdę to miała dość siedzenia sam na sam ze swoimi myślami.

– Moim zdaniem Theo nie chce się narzucać, panno Sugar, tylko przeprosić... i zanim na mnie wsiądziesz, pamiętaj, z łaski swojej, że jestem honorowym odźwiernym, więc nie możesz mnie wylać, bo nie jestem zatrudniony.

– Ani myślę na ciebie wsiadać, George, i nie wylałabym cię, nawet gdybym mogła to zrobić. Prosiłabym jednak, abyś nie poświęcał mu uwagi. Najrozsądniej byłoby go uświadomić, że traci pieniądze i czas, bo nie jestem zainteresowana. Bez względu na to, co myślisz o nim, o mnie czy sprawach sercowych, wytłumacz mu, żeby pozbył się złudzeń. Dłużej tego nie zniosę. Potrzebuję twojej pomocy i chciałabym wierzyć, że mnie nie zawiedziesz.

– Oczywiście, że nie zawiodę, panno Sugar. Portier, któremu nie można ufać, to żaden portier.

Theo był niepocieszony.

– Jeśli nie mogę iść na jarmark ani odwiedzić jej w domu, jak mam to naprawić?

– Chcieć to móc – powiedział mu George. – Między Bogiem a prawdą, zacząłbym od tych koszul. Co ty jesteś, daltonista? Zresztą nie możesz mnie prosić o pomoc. Obiecałem Sugar, że cię nie wpuszczę, i zamierzam dotrzymać słowa. Ale poza budynkiem hulaj dusza. To nie moja sprawa, więc nie będę ingerował.

– Może powinienem się po nich wspiąć? – Theo zmierzył wzrokiem schody pożarowe.

– Myślę, że z punktu widzenia panny Sugar bycie na budynku to to samo, co bycie w nim – stwierdził George. – Jeśli nie gorzej.

Następnego dnia Sugar robiła w kuchni świece dla pana McNally'ego, któremu (jej zdaniem) przydałoby się w życiu trochę zapachu ylang-ylang, gdy rozległo się głośne pukanie do drzwi. Byli to Lola, Nate i Ruby; wszyscy trzymali balony z helem, które podskakiwały nad ich głowami, w przeróżnych kształtach i kolorach.

– Na miłość boską...

– Musimy wejść i ustawić się w kolejności – zakomenderowała Lola, bezceremonialnie wchodząc do środka. – Wszyscy na dach!

Nate pomknął za nią wyraźnie zakłopotany, za to Ruby – z wielkim, czerwonym sercem – była wniebowzięta.

– Czyżbym tylko ja nie miała wstępu do twojego sklepu? – spytała Sugar.

– Cisza! – usłyszała w odpowiedzi. – I nie patrz. Ruby, ty

w środek. Nate, musisz swoje rozdzielić. Wszystko poplątałeś, kolego... czekaj, znowu się pomieszały... Gotowe. Możesz patrzeć.

Sugar odwróciła się i zobaczyła Lolę, która trzymała balony z literami „j" i „a".

Ruby stała z ogromnym sercem, a na balonikach Nate'a widniał Kubuś Puchatek, łasuchujący w dziupli.

– Ja kocham Kubusia? – rzuciła pytająco Sugar.

– No dobra, skrewiłam – oznajmiła Lola.

– Ona tego nie lubi – wtrąciła Ruby.

– Dobra, dobra, dobra – mruknęła Lola. – Nie Kubusia, tylko pszczoły.

– Pszczoły?

– W dziupli. I nie „ja", tylko „on". On, czyli ja.

– On, czyli ty? Czy ty coś piłaś?

– On, czyli Theo – wyjaśniła Ruby. – Theo kocha.

– Theo kocha co?

– Kocha pszczoły, Sugar! Te balony są od Theo. Chce ci powiedzieć, że pokocha twoje pszczoły!

Lola wyjęła z kieszeni jakiś świstek.

– W zasadzie to miało być „przepraszam", ale zabrakło nam literek, więc wybrnęliśmy inaczej.

– „Ja kocham pszczoły". – Sugar pokręciła głową.

– Słodkie, prawda? – zapytała z nadzieją Lola.

– Prawdę powiedziawszy, nie wiem, co myśleć. Czy ktoś ma ochotę na placek z miodem? Właśnie upiekłam.

Wytrzeszczyli na nią oczy.

– Facet daje mi dwieście dolarów za nadmuchanie liściku miłosnego dla ciebie, a ty mówisz o placku? – spytała Lola. – Nie masz litości.

– To nie jest żaden liścik miłosny – odparła Sugar. – Ale wyrazy uznania, Lola. Ładnie... nadmuchałaś. I dobrze, że wpadło ci trochę grosza. Tylko chyba nie do końca rozumiem. Może brakuje wykrzyknika?

– Nie mam pojęcia, jak zrobić wykrzyknik z balonów – odrzekła Lola.

– Można by przymocować niewidoczną nitką mały okrągły balonik do większego i podłużnego – podsunęła Ruby.

– Uhm, nie mam takich balonów, a poza tym nie prosił, więc spadam. – Lola przywiązała swoje „ja" do oparcia krzesła. – Stare pierniki zostały z Ethanem, a ja idę do kina z jednym gościem, którego poznałam w sieci. Tak, wiem, że to nieładnie nazywać ich starymi piernikami, i owszem, znam jego imię. To Johnny. Albo Jimmy. Na razie!

– Wracając do placka... – zaczęła Sugar.

– Ja też muszę iść – oznajmiła Ruby, chociaż wcale nie musiała, tylko nie chciała placka.

– A ja poproszę – uzupełnił pospiesznie Nate, bo zrobiło mu się żal Sugar. Nie chciał, aby pomyślała, że wszyscy ją zostawili.

– Możecie już puścić te balony – powiedziała Sugar, idąc do kuchni. – Otworzyła dla Theo sklep? Muszę przyznać, że jestem zdziwiona.

– Moim zdaniem ładnie się zachował – powiedziała z nostalgią Ruby do Nate'a, gdy przywiązywali balony do krzeseł.

– Też tak uważam. – Poczerwieniał aż po cebulki włosów. Ostatnio zweryfikował nieco swój typ i doszedł do wniosku, że Ruby byłaby blisko. – Na pewno nie masz ochoty zostać?

Ona także spiekła raka.

– No dobrze – powiedziała.

Sugar usłyszała tę zwięzłą, acz znaczącą wymianę zdań z kuchni, gdzie stała z zaciśniętymi aż do białości na blacie palcami, żałując gorzko, że los postawił na jej drodze Theo Fitzgeralda.

Theo nigdy nie pokocha pszczół. Ona mu nie pozwoli.

Po wyjściu sąsiadów wyjęła najostrzejszy nóż i poprzekłuwała balony, bardzo delikatnie, żeby nie wystraszyć pszczół. Ale widok kolorowych skrawków, zwisających na sznurkach, wydarł w jej sercu dziurę, której nie umiała wytłumaczyć.

Myślała, że przyniesie jej to ulgę, tak się jednak nie stało. Czuła się podle.

29.

Gdy w następny poniedziałek Sugar otworzyła drzwi, Ruby stała oparta o framugę, z nieodłącznym zeszytem założonym tu i ówdzie kolorowymi kartkami.

Na ramiona narzuciła kilka swetrów i Sugar odniosła wrażenie, że widzi każdą kosteczkę i żyłkę na jej szyi oraz przyspieszony puls pod upiornie bladą skórą. Ruby miała podkrążone oczy, a kolor jej warg zlewał się z resztą twarzy.

– Witaj, skarbie. Chodź, usiądźmy na tarasie. Taki śliczny poranek.

Na tarasie Ruby zapadła w fotel i przymknęła oczy. Sugar wydawało się, że zasnęła, i ogarnął ją nagły strach o przyjaciółkę, która jednak zaraz otworzyła oczy i uśmiechnęła się blado.

– Zdawało mi się, że słyszę kobzy – powiedziała. – Ty też?

– Nie, skarbie – odpowiedziała Sugar. Pszczoła przeleciała jej nad głową, zmierzając w stronę wlotu do ula, gdzie brzęczała grupka jej koleżanek. Wyglądały jak praczki, które odkładają chwilę powrotu do pracy, zajęte pogaduszkami.

Ale Sugar nie chciała nic odkładać.

– Ruby, jesteś moją drogą przyjaciółką, wiesz o tym?

Dziewczyna pokiwała głową.

– I pszczół – dodała, spoglądając z tym samym smutnym uśmiechem na ul. – Jestem też ich przyjaciółką. Już je pokochałam.

– Musimy porozmawiać – ciągnęła Sugar. – O czymś, o czym nigdy nie rozmawiamy.

Ruby nie odrywała oczu od pszczół. Jedna z nich odstawiała dziki taniec u wejścia. Dziewczyna gorąco żałowała, że nie jest pszczołą, nie może polecieć po nektar i przynieść pożywienia dla królowej, tak po prostu. Dla pszczoły jedzenie było nieskomplikowaną czynnością, posilała się bez zastanowienia. Ruby prawie nie pamiętała, jakie to uczucie włożyć coś do ust, bo znajduje się na wyciągnięcie ręki. Była to przyjemność z odległej przeszłości i teraz do niej nie należała, chociaż niegdyś Ruby nie różniła się pod tym względem od innych dziewcząt.

Dziś medytowała godzinę nad każdym przeżutym kęsem, a jeszcze dłużej nad tymi, których sobie odmawiała. Nic dziwnego, że była taka zmęczona. Ledwo mogła ustać na nogach.

– Wiem, co mi powiesz – odparła. – Pewnie ci się zdaje, że to prosta sprawa, ale się mylisz. Ja próbuję. Próbuję w myślach i nie mogę. Gdy przychodzi co do czego, po prostu nie mogę.

– I co się stanie?

– Wyślą mnie do szpitala – odrzekła Ruby. – A potem mama postawi na nogi wszystkich psychiatrów w Nowym Jorku, będzie na mnie wściekła i zrobi awanturę, jak ostatnim i przedostatnim razem. I znienawidzi mnie jeszcze bardziej.

– Twoja mama cię nie nienawidzi, Ruby.

– Nie znasz jej.

– Wiem, że matki nie nienawidzą córek – oznajmiła Sugar. – Po prostu czasem ich nie rozumieją.

– Na jedno wychodzi – stwierdziła Ruby. – Wierz mi, jeśli ona macza w czymś palce, to nie wróży nic dobrego.

– Nie może być dużo gorzej niż teraz, Ruby. Nie bardzo wiem, jak to ująć, więc powiem prosto z mostu, bo nie mogę dłużej na to patrzeć. Masz w sobie tyle miłości. Wręcz kipi z ciebie ta miłość. I masz przed sobą wspaniałą przyszłość, tylko trzeba znaleźć sposób, jak ją osiągnąć. Stoisz dopiero u progu życia. Czy ty tego nie widzisz, Ruby? Nie chcesz go przeżyć?

Dziewczyna powoli przeniosła na nią wzrok.

– Nie zawsze – odpowiedziała.

– Kochanie... – Sugar przełknęła łzy. Sięgnęła po kruchą, zimną dłoń przyjaciółki. – Świat potrzebuje takich dobrych dusz jak ty. Nie widzisz? Nie możesz nas zostawić, to nie wchodzi w rachubę. Wystarczy takich jak my, potrzebujemy więcej ciebie.

– Chciałabym być pszczołą – odrzekła Ruby. – Chciałabym przylatywać, odlatywać i o niczym nie myśleć.

– Ależ pszczoły myślą – oświadczyła Sugar. – Na okrągło. Pszczoła umie liczyć do pięciu, wiedziałaś o tym? I musi myśleć o swojej królowej, cały czas. Musi myśleć o życiu. Każda istota we wszechświecie musi skupić się na tym, aby wytrwać, skarbie. To zawsze wymaga wysiłku.

– Nie płacz, Sugar – powiedziała Ruby. – Proszę cię, nie płacz.

– Oczywiście, że będę płakać. Łamiesz mi serce.

– Przecież już masz złamane.

Sugar puściła jej dłoń i wytarła oczy. Była jedyną znaną Ruby osobą, która zawsze nosiła przy sobie czystą chusteczkę.

– No cóż, nawet gdyby to była prawda, a nie jest, nie powinnaś się o mnie martwić – odparła. – Moje ciało jest silne i nic mi się nie stanie. A twoje wręcz przeciwnie. Nie udźwignie cię, jeśli mu nie pomożesz. To poważna sprawa, Ruby. Nie możesz oczekiwać, że twoi bliscy będą siedzieli z założonymi rękami i patrzyli, jak znikasz, więc musimy coś z tym zrobić.

– Ja też na ciebie patrzę – oświadczyła twardo Ruby. – I na Theo.

– Sza, kochana. To nie to samo.

– Ja nie spełniam twoich oczekiwań, a ty moich. To jedno i to samo.

– Ale ty możesz umrzeć, Ruby. To zasadnicza różnica.

– Śmierć nie jest najgorszym rozwiązaniem.

– Proszę, nie mów tak. Nie masz pojęcia, jak to boli.

Sugar wstała, ale Ruby złapała ją za rękę. Jej uścisk był nadspodziewanie mocny.

– Miałyśmy rozmawiać o moich sprawach – powiedziała – więc będzie sprawiedliwie, jeśli pogadamy też o twoich.

Sugar usiadła.

– Jesteście jak Gwen Currie i John Doogan, zanim się pobrali w zeszłym roku w Vegas – zaczęła Ruby, wskazując na zeszyt. – Uważała, że on kocha bardziej baseball niż ją, a on był zdania, że jej znajomi zadzierają nosa, więc zerwali, a potem spotkali się znowu w operze i zrozumieli, że nie mogą bez siebie żyć.

– Ach tak.

– Albo Jason Lee i Wendy Yang – ciągnęła Ruby. – Rozstali się, bo on pracował w Seattle, a ona w Orlando, i żadne nie chciało się przenieść, lecz po roku tak za sobą zatęsknili, że spotkali się w Denver i oboje postanowili tam zostać.

– Nie mów.

– Normalka. Takie rzeczy się dzieją i czasem coś się psuje, jak na przykład u Mary-Jane Stewart i Reubena Johnsa przed ich ślubem zeszłej jesieni. Według Mary-Jane wszyscy od początku mówili, że ona i Reuben są dla siebie stworzeni, jednak oni sami długo tego nie dostrzegali.

– To miło, ale ja naprawdę nie widzę...

– No właśnie! Ty nie widzisz! Bo gdy przyszedł i pocałował cię w kuchni, wszyscy widzieliśmy. Zobaczyliśmy to jak na dłoni. I wszyscy zrozumieliśmy, że powinniście być razem. Wszyscy oprócz ciebie.

– Widzieliście?

– Pani Keschl zobaczyła i nam powiedziała, ale sami widzieliśmy. Wszystko widzieliśmy.

– Czyżbym tylko ja pamiętała, że uciekł jak kot z pęcherzem?

– Przestraszył się, Sugar. Nie wiesz, jak to jest?

– Wystarczy, Ruby. Theo jest niczym na tle wszechświata.

– Wcale nie jest niczym. – Przyjaciółka utkwiła wzrok w zeszycie. – Nikt nie jest niczym. Miłość też.

Sugar chciała odpowiedzieć, że gdyby Ruby pozwoliła sobie pomóc w walce z demonami, które kazały jej głodzić się na śmierć, sama odnalazłaby miłość i przestałaby jej szukać dla innych.

– Zrobię nam coś do picia – zaproponowała zamiast tego. – Nigdzie się stąd nie ruszaj.

– Dinah Phillips i Greg Steiner poznali się dzięki ogłoszeniu matrymonialnemu i uciekli na Hawaje – ciągnęła niezmordowanie Ruby.

– No cóż, miejmy nadzieję, że zachowa swoje nazwisko – odkrzyknęła Sugar z kuchni. – W przeciwnym razie będzie się nazywała Dinah Steiner.

– Ślubu udzieliła im Hawajka, która tańczyła hula i grała na muszli – uzupełniła Ruby. – A matka panny młodej się wściekła, bo nie została zaproszona. – Odłożyła zeszyt. – Zaprosiłabyś na ślub swoją mamę, Sugar?

– Nigdy nie wyjdę za mąż – zabrzmiała kategoryczna odpowiedź. – A gdybym miała wyjść, śmiem twierdzić, że moja matka nie przyjęłaby zaproszenia.

– Ale zaprosiłabyś ją?

– No pewnie. Jest moją matką.

– Ja też nie wyjdę za mąż – oznajmiła Ruby. – Mojej mamy jednak bym nie zaprosiła.

– Kochana, masz dwadzieścia jeden lat. – Sugar wróciła na taras ze szklankami. – Twój pan Steiner gdzieś tam się błąka i gdybyś tylko nabrała sił, żeby go odnaleźć, wasz ślub byłby jedynie kwestią czasu. Udzieliłaby go wam hawajska tancerka hula, członek masajskiej rady starszych z Tanzanii albo rabin z nowojorskiej biblioteki publicznej.

Ruby rzuciła jej figlarne spojrzenie i przygryzła bladą dolną wargę.

– Co tak patrzysz?

– Też to czytałam – rzuciła chytrze Ruby. – O masajskiej starszyźnie z Tanzanii.

– Hm, więc pewnie dlatego wiem.

Ale Ruby czytała o tym u siebie w domu, co oznaczało, że Sugar przeglądała rubrykę ślubną sama.

Obecność Ruby, tej gąbki pełnej miłości, na dachu Sugar jak zwykle ucieszyła Elżbietę Szóstą, dzisiaj dość przychylnie nastawioną do świata. W ulu od rana narastało napięcie i niebawem miało osiągnąć punkt krytyczny.

Zwykle zwiastowało jakąś sensację. Niewykluczone, że zaczęło się od tria pszczół, które nadleciały z ważną informacją i przekazały ją u wejścia do ula. Możliwe, że następne trio, dwa lub dziesięć udały się we wskazane miejsce, a po powrocie opowiedziały o tym kolejnemu tuzinowi. Tym sposobem wiadomość o odkryciu prędzej czy później dotarła do królowej.

I gdy Ruby siedziała na tarasie, pochłonięta opowieścią o Steinerach oraz ich hawajskim ślubie, Elżbieta Szósta zrozumiała, gdzie leży klucz do rozwiązania jej problemu. Szczęście Sugar znajdowało się bliżej, niż przewidywała.

30.

Następnego ranka Sugar wyszła wcześnie na taras z codzienną filiżanką miętowej herbaty. Słońce wstawało ponad okolicznymi dachami, waniliowy zapach heliotropów unosił się w powietrzu, a ostre krawędzie asfaltowej dżungli wokół złagodniały w pierwszym brzasku.

Pani Keschl zawsze dokuczała jej, że rozpływa się nad miejskim krajobrazem, jednak Sugar nigdy nie miała dość tego widoku. Gdziekolwiek spojrzała, utwierdzał ją w miłym poczuciu, że jest w Nowym Jorku.

Cieszyła się ze wszystkiego, co ją otaczało, dom zaś był nieustającym źródłem radości.

Noga George'a się zagoiła, Nate rzadziej tłukł się po nocach, no i Lola poweselała, bo Ethan się uspokoił; widziała, że mały chodzi na spacery z panem McNallym i panią Keschl – którzy przestali skakać sobie do oczu! – a jeśli to nie jest powód do radości, to ona już nie wie.

Pozostawała jedynie Ruby. O nią się martwiła. A Theo?

– Nie będę o nim myśleć – powiedziała, ujmując oburącz ulubioną filiżankę. Przywiozła ją z domu dziadka; była to jedna z niewielu pamiątek z jej dawnego życia, gładka i krzepiąca w dotyku jak wczoraj i przed laty.

Lecz pomimo tylu powodów do radości i pięknego ranka na dokładkę rokowania nie budziły optymizmu. Coś zdecydowanie wisiało w powietrzu.

Z roztargnieniem odgoniła pszczołę, która zabrzęczała jej nad głową, a potem drugą. Kiedy pojawiła się trzecia i czwarta, spojrzała na ul, gdzie – ku jej zdumieniu – zastęp oblegający wejście utworzył rój i zwartą kolumną wzbił się w górę.

– Na miłość boską – powiedziała Sugar, gdy raz po raz dołączały do niego następne pszczoły, kierując się w górę, a następnie w jej stronę niczym gruby ogrodowy wąż. – Co się tutaj dzieje? – zapytała, kiedy utworzyły nad jej głową czarną chmurę, po czym rozciągnęły się w bok jak spłaszczona bańka mydlana i z pół tuzina razy zatoczyły krąg nad jej głową... aż w końcu zrozumiała, że przewodzi im Elżbieta Szósta.

Królowa?

Zwykle opuszczała ul tylko raz, niedługo po swoich narodzinach, wyłącznie w celu prokreacji. Nie miała z tego przyjemności, a trutnie tym bardziej, gdyż zapładniały ją i w rezultacie ginęły natychmiast.

Jednakże była to niewątpliwie Elżbieta Szósta, Sugar bez trudu rozpoznała jej wytworną sylwetkę na czele podwładnych, które zachowywały pełen szacunku dystans wobec swej królowej. Zatoczyły wdzięczny krąg wokół tarasu, ponad skrzynkami Nate'a, skręciły z powrotem do ula, przemknęły ponownie nad głową Sugar, a następnie przeleciały ponad balustradą i śmignęły dalej, na rozległy dach, pusty, jeśli nie liczyć gołej rzeźby pośrodku.

Tam wylądowały na łokciu posągu – Sugar miała przynajmniej nadzieję, że to był łokieć – niczym zamszowa łata na znoszonym swetrze.

Cenna filiżanka Sugar roztrzaskała się o kafle, a zaspany Nate wyjrzał przez okno, by sprawdzić, co się dzieje.

Sugar mogła tylko pokazać mu palcem rzeźbę, ale Nate wciąż nie pojmował, o co chodzi.

– Co się stało?

– Elżbieta – wykrztusiła Sugar. – Odleciała!

Wytrzeszczył oczy na łatę, która zmieniła kształt raz, a potem drugi. Ze zdumienia otworzył usta.

– To twoje pszczoły? Uciekły z domu?

Sugar rzuciła mu osłupiałe spojrzenie, a następnie podeszła do ula i zajrzała do środka. Zaglądała tu jeszcze wczoraj i wszystko było w porządku. Mnóstwo miodu i miejsca, o jajach nie wspominając. W ulu panowała doskonała harmonia.

Teraz był pusty.

Nie ostała się ani jedna pszczoła.

Elżbieta Szósta nie miała powodu do ucieczki. Ani jednego. W dodatku rano, na jej oczach. Pszczoły tak nie robią.

– Nie do wiary – powiedziała Sugar. – Po prostu nie wierzę własnym oczom.

– Już lecę – rzucił Nate i po chwili stał obok niej. – Wycinały już takie numery?

– Widywałam podobne sytuacje – odparła Sugar. – Zwykle dzieje się tak, gdy mają za ciasno, za zimno albo za gorąco lub królowa jest słaba. I na ogół zostawiają nową, ale nie tym razem. Nową królową widać od razu, robotnice budują dla niej specjalne komórki. Stąd wiadomo, co knują. Królowa nie opuszcza ula i koniec.

Właśnie, na ogół.

– Myślisz, że było im za ciepło? – spytał Nate.

– Nie. Poza tym pszczoły mają zdolność utrzymywania odpowiedniej temperatury. Było im tu dobrze. Parę tygodni temu coś jej siadło na nos, potem jednak wszystko wróciło do normy. Składała jaja na potęgę. Patrz, ile miodu! Zabrała wszystkie pszczoły, Nate, co do jednej.

Przeniosła wzrok na żywy dowód zdrady Elżbiety Szóstej.

– To nawet nie ucieczka roju, tylko jawna dezercja.

– A co za różnica?

– W pierwszym przypadku zostawia dość pszczół, aby ul mógł dalej funkcjonować. Ale gdzie tam. Zgarnęła wszystkie.

– I co zrobisz?

– Pójdę i je zabiorę – oznajmiła Sugar. – Zrobiłabym tak w każdej innej sytuacji.

Uklękła zaaferowana i pozbierała odłamki porcelany.

– Dostałam ją razem z pszczołami – powiedziała. – To straszne.

– Ja pozbieram – zaproponował Nate. – Ty idź po pszczoły.

Wstała i odłożywszy odłamki na stół, wodziła roztrzęsionymi palcami po błękitnych stokrotkach, kolejnej zerwanej więzi z przeszłością.

– A nie poszedłbyś ze mną? – spytała. – Nietrudno je złapać, przydałaby się jednak druga para rąk. Na dodatek jeszcze nie wiem, jak się tam dostać.

– Nie użądlą mnie, co? – upewnił się Nate.

– Nie sądzę, ale mógłbyś włożyć mój kombinezon.

Nate poczerwieniał.

– Chyba się nie zmieszczę.

– To włóż tylko kapelusz i siatkę, a do tego koszulę z długim rękawem i długie spodnie. Jakbyś w szkolnym przedstawieniu grał głowę konia.

Nie przekonało to Nate'a, który nawet nie miał okazji grać zadu. Kiedy jednak włożył kapelusz i zasłonił twarz siatką, nawet mu się to spodobało. Kapelusz ładnie pachniał i świat wyglądał lepiej przez taki filtr.

Sugar, nieuczesana i bez szminki, za to z mętlikiem w głowie, wypadła z mieszkania w dżinsach, podkoszulku i adidasach i w te pędy zbiegła po schodach.

Nie, żeby ów pośpiech był uzasadniony, gdyż pszczoły po ucieczce z ula zwykle znajdowały sobie jakieś miejsce i dopiero następnego dnia ruszały dalej. Jednakże ów wybryk był tak niepodobny do Elżbiety, że Sugar wolała nie ryzykować. Chciała odzyskać pszczoły, natychmiast, zanim zrobią coś gorszego, choć nie przychodziło jej do głowy, cóż mogłoby to być.

– Wejście musi być od Piątej – wyraził przypuszczenie Nate. – Stawiałbym, że jakieś piąte z kolei.

George zamarł na ich widok.

– O nic nie pytam – oznajmił. – Ale inni mogą.

Sugar pomachała mu kartonem i skierowali się w stronę Avenue B.

– Na co ci ten karton? – zapytał Nate.

– Żeby przenieść w nim pszczoły. Łatwo je złapać. Bardziej martwi mnie to, dlaczego uciekły.

Skręcili w prawo w Avenue B, a potem w Piątą Ulicę i niebawem dotarli do poszukiwanego budynku. Na szczęście ktoś akurat wychodził.

– Przepraszam, czy mogłaby nam pani powiedzieć, jak dostaniemy się na dach? – zapytała Sugar.

– Jesteście deratyzatorami? – spytała kobieta. – Bo mieliście przyjść miesiąc temu.

– Nie, proszę pani – odpowiedziała Sugar. – Wręcz przeciwnie.

– Sprowadzacie szczury do budynku? Bomba. Dorzućcie przy okazji parę pluskiew!

– Bardzo mi przykro, ale nikt nas nie przysłał. Mieszkamy w jednym z tamtych budynków i na waszym dachu przypadkowo znalazło się coś bardzo cennego... czego nie wolno wytępić.

Kobieta wybałuszyła na nią oczy.

– Pszczoły jej uciekły – wyjaśnił Nate. – Odziedziczyła je po dziadku.

– O, a ja odziedziczyłam po dziadku obraz – odrzekła tamta. – Sprzedałam go i pojechałam do Paryża na całe lato.

– Przyniosę pani miód – obiecała Sugar. – Tylko proszę nam powiedzieć, jak się dostać na dach.

– To własność prywatna – odparła kobieta. – Należy do faceta z cztery b. Za dobrze go nie znam, ale mogę was wpuścić. Jedźcie windą na górę i zapukajcie do drzwi, może was nie spławi. Powiedzcie, że przysyła was Carol. Aha, i mieszkam pod trzy a, jeśli z tym miodem to było na serio.

– Tak, proszę pani. Na serio. Bardzo dziękujemy.

Nate poprawił swój hełm, Sugar mocniej ścisnęła karton i poszli.

– Niektórzy robią się nerwowi na wieść, że mają u siebie pszczoły – powiedziała, gdy stanęli pod drzwiami apartamentu na górze. – Spróbujmy zatrzymać go w środku, a sami, albo przynajmniej ja, pójdziemy po rój. Załatwione?

– Załatwione – odpowiedział spod siatki Nate i Sugar zapukała energicznie.

I zaraz uznała, że „nerwowi" to mało powiedziane, gdyż facetem z cztery b okazał się Theo we własnej osobie.

31.

O kurka! – jęknęła Sugar.

– O Sugar! – odrzekł Theo.

– Mieszkasz tutaj? – zadudnił spod woalki Nate.

– A ten to kto?

– Nate. Chyba poznałeś go u mnie, zanim dałeś nogę i tak dalej. Słuchaj, Theo, tylko nie myśl sobie, że...

– Czemu ma to na głowie?

Sugar i Nate wymienili spojrzenia. Kapelusz pszczelarski nie był chyba najlepszym pomysłem, jeśli cel misji miał pozostać tajemnicą.

– Musi unikać słońca – zełgała w poczuciu winy Sugar. – Jak ten chłopiec w „Sześćdziesięciu minutach".

– I mdli mnie od przebywania na ulicy – dorzucił Nate, może niezbyt przekonująco, lecz Sugar pogratulowała mu w duchu refleksu. – Możemy wejść?

– Naturalnie. – Theo ustąpił im z drogi. – Bardzo proszę. Czujcie się jak u siebie w domu. Muszę przyznać, że jestem zaskoczony. Ale ucieszony. Zaskoczony i ucieszony, z naciskiem na to drugie. Napijecie się czegoś? Oranżada, kawa? Coś innego bez alkoholu?

Zapadła niezręczna cisza, bo Sugar straciła rezon.

– Ładne mieszkanko – zauważył przytomnie Nate. – Jakieś pięćdziesiąt razy większe od mojego.

– Może nas oprowadzisz? – Sugar doznała olśnienia. – A potem ustalimy, czego się napijemy.

Mieszkanie Theo było rzeczywiście pięćdziesiąt razy większe od dziupli Nate'a i dwadzieścia pięć razy od poddasza Sugar, składało się z dwu sypialni, tyluż łazienek, kuchni, salonu i gabinetu. Wnętrze było nowoczesne, ale urządzone w stylu pasującym do człowieka, który zrzekł się prawa korporacyjnego na rzecz hawajskich koszul. Nie zabrakło nawet palmy w jednym kącie, z obręczą do gry w kosza, oraz automatu do gier w drugim. Niemniej jednak stała tu również wysiedziana skórzana sofa, półki uginały się od książek, w większości zaczytanych egzemplarzy w miękkich okładkach, a na ścianach wisiały dziecięce rysunki, przypuszczalnie autorstwa siostrzenicy. Taką przynajmniej nadzieję miała Sugar.

– Nigdy nie masz ochoty posiedzieć na zewnątrz? – spytała.

– Niespecjalnie – odparł. – My, Szkoci, nie słyniemy z zamiłowania do słońca. W Szkocji mamy go jak na lekarstwo. Ale zawsze mogę posiedzieć na tarasie, wychodzi się tam schodami obok gościnnej łazienki.

– A masz gorącą czekoladę? – zapytała natychmiast Sugar. – Taką prawdziwą, którą trzeba zalać wrzącym mlekiem, zamieszać i odczekać parę minut, zanim będzie się nadawała do picia?

– Uhm, możliwe – zdziwił się Theo. – A chciałabyś?

– Jeszcze jak – zapewniła go. – Bądź tak dobry i powoli zagotuj mleko, bo taką najbardziej lubię. Nate też. Prawda, Nate?

– Owszem – potwierdził jej towarzysz. – W dodatku widzę,

że masz ekspres do kawy, więc poprosiłbym cappuccino. Plus gorącą czekoladę. Na wszelki wypadek.

Sugar uśmiechnęła się do niego, kiedy Theo zaczął przetrząsać szafki w poszukiwaniu tej ostatniej.

– Panowie wybaczą – powiedziała. – Pozwolę sobie skorzystać z łazienki.

– Nie chcesz zostawić kartonu? – spytał Theo.

– Nie, wolę go zabrać – odpowiedziała, głowiąc się nad wymówką. – Mam tam kotka. – I pognała w stronę łazienki, a potem wąskimi schodami na dach. – Elżbieto Szósta! – zawołała na cały głos, stając przed rzeźbą, której łokieć szczęśliwie wciąż oblepiały uciekinierki. – Co też ci, u licha, strzeliło do głowy?

Przeniosła wzrok na własny dach, tę kwitnącą oazę zieleni, którą stworzyli z Nate'em w asfaltowym sercu miasta. Czemuż to królowa zostawiła swoje ustronie na rzecz opasłej łapy z brązu, z dala od swojej właścicielki, a także pyłku, nektaru i staroświeckiej pszczelarskiej gościnności?

Pszczoły często uciekały na gałąź, którą można strząsnąć lub odciąć, lecz w przypadku rzeźby Theo Sugar musiała delikatnie strzepnąć je ręką do kartonu. Na szczęście poszło gładko i spadały zbite w gromadki, a w ostatniej z nich Elżbieta Szósta.

– Nic z tego nie rozumiem – powiedziała Sugar. – Nawet nie stawiacie oporu. Co tu jest grane?

Nie pierwszy raz żałowała, że pszczoły nie mają głosu.

– Troszczę się o was, tak? Przecież wiecie. Zginęłabym bez ciebie, Elżbieto, zwłaszcza teraz. Mówię poważnie.

Zakleiła karton i wróciła do mieszkania Theo, trzaskając po drodze drzwiami łazienki.

– Bardzo przepraszam – oznajmiła – ale nagle źle się poczułam.

Chyba daruję sobie tę czekoladę i poproszę Nate'a, żeby odprowadził mnie do domu.

Theo zrzedła mina. Widok był rozdzierający, ale Sugar zniosła go bohatersko. Wolała się nie zastanawiać nad komplikacjami.

– Przecież mnie szukałaś. – Theo ruszył za nią do drzwi. – Prawda? Miałem nadzieję, że postanowiłaś jednak mi wybaczyć.

– Nie, przyszłam z innego powodu. Chciałam tylko coś sprawdzić, a że już sprawdziłam, możemy iść.

– Poza tym źle się czujesz – przypomniał jej Nate. – Zapomniałaś?

– Sprawdzałaś coś w gościnnej łazience? Czekaj, powiedz mi, w czym rzecz, a to naprawię. Mogę nawet wyremontować gościnną łazienkę. Albo ją przesunąć. Ba, zamurować na amen. Błagam, powiedz tylko, o co chodzi. Może poniesiesz kotka, Nate, skoro Sugar źle się czuje?

Nate posłusznie sięgnął po karton, ale Sugar przycisnęła go do piersi, czekając, aż Theo otworzy drzwi.

– Byłem u alergologa – podjął, dotykając lekko jej ramienia. – Dlatego przysłałem balony. Opowiedziałem mu o tobie i, no wiesz, o pszczołach, i że kiedyś mało nie umarłem, a on mi na to, że teraz jest inaczej. Twierdzi, że nie umarłbym, gdybym nosił ten nowy wynalazek ze Szwecji. Czekaj, nie odchodź! Zaraz przyniosę! Chcę ci pokazać.

Ramię paliło ją w miejscu, gdzie dotknął go Theo, i nagle zachwiała się w swoim niezłomnym postanowieniu. Usiłowała wskrzesić w sobie uczucia, które wzbudził w niej swoją ucieczką z kolacji, gdyż skutecznie uchroniłyby ją przed ponownym popełnieniem karygodnego błędu. Ale zdradziecka pamięć podsuwała jej obraz pocałunku przy kuchennym blacie. Stanowczo należy usunąć z niej Theo.

– Uciekamy! – syknęła do Nate'a, a on w odpowiedzi tylko pokręcił głową.

W tej samej chwili przejrzała się w lustrze w przedpokoju i zobaczyła, w jakim jest stanie. Matka nie dałaby jej spokoju. Na szczęście Sugar nie chciała się nikomu spodobać, w przeciwnym razie byłaby niepocieszona.

Nim jednak zdążyła wcisnąć łokciem klamkę, nadbiegł zdyszany Theo, wymachując białym przedmiotem wielkości kredki.

– Oto nowy antyalergiczny epiPen. Jeśli będę go nosił przy sobie cały czas, to nie muszę nawet jechać do szpitala. No wiesz, gdyby mnie użądliły. Czyli mógłbym cię odwiedzać.

Bardziej było mu do twarzy z nadzieją niż ze smutkiem. Oczy mu rozbłysły, poweselał. Zapomnij o pocałunku, kołatało w głowie Sugar. Zapomnij o pocałunku.

– Dziękuję za gościnność, Theo. Masz w łazience cudne mydełko, ale nie będziesz mnie odwiedzał. Próbowałeś mnie upić, pamiętasz? Szpiegowałeś mnie, a potem zwiałeś z kolacji. Dlatego, wybacz, mówiłam serio, że nie chcę cię więcej widzieć.

Nate wybałuszył oczy pod siatką, a uśmiech Theo ponownie zgasł.

– Przecież przyszłaś... – zaczął.

– No cóż, to zupełnie inna sprawa i nie ma nic do rzeczy z tym, że nie chcę cię więcej widzieć. Co wchodzi w życie od zaraz. – Zaczynała się plątać, a pszczołom chyba udzieliło się jej zdenerwowanie. Nie mogły długo pozostać w kartonie, żeby się nie przegrzały. Trzeba je zanieść do domu.

– Powiedz mi tylko…

– Wybacz, Theo, ale musimy iść. Nate, będziesz tak miły i otworzysz drzwi?

– Masz fajną kuchnię – rzucił na odchodne Nate i podreptał za Sugar do windy.

Theo patrzył, jak winda połyka oboje i uwozi Sugar daleko od niego.

– Za kogo on się uważa? – wybuchnęła Sugar, kiedy podążyli w stronę Flores Street. – Nie można kogoś polubić na siłę. To nie działa w ten sposób, a gdyby nawet działało, czemu nie kupi sobie na dach choćby rododendronu? Czy ten człowiek ma coś przeciwko zieleni?

Nat milczał, jakby był czymś urażony.

– Pojęcia nie mam, co zamierzaliście, ale sądzę, że się udało – oznajmił na ich widok George i otworzył drzwi.

– Owszem – potwierdziła Sugar. – Miło, że pytasz.

Po powrocie na górę Nate pomógł przenieść Elżbietę Szóstą i jej podwładne z powrotem do ula, po czym ponownie umieścili wewnątrz ramki. Zrobiły się ciężkie od wysychającego nektaru, ale Sugar napełniła ul roztworem cukru, aby zasłodzić jego mieszkanki. Miała nadzieję, że nie wpadną znów na pomysł, by zwiać.

– Zdejmiesz kapelusz i powiesz, o co się obraziłeś? – spytała, kiedy skończyli.

Spodobała mu się ta siatka. Chętnie włożyłby ją do pracy. Dodawała mu odwagi.

– Theo wcale cię nie prześladuje – oznajmił. – Jego żona uciekła z ogrodnikiem, więc ma pewien uraz na punkcie roślin. On naprawdę cię lubi, nic więcej. I staje na głowie, żeby ci to okazać, ale ty się uparłaś, żeby być wredna.

Sugar nie wierzyła własnym uszom.

– Uważasz, że jestem wredna?

– Jeszcze jak. Niełatwo powiedzieć dziewczynie, co się czuje. To bardzo trudne. Niektórzy wcale tego nie potrafią.

Był najmilszym sąsiadem, jakiego miała. A miewała naprawdę bardzo miłych.

– Masz rację – przyznała. – Wybacz. Nie chciałam być wredna i bardzo tego żałuję. Przepraszam, to się więcej nie powtórzy, ale wierz mi, że równie trudno oddać komuś serce, jak o nie poprosić. Zwłaszcza jeśli ktoś wcześniej się sparzył.

– Każdy tak ma – odparł Nate. – Theo też.

– Opowiedział ci o swojej żonie i ogrodniku?

– Opowiedział Loli – wyjaśnił. – Kiedy przyszedł po balony. Myślał, że więcej się nie zakocha, lecz zakochał się w tobie, a potem zwiał, bo jest uczulony i wyszedł na cykora. Tak powiedział. Na cykora.

– W Szkocji tak mówią?

– Na to wychodzi.

– Tak czy inaczej obiecuję, że więcej nie będę wredna. Ale skończmy ten temat. Lepiej mi powiedz, czy myślałeś o tej posadzie w „Citroenie"?

Nate spojrzał na nią przez siatkę.

– Pewnie to już nieaktualne – odparł. – Zresztą i tak bym odpadł.

– Skąd wiesz, jeśli nawet nie zamierzasz spróbować? Tam, skąd pochodzę, nie wypada składać broni, a ty jesteś gwiazdą, Nate.

– Nie lubię, jak wciąż mnie o to nagabujesz.

– Wybacz, skarbie. Chciałam tylko pomóc.

– To ma być pomoc? – spytał. – Trochę mi się przejadła.
– Och.
Nate zdjął siatkę i znowu stał się sobą.
– Uhm, muszę lecieć – wymamrotał. – Na razie.

32.

Plan Sugar, aby już nigdy więcej nie mieć do czynienia z Theo, wziął w łeb już następnego ranka, bo jeszcze zanim wstała z łóżka, zobaczyła, że pszczoły wyfruwają z ula i lecą z powrotem w kierunku rzeźby na tarasie mieszkania cztery b.

Jakby tylko czekały, aż ich właścicielka otworzy oczy, żeby jej zagrać na nosie.

– To jakiś żart – jęknęła i wyskoczywszy z łóżka, dopadła barierki, w chwili gdy osiadały na rzeźbie, a konkretnie na jej pokaźnym zadku.

Ponownie zajrzała do ula i stwierdziła, że Elżbieta Szósta zabrała prawie cały rój, nie licząc paru niedobitków w postaci trutni, które leniwie obgryzały plaster miodu.

– Nate? Skarbie? Jesteś tam? – zawołała, ale w nocy słyszała, jak hałasował skrzynkami, więc nie zdziwiła się, że jeszcze śpi. Nie miała serca go budzić, zwłaszcza po tym, co powiedział jej wczoraj.

– George, jakiś ty dzisiaj elegancki – odezwała się do niego na dole, trzepocząc rzęsami w sposób, który jej zdaniem wzbudziłby aprobatę każdej południowej mamy.

– Wpadło ci coś do oka? Lepiej coś z tym zrób, zanim wiatr się zmieni i zostaniesz ślepa jak sowa.

– Uhm, nie, nie wpadło. – Sugar się poddała. – Tak naprawdę potrzebuję twojej pomocy.

– Lubię pomagać, więc mów śmiało.

– Pamiętasz misję, o której ci mówiłam wczoraj?

– Owszem.

– Otóż muszę ją wypełnić po raz kolejny.

– I dlatego wzięłaś karton, jak sądzę.

– Poszedłbyś ze mną?

– Czy mam włożyć hełm?

– Nie trzeba.

– No to pójdę, ale pod warunkiem że pozwolisz mi wziąć karton. Pozwolę sobie zauważyć, że pięknie dziś wyglądasz. Rzekłbym, że nawet bardzo.

George nie przesadzał. Sugar wyszczotkowała włosy, pomalowała usta i włożyła ulubioną sukienkę oraz najładniejsze sandały. Wcale nie po to, by pokazać się komuś w lepszym świetle aniżeli poprzedniego dnia. Nie obchodziło jej, jak ów ktoś ją postrzega. Nic a nic. Po prostu nie chciała budzić podejrzeń, przychodząc drugi dzień z rzędu w cokolwiek zgrzebnym stroju.

Tak przynajmniej sobie wmawiała, gdy skierowali się z George'em w stronę budynku, w którym mieszkał Theo.

– Będziesz tak dobry i wciśniesz domofon? Cztery b – powiedziała.

– Kto tam mieszka?

– Theo.

George spojrzał na nią spod oka.

– To nie to, co myślisz – dorzuciła pospiesznie Sugar. – Wcale a wcale. Po prostu jestem w kropce i sama nie wybrnę, więc prosiłabym cię, żebyś go zagadał, a ja pójdę do łazienki.

Sama zadzwoniła, a następnie pchnęła George'a w stronę głośnika. Wiedziała, że kobieta w połączeniu z łazienką to więcej, niż byłby w stanie znieść.

– George Wainwright i Sugar Wallace – zaanonsował, kiedy Theo się odezwał. – Czy moglibyśmy wejść?

Theo nie miał nic przeciwko temu, co jeszcze bardziej zdziwiło George'a.

– Przecież mówiłam – zaznaczyła Sugar, kiedy wchodzili do windy. – To co innego, niż myślisz.

Uśmiechnięty Theo stanął w progu, ale Sugar bardziej zainteresował czarny labrador, który dyszał u jego nóg.

– Przyniosłaś kotka – rzekł Theo i zmarkotniał. – Nie wiem, czy to dobry pomysł.

– Masz psa? – Zwierzak spoglądał na nią wielkimi czarnymi oczami. Jeśli Sugar miała słabość do jakichkolwiek stworzeń prócz kulawych kaczek i pszczół, były to właśnie psy.

– To Księżniczka – oznajmił Theo. – Zaadoptowałem go. Pamiętasz, wspomniałem ci, że myślę o psie.

– I nazwałeś go Księżniczka? – upewnił się George.

– To nie ja, tylko byli właściciele – wyjaśnił Theo. – Porzucili go i mało nie zdechł z głodu. Prawda, Księżniczko? – Pies spojrzał na niego z uwielbieniem, a Theo podrapał go za uchem. – Ale nie jestem pewien, jak zareaguje na kotka.

– Kotka? – zdumiał się George.

– Pal sześć kotka. – Sugar pluła sobie w brodę, że go wymyśliła. Oczu nie odrywała od Księżniczki. Wyglądał jak brat bliźniak nieodżałowanego Łatki!

– Wpuścisz nas? – spytał George. – Mam do ciebie romansik.

– Jasne. – Theo odsunął się od drzwi. – Muszę przyznać, że wyglądasz dziś dużo lepiej, Sugar.

Zaraz się zjeżyła, ale przypomniała sobie o wczorajszej obietnicy, że nie będzie wredna.

– No cóż, masz prawo tak mówić, ale spodnie były świeżo uprane, a podkoszulek ma wartość sentymentalną.

– Nie, nie – uściślił Theo. – Chodziło mi o to, że wczoraj, kiedy przyszłaś z kotkiem, coś ci dolegało.

– Przyszliśmy porozmawiać o kotku? – zgubił się George.

– Nie, ale skoro o tym wspomniałeś, Theo, rzeczywiście trochę mi słabo, więc czy mogłabym skorzystać z łazienki?

Nie czekając na odpowiedź, powstrzymała się, żeby nie poklepać psa po głowie, i czmychnęła w stronę schodów na dach. Lecz Księżniczka wyczuł w niej bratnią duszę i pognał za nią. A gdy Sugar pchnęła drzwi na taras, bezceremonialnie wepchnął się przodem.

– Nie! Wracaj! – syknęła, ale zdążył już wyskoczyć i harcował po pustej przestrzeni jak kucyk po łące.

Sugar musiała się uśmiechnąć. Jej pies też był uparty. Ba, nie miał sobie równych, gdy chodziło o zwrócenie na siebie uwagi i wymagania co do jakości polędwicy.

Zawołała Księżniczkę i zaraz przybiegł, merdając ogonem jak szalony, po czym usiadł, zupełnie jak Łatka, w oczekiwaniu na pieszczoty.

– Musisz mi pomóc, mały – powiedziała. Kucnęła i przytuliła się do jego karku, pachnącego drogim szamponem, w którym wykąpał go pan. – Muszę zgarnąć moje pszczoły i wziąć je do domu, więc proszę, posiedź chwilę spokojnie, a zaraz sobie pójdę.

Księżniczka chyba zrozumiał, bo usiadł spokojnie z wywieszonym ozorem i obserwował Sugar, która ze zgrozą ujrzała Elżbietę Szóstą na plecach swoich podwładnych spacerujących między rozległymi pośladkami golasa z brązu.

– Nie możesz mi tego robić – powiedziała do królowej. – Zwłaszcza tutaj! Wpakujesz mnie w kłopoty, Elżbieto. Nie masz pojęcia, z kim zadzierasz. Będzie płacz i zgrzytanie zębów, a znasz mój stosunek do płaczu.

Lecz koniec końców to nie Elżbieta wpakowała ją w kłopoty, tylko Księżniczka. Jak się okazało, nie miał najmniejszego zamiaru posiedzieć spokojnie. Nie chciał, żeby sobie poszła.

W chwili gdy dotarło do niego, że Sugar zgarnia do kartonu żywe owady, rozszczekał się jak szalony.

I choć pszczoły w najmniejszym stopniu nie zareagowały na hałas, Theo owszem. Był wielce wzburzony.

– Jakim cudem Księżniczka wyszedł na dach? – zapytał George'a, który opowiadał zawiłą historię o pewnym mieszkańcu Sześćdziesiątej Siódmej. Facet ów, w myśl obliczeń George'a, nie wychodził z domu przez bite szesnaście miesięcy, a do tego chyba też miał na imię Theo. – I gdzie się podziała Sugar? Myślisz, że nic jej nie jest?

– Nie wiem jak pies, ale Sugar chyba wie, co robi.

– Lepiej pójdę sprawdzić. – Theo wstał z fotela, a George (który właśnie uświadomił sobie, że odludek z Sześćdziesiątej Siódmej miał jednak na imię Leo) dał za wygraną i poszedł za jego przykładem.

Tymczasem na dachu Księżniczka skakał wokół Sugar i kartonu w połowie wypełnionego pszczołami, jakby co najmniej sam je zgarnął.

– Co ty wyprawiasz? – Theo podszedł energicznie do rzeźby i zobaczył dużą ciemną plamę na jej pośladkach. – Przemalowywujesz mojego Fernando Botero?

– Stój, Theo! – krzyknęła Sugar. – Ani kroku dalej!

– Ani mi się śni, to mój dach. Co się tu dzieje?

– Stój, bardzo cię proszę!

Theo był już tylko parę metrów od tego, co wziął za niewytłumaczalny akt wandalizmu.

– Jeśli ci się nie podoba, wal śmiało. I tak powinienem ją sprzedać; jest warta majątek, ale nigdy w zasadzie...

Nagle dotarło do niego, że ciemny tatuaż na bezcennym tyłku rzeźby to wcale nie farba, tylko coś ruchomego. I żywego. Konkretnie pszczoły.

– Pszczoły... – wykrztusił. – Pszczoły!

– To nie moja wina – podkreśliła Sugar, usiłując zgarnąć maruderki do kartonu. – Nie miałam z tym nic wspólnego. Miały u mnie jak u Pana Boga za piecem, po czym coś im odbiło i nagle tu przyleciały, więc musiałam po nie przyjść i je ratować. Powiedziałabym ci prawdę, bo brzydzę się kłamstwem, nie licząc tego malutkiego na temat Nate'a i chłopca z „Sześćdziesięciu minut", tylko nie chciałam cię denerwować i...

– Twoje pszczoły uciekły z domu? – zainteresował się George.

– Użyłabym innego określenia – zaznaczyła z naciskiem Sugar. – Wcale nie uciekają, tylko...

– Urlopują?

– Pszczoły... – powtórzył Theo i wykonał serię sześciu przyspieszonych wdechów. Zacisnął powieki i wbił paznokcie w dłonie.

– Tak mi przykro – powiedziała Sugar. Wyglądał, jakby był

w szoku, i zaniepokoiło ją, że tak się tym przejęła. Co ją to obchodzi? Ale obchodziło, i to bardzo. – To musi być dla ciebie straszne.

– Nie! – wysapał Theo. – Super!

– To ma być super? – George zatrzymał się pośrodku dachu, z dala od wszystkich krawędzi. Chwycił za kolano rzeźby i próbował stać prosto.

– Ja się leczę – wykrztusił Theo. – Na pszczoły.

– Już nic mnie nie zaskoczy – oznajmił George. – Pies wabi się Księżniczka, a facet leczy się na pszczoły. Skończyłaś? Bo wolałbym stąd wyjść.

– Nic mi nie jest – powiedział Theo. – Nic mi nie jest, nic mi nie jest.

– Ładne mi nic – powiedział do Sugar George. – Lepiej zabierz stąd te pszczoły, zanim biedak dostanie apopleksji.

– Robię, co mogę. – Sugar zgarnęła resztę owadów do kartonu i szczelnie zakleiła go taśmą. – Gotowe. Możemy iść.

Księżniczka w końcu przestał jazgotać i z całym spokojem przystąpił do wylizywania sobie tylnej części ciała. Theo nadal stał jak słup soli i wbijał paznokcie w dłonie, a pot lał się z niego strumieniami.

– Nic mi nie jest – powtórzył i jakby się uspokoił. – Nic mi nie jest. Kotek?

– Uspokój się. – Sugar unikała jego wzroku. – Jeszcze raz cię przepraszam, Theo. Już nas nie ma. Dopilnuję, żeby to się więcej nie powtórzyło.

– Proszę bardzo. Winszuję. – Theo stał jak wrośnięty w ziemię.

Że nie chciała go skrzywdzić, to mało powiedziane. Najchętniej wzięłaby go w ramiona i utuliła z zapewnieniem, że wszystko będzie dobrze. Zamiast tego jednak wzięła się w karby i skinęła na George'a, że na nich już czas.

– Dzięki za gościnę! – zawołała na pożegnanie. – Miłego dnia! Stał jak słup – powiedziała do George'a, kiedy wchodzili do windy. – Jest uczulony, ale stał, a Elżbieta Szósta i jej dziewczynki nawet na niego nie spojrzały. Nic z tego nie rozumiem, George. O co tutaj chodzi? Co to wszystko ma znaczyć?

– Że chyba czas, abyś dokończyła swoją opowieść – odrzekł George, gdy wyszli na ulicę, gdzie znów mógł odetchnąć spokojnie. – Zabierz tego biednego kotka i pszczoły do domu, zrób z nimi, co trzeba, a ja skoczę po naleśniki z krewetkami i spotkamy się za godzinę w ogrodzie Grace. I ani mi się waż nie przyjść. Jestem stary, mogę umrzeć w każdej chwili, a chyba nie chciałabyś mieć mnie na sumieniu.

Sugar miała tyle na sumieniu, że starczyłoby jej na resztę życia.

– Przyjdę – obiecała.

Prapraprababka Elżbiety Szóstej, królowa Elżbieta Pierwsza, w razie zagrożenia w okolicy wiedziała, czy chodzi o niedźwiedzia, osę, czy też osobę o przesadnym zamiłowaniu do wody po goleniu.

Każdy potencjalny drapieżnik wydzielał indywidualne zapachy i wibracje, więc natychmiast po ich odebraniu Elżbieta Pierwsza stawiała cały ul w stan gotowości. Wystarczyło niewiele: szczypta jej feromonów elektryzowała podwładne, a zwiadowcy trzymali się bliżej domu, na wypadek gdyby trzeba było interweniować.

Wszystkie pszczoły znały Sugar: były na nią genetycznie zaprogramowane, wyczuwały ją na kilometr i nie dopuściłyby za nic, aby coś jej się stało. Lecz Elżbieta Pierwsza wyczuwała też Grady'ego Parkesa, który, niestety, wybijał ją z błogostanu. Po części wynikało to z jego zapachu, gdyż obficie skrapiał się wodą kolońską na bazie tytoniu i cedru z nutą gorzkich ziół, a jego naturalny zapach okazał się za kwaśny jak na gust Elżbiety. Jednym słowem, Grady był u niej na cenzurowanym i przekazała to reszcie podwładnych.

Przełom nastąpił po rozmowie Sugar z dziadkiem, gdy królowa zrozumiała, że chłód, który zawisł w powietrzu, ma wiele wspólnego z Gradym. Zagrożenie było większe, niż przypuszczała.

Elżbietę wiele łączyło z dziadkiem. Wiedział, co czuła, tak po prostu, a ona tak samo. Wiedziała, że martwił się o swoją dziewczynkę, a powód jego strachu siedział w samochodzie nieopodal i rozsiewał niemiłe zapachy świadczące o nader przykrym usposobieniu.

Niedługo potem dziadek odszedł i Elżbieta Pierwsza zrozumiała, że sama musi zadbać o ul, dopóki nie zjawi się Sugar, co wkrótce nastąpiło. Spodobał jej się nowy dom na Church Street. W zacisznym ustroniu, na południe od Broad, za dużą magnolią, kwiatów i zapachów miała na pęczki, nie mogła się więc doczekać, aż zbada okolicę.

Potem przyszedł Grady, zaczął przeklinać i kopać jej dom, aż jedna z robotnic wykazała inicjatywę i wszczęła małą akcję odwetową. A gdy Grady przewrócił Sugar, emitując na potęgę feromony, postawiło to na nogi całą resztę robotnic.

Dziadek nie pozwoliłby im spokojnie na to patrzeć.

Należało podjąć zdecydowane kroki.

33.

George siedział na „ich" ławce pod dębem, w asyście tego samego drozda, a naleśnik i napój Sugar czekały już na serwetce. Powitał ją uśmiechem i mimo napięcia, które nie pozwoliłoby jej nic przełknąć, spłynął na nią spokój, którego tu ostatnio zaznała.

– Jeszcze nikomu o tym nie opowiadałam. – Usiadła obok. – Toteż jeśli zacznę płakać, bełkotać albo wezmę nogi za pas, musisz mi wybaczyć, bo się staram.

– Zawsze stajesz na wysokości zadania – odpowiedział George. – W przeciwieństwie do większości.

– Była to ostatnia sobota sierpnia – zaczęła Sugar. – Na ogół zbyt gorąco na ślub w Charlestonie zdaniem mamy Grady'ego, ale moja uparła się pchnąć nas do ołtarza najszybciej jak się dało.

O dziwo, ranek okazał się przyjemnie chłodny, na tyle że Etta przestała utyskiwać na kwiaty w jachtklubie, gdzie miało się odbyć wesele, i na zieleń trawnika w ogrodzie na Legare Street, gdzie zaplanowała poprawiny.

Fryzjer przyszedł wcześnie i upiął długie włosy Sugar w elegancki kok, a krawcowa wprowadziła ostatnie poprawki, więc suknia pasowała jak ulał.

Makijaż był nienaganny, dyskretnie podkreślone oko, usta ponętnie zaróżowione.

Poćwiczyła nawet chodzenie na obcasach, żeby nie dać plamy i nie błysnąć majtkami La Perla w kościele.

Wszyscy się później zgadzali, że pomimo tego, co zaszło, Sugar była najpiękniejszą panną młodą, jaką widzieli.

Słońce przeświecało przez łukowe okna episkopalnego kościoła pod wezwaniem świętego Michała na rogu ulic Meeting i Broad, w samym sercu Charlestonu, gdzie ratusz sąsiadował z sądem i pocztą.

W śnieżnobiałym kościele przed trzydziestu laty pobrali się rodzice Sugar, a przed nimi jej dziadkowie. Dzwony od Świętego Michała biły z okazji ślubów w rodzinie Wallace'ów od roku tysiąc siedemset sześćdziesiątego czwartego.

Sugar przyjechała wraz z ojcem białym powozem zaprzężonym w cztery siwe konie o długich jedwabistych grzywach i wypolerowanej uprzęży.

Kiedy wysiadła, organista uderzył w klawisze, a gdy weszła do kościoła i powoli ruszyła nawą, wsparta na ramieniu dumnego papy, chór zaintonował psalm wybrany przez jej mamę.

Etta stała w pierwszym rzędzie, ubrana w zachwycający kostium z jasnego, przymarszczonego jedwabiu. Wiedziała, że jeszcze trochę, a przyćmiłaby córkę, i wielce ją to radowało.

Ben i Troy pełnili funkcję drużbów, a ich dziewczyny zostały druhnami; Etta oszczędziła sobie dalszych poszukiwań, poza tym obie były ładnymi blondynkami.

Kościół pękał w szwach. Matka panny młodej dopięła na ostatni guzik wszystkie przygotowania, począwszy od zaproszeń i prawdziwego szampana na weselu, aż po szczegóły poprawin, które miały się odbyć następnego dnia.

Każdy, kto wiedział, że jedyna córka państwa Wallace'ów staje na ślubnym kobiercu, chciał uczestniczyć w uroczystości od początku do końca. Zanosiło się na ślub stulecia.

– Grady ma minę jak kot, który wypił śmietankę – mruknął jego kuzyn Luke do swojego brata Eda.

– Zawsze ma taką – odmruknął Ed.

– Opił się tej śmietanki – dodał Luke i obaj zachichotali, narażając się na kuksańca od matki. Ale zazdrościli Grady'emu. Sugar Wallace wyglądała na najpyszniejszą śmietankę, jaką w życiu widzieli, i gdy przechodziła obok, mało się nie zaślinili.

Welon z francuskiego tiulu odsłaniał fragment pięknego ramienia osłoniętego koronką sukni. Wszyscy na nią patrzyli, gdy ucałowawszy ojca w policzek, powoli zwróciła się do narzeczonego, który stał ze szklistym wzrokiem, równie oczarowany jej urodą jak pozostali.

Wszyscy pomyśleli, że tworzą piękną parę. Każdy rodzic marzył dla swojego dziecka o takiej partii: dwie najznakomitsze rodziny w mieście złączone świętym węzłem małżeńskim na oczach wszystkich, którzy się liczyli.

Wszyscy tak pomyśleli, ale nikt nie odnotował pojawienia się pierwszej pszczoły.

Było to zdecydowanie gdzieś po „Czy ty, Cherie-Lynn Antoinette Wallace, bierzesz Grady'ego Johnsona Howella Parkesa", ale przed „Ogłaszam was mężem i żoną".

Sugar stała, słuchając pastora i powtarzając słowa przysięgi, gdy naraz do jej uszu doleciało znajome brzęczenie. Pszczoła wleciała przez otwarte okno nad drzwiami zakrystii i kołowała nad mównicą.

Sugar zesztywniała. Jedna pszczoła zwykle wytyczała drogę następnym.

I rzeczywiście, już po chwili przez okno wleciała druga, a za nią trzecia i czwarta.

Grady trzymał oburącz dłonie narzeczonej i chyba nie zauważył, jak pszczoły okrążyły mównicę i skierowały się prosto w jego stronę.

Były ich tylko cztery i zataczały leniwe kręgi nad jego głową, więc Sugar odprężyła się nieco, ale tylko do chwili, gdy pszczoła na czele okazała się z bliska większa od pozostałych.

Grady chyba zorientował się w sytuacji i gwałtownie wypuścił powietrze z płuc, jakby chciał je odpędzić.

Przesunęły się nieco wyżej, lecz wciąż nad nim kołowały.

Sugar nie mogła od nich oderwać oczu. Pszczoła na czele zdecydowanie była największa. Mało tego, wyglądała jak królowa. Sugar wyrwała ręce z uścisku Grady'ego.

Pastor rzucił jej ostrzegawcze spojrzenie, ale nie zwróciła na niego uwagi.

– Grady, dokąd zabrałeś moje pszczoły? – spytała.

Ludzie w pierwszych ławkach zaczęli szeptać i szmer poniósł się na tyły kościoła, gdzie nikt nie widział, o co chodzi, prócz tego, że panna młoda jest rozkojarzona.

– Na miłość boską, nie teraz, kochanie – syknął Grady i machnął ręką nad głową, żeby odgonić pszczoły.

Lecz one nigdzie się nie wybierały, a im dłużej Sugar na nie patrzyła, tym bardziej utwierdzała się w przekonaniu, że ta duża na czele to Elżbieta Pierwsza. Oczywiście nie mogła być pewna na sto procent. Nie sposób być na sto procent pewnym niczego. Na przykład tego, czy wychodzimy za właściwego człowieka.

„Jesteś silna", powiedział jej dziadek. „I nie pozwól, żeby ktoś wmówił ci co innego".

Kiedy wypowiadał te słowa, stał obok swojej ulubionej królowej. Czy to możliwe, że Elżbieta znalazła ją teraz, by jej o tym przypomnieć?

Sugar poczuła, że pod koronkowym stanikiem wzbiera w niej fala paniki.

Nie bała się tego, co będzie, jeśli poślubi Grady'ego. Bardziej przerażało ją to, co stałoby się w przeciwnym razie. Zraniłaby go, ośmieszyła swoją rodzinę, zraziłaby do siebie przyjaciół i spowodowała chaos, jakiego unikała całe życie.

Pastor pomachał notatkami i pszczoły zareagowały: zatoczywszy kółko wokół głowy pana młodego, ponownie skierowały się nad mównicę i wyleciały przez okno nad drzwiami do zakrystii.

– Podaj mi rękę, Cherie-Lynn – zażądał Grady, a goście wyciągnęli szyje i zaczęli szeptać. – Przestań się wygłupiać.

Sugar zawsze miała dobre serce. Wyznawała zasadę, by nie czynić drugiemu, co jej niemiłe, tak jak uczył ją dziadek. „Gdyby wszyscy tego przestrzegali", mawiał, „świat byłby lepszym miejscem", a Sugar pragnęła tego z całego serca.

Tylko że coś poszło nie tak. Próbując sprostać stawianym oczekiwaniom, zagubiła coś, co było naprawdę ważne: łączność z tym, co nosiła głęboko w sercu. Odzyskała ją parę dni temu, pędząc Ashley River Road ze swoimi pszczołami. Oto, kim była naprawdę: nieco zwichrowaną pszczelarką, która wybierała malowniczą drogę zamiast najszybszej, wolała pielić, niż chodzić na przyjęcia, i nie zamieniłaby swoich pszczół na nikogo w tym kościele.

To była prawdziwa Sugar, a nie ta lalka przy ołtarzu, ślubująca miłość i wierność mężczyźnie, który budził w niej może nie strach, ale powątpiewanie. Owszem, czasem kolana miękły jej z miłości, jednak nie czuła się przy nim za grosz silna.

Etta szarpnęła ją za łokieć.

– Weźże się w garść, na miłość boską – warknęła przez zaciśnięte zęby.

– Przynieść jej szklankę wody? – zapytał Grady.

Gdy tak na niego spoglądała, czując wielką pustkę w swoim biednym, skołowanym sercu, na którym zawód miłosny zdążył już odcisnąć ślad, przyszło jej do głowy, że ślub z Gradym nie uczyni świata lepszym, a jej świata na pewno.

Oczywiście moment przysięgi małżeńskiej to niezbyt odpowiednia chwila na taką konkluzję. Pole do działania było zawężone. W zasadzie miała tylko jedno wyjście.

I tak się złożyło, że w obecności dwustu pięćdziesięciorga najbardziej szanowanych mieszkańców Charlestonu Sugar Wallace uciekła z własnego ślubu.

Zanim Etta, Grady, pastor czy ktokolwiek inny zdążyli zareagować, zanim wyszeptała żarliwe „Przepraszam", zrzuciła pantofle na wysokich obcasach i czmychnęła drzwiami obok ołtarza. Przebiegła przez cmentarz, wypadła na dziedziniec przed plebanią i przeskoczywszy ogrodzenie, znalazła się na parkingu.

Dorastała na południe od Broad Street. Setki razy przemierzała z Łatką boczne uliczki Charlestonu, toteż znała wszystkie zaułki i tajemne przejścia pełnego zapachów miasta lepiej niż ludzie, którzy je wytyczali.

Przecięła St. Michael's Alley, potem wybiegła przez otwartą bramę i ruszyła ogrodową ścieżką obok porośniętego bluszczem domku nauczycielki, a potem na jego tyłach wydostała się na otwartą zieloną przestrzeń u kresu Ropemaker's Lane.

Stamtąd dotarła na kolejną posesję, gdzie trwała przebudowa. Błotnisty teren pełen gruzu i śmieci znajdował się za domem, który udało się niedawno odzyskać miejscowemu aptekarzowi pomimo jego małego kłopotu z kucykami.

Stanęła tuż za rozpadającym się płotem, żeby złapać oddech, i znowu je usłyszała, zanim jeszcze zdążyła je zauważyć: pszczoły! Brzęczenie dobiegało z końca podwórka, zza sterty gruzu. Sugar przeszła na bosaka po pokruszonych cegłach i pozrywanych liściach i zobaczyła dziadkowy ul, który Grady kazał wywieźć z ogrodu. Stał jak gdyby nigdy nic, umieszczony tam zapewne przez ogrodników pracujących przy Church Street, gdzie nie będzie jej dane zamieszkać.

Przy wejściu unosiła się gromadka trutni, ale Sugar nie miała czasu sprawdzać, czy w środku jest Elżbieta. Odsunęła welon, podkasała ślubną suknię, po czym okrążywszy dom, wybiegła na Tradd Street. Jej brat Troy mieszkał cztery posesje dalej, po drugiej stronie, a jego explorer jak zwykle stał na podjeździe, z kluczykami w stacyjce.

Sugar usiadła za kierownicą i nagle zrozumiała, co ma robić.

Wycofała auto na ulicę i podjechała pod dom aptekarza. Załadowała ul na tył samochodu, wskoczyła z powrotem do szoferki, wyjechała na Tradd Street i wcisnęła gaz do dechy.

Zdarła welon i rzuciła go na fotel pasażera, żeby nie zwracać niczyjej uwagi. Po drodze wyjęła spinki z włosów, roztrzepała loki i skierowała się ku I-26, ostrożnie omijając turystów na rowerach i dorożki pełne przyjezdnych zachwyconych miastem, które zawsze tak bardzo kochała.

Kiedy otworzyła okno, aby po raz ostatni wciągnąć w płuca ostre, słonawe powietrze, słońce zalśniło na wodzie. Na zawsze zachowa w sercu to południowe miasto, ściśnięte między dwiema potężnymi rzekami, pełne urokliwych domów, przepysznych ogrodów, miasto o bogatej historii i dumnej przeszłości. Jednak dla własnego dobra musiała je opuścić.

Uznała, że autostradą będzie najszybciej, na wypadek gdyby komuś przyszło do głowy szukać jej w domu dziadka. Nie miała czasu do stracenia.

Zaraz po przyjeździe zajrzała do ula i zobaczyła królową, która wyglądała wypisz wymaluj jak tamta duża pszczoła w kościele – no ale jak inaczej miała wyglądać?

Bez chwili namysłu zdjęła suknię ślubną za pięć tysięcy dolarów i powiesiła ją w szafie w pokoju gościnnym, po czym wciągnęła stare dżinsy i trampki, które zostały po którejś z jej wizyt.

Przeniosła ul do starej półciężarówki, spakowała dziadkowe narzędzia, kilka zapasowych ramek, butelkę whisky, gotówkę, którą zawsze trzymał w pojemniku na chleb, kolekcję leczniczych olejków babci oraz mapę.

Następnie Sugar Honey Wallace i jej pszczoły ruszyły w drogę.

W półtorej godziny później, jadąc I-95, zdała sobie sprawę, że ręce jej dygoczą na kierownicy i szczęka zębami.

Zostawiła Grady'ego Parkesa przy ołtarzu, wstyd i hańba! Była skończona.

I uratowana.

– Dziękuję, Elżbieto Pierwsza – powiedziała, a po policzkach spłynęły jej łzy ulgi. – Dziękuję.

Królowa przekazała to podwładnym i po swojemu odpowiedziała, że cała przyjemność po jej stronie.

34.

Niezła historia – przyznał George. – I co, pojechałaś przed siebie?

– Tak. Niebawem zadzwoniłam do rodziców z informacją, że nic mi nie jest. Nie byli zachwyceni, ale nie wypadało nie zadzwonić. Dosyć narozrabiałam.

– A jak sobie poradziłaś? Jak poukładałaś sobie życie?

– Zajechałam do Wirginii do Jaya, mojego przyjaciela z liceum; poznałeś go pierwszego dnia, choć zapewne nie zrobił na tobie najlepszego wrażenia. Nie był na ślubie, gdyż w pewnym sensie uciekł z Charlestonu, nie chciał dłużej żyć w kłamstwie, tak to przynajmniej postrzegał. Uznałam, że mnie zrozumie. I miałam rację. Wrócił nawet po część moich rzeczy. Nie mogłam u niego zostać, bo nadal uciekał, więc ruszyłyśmy z pszczołami, gdzie nas oczy poniosą. I tak noszą nas już od lat.

Trochę to zbagatelizowała: pół życia niemalże ciągłych przeprowadzek z niczym prócz paru słoików miodu i notesem z nazwiskami dozgonnie wdzięcznych dłużników. Bóg wie, że nie było łatwo, zwłaszcza na początku, gdy mimo dręczącego ją poczucia winy i wstydu po stokroć wolała zapuszczać korzenie w nowym miejscu, niż wrócić tam, skąd je wyrwała.

Nigdy nie żałowała, że zostawiła Grady'ego przy ołtarzu. Żałowała, że sprawiła mu ból i go upokorzyła, oczywiście, że żałowała tego, bo nikt nie zasługuje na takie traktowanie, poza tym go kochała. Ale tej miłości nie starczyło, aby w imię jego szczęścia wyrzec się własnego i dać się wtłoczyć w niechcianą rolę. W tej rozgrywce życie z pszczołami i wiatrem w kieszeniach zawsze wygrywało.

– Jeśli mogę coś powiedzieć – odezwał się George – myślę, że słusznie postąpiłaś. Podjęłaś wówczas rozsądną decyzję. Jasne, że musiałaś za to zapłacić, ale chyba czas się rozgrzeszyć, Sugar. To naturalna kolej rzeczy. Dokładnie wiem, jak się czułaś: ja też wybrałem bilet w jedną stronę. Jedyna różnica polega na tym, że miałem kogoś, kto dzień w dzień utwierdzał mnie w słuszności tamtego kroku. Miałem Elizę. A ty byłaś sama jak palec.

– To nieprawda, George – zaoponowała Sugar. – Nie chcę, byś myślał, że kiedykolwiek byłam samotna czy smutna, bo nie byłam. Niczego mi nie brakowało. Zawarłam mnóstwo przyjaźni, zwiedziłam kawałek świata i sporo dokonałam, a poza tym mam pszczoły.

– Niebywałe stworzenia.

– Owszem, i dlatego martwi mnie, że Elżbiecie Szóstej padło na głowę. Nie chcę tak szybko jej stracić. Dopiero ją poznaję.

– Sugar, pod wieloma względami jesteś bardzo mądra. Ale pod jednym ślepa jak kret.

– Tak sądzisz?

– Twoje pszczoły próbują coś ci uzmysłowić, podobnie jak te, o których mi opowiadałaś.

– Masz na myśli pszczoły na ślubie? A skąd mam wiedzieć, że były moje?

– Oszalałaś? Jasne, że tak! Myślisz, że to zbieg okoliczności? Dziadek kazał im mieć na ciebie oko i tak zrobiły. Nie chciały, żebyś wyszła za faceta, który cię zastraszył i pozbawił tego, co kochasz. Jeśli chcesz znać moje zdanie, te pszczoły robią to samo, tyle że na odwrót.

– Elżbieta jest mądra, George, ale nie aż tak.

– Sama to powiedziałaś, Sugar. Pszczoły cię uratowały. Wtedy ocaliły ci skórę i myślę, że robią to jeszcze raz. Tak tylko mówię, a ty sama wyciągnij wnioski.

Za nimi, z kępy hortensji uniosła się chmurka pszczół i nad sąsiednim podwórkiem uleciała na dach Sugar.

Miały co nieco do obgadania.

35.

Następnego ranka punkt jedenasta George zapukał do drzwi Sugar i poinformował ją, że pozwolił sobie zaprosić wszystkich sąsiadów na jedną ze słynnych herbatek Sugar. I kazał im przynieść prowiant, żeby nie było kłopotu.

– Na miłość boską, George – jęknęła Sugar. – Ale dlaczego?

– Przyszło mi do głowy, że może ci nie starczyć jedzenia.

– Nie, pytam, dlaczego ich zaprosiłeś.

– Żeby uczcić coś ważnego – odpowiedział. – To, że przed laty uniknęłaś popełnienia strasznego błędu. – Uchwycił się blatu jak szalupy. – Takie śmiałe kroki trzeba oblewać.

– Przecież nikt o tym nie wie – zaprotestowała Sugar. – Tylko tobie powiedziałam, jeszcze nie jestem gotowa, by się ujawnić. I nigdy nie będę.

– Wcale nie musisz. Dałem im do zrozumienia, że to twoje urodziny.

– Mam urodziny jesienią.

– No to będziesz je obchodzić drugi raz – skwitował. – Mam wrażenie, że znów jestem w twojej sypialni, i nieswojo się z tym czuję.

– Skoro spraszasz wszystkich bez porozumienia ze mną, musisz za to zapłacić.

– Przecież nie zaproszę ich do Harlemu. Ani do panny Ruby. Zdaje się, że ona je tylko seler. U panny Loli też nie ma nic smacznego. Pani Keschl żywi się tuńczykiem z puszki, wiem to na bank, podobnie jak pan McNally, więc chyba nie chciałabyś u nich obchodzić urodzin, a biedny pan Nate pewnie dostałby zawału, gdybyśmy się u niego zjawili.

– Masz rację – zgodziła się z nim Sugar. – Tak się składa, że lubię przyjmować gości, ale będę zmuszona zrobić to na tarasie, więc jeśli nie chcesz siedzieć w moim buduarze, musisz się z tym pogodzić. Może dam ci zajęcie, żebyś nie myślał o lęku wysokości? Mógłbyś nakryć stół. Mam świece, które można by rozstawić na jedwabnych magnoliach. Co myślisz?

– Myślę, że Nowy Jork wygląda stąd bardzo ładnie – odparł George. – Z tej perspektywy to w istocie niebrzydkie miasto. A ty masz piękny ogród. Wcale się nie czuje wysokości.

– Nie jesteś na żadnym wierzchołku, tylko w mieszkaniu, George. Na ziemi, tylko trochę wyżej. Byłeś u Theo, pamiętasz?

– Ma większy dach. Stamtąd trudniej spaść.

– Widać go stąd, patrz.

– Fakt – przyznał George. – Grunt, że nie muszę patrzeć w dół.

Zobaczył Księżniczkę, który dokazywał na dachu Theo.

– Jak tam dziś twoje pszczoły?

– Jeszcze tu są – zaraportowała Sugar, wychodząc z nakryciami i podążając za jego wzrokiem. – Biedny piesek. Księżniczka? Do końca życia będzie miał kłopoty z określeniem własnej tożsamości.

– Nie znam się na psach – oznajmił George. – Osobiście wolę papugi, ale moim zdaniem nic mu nie dolega.

Na dowód jego słów Księżniczka wystrzelił w górę, po czym ujadając jak nakręcony, pognał w przeciwną stronę, jakby w pogoni za niewidzialnym kolegą.

Sugar odwróciła wzrok i przywitała się z Nate'em, który zjawił się pierwszy wraz z apetycznym deserem na eleganckiej paterze, od którego ślinka napływała do ust.

– Wszystkiego najlepszego, Sugar – powiedział i postawił ostrożnie swoje dzieło na stole pośród świec.

Była to okrągła, wielka, płaska beza udekorowana masą bitej śmietany zwieńczonej malinami, listkami świeżej mięty i wiórkami ciemnej czekolady.

– Ojej – westchnęli jednocześnie Sugar i George, a Nate aż spuchł z dumy.

– Pawłowa – rzucił gwoli wyjaśnienia.

– Wygląda jak beret – zawyrokowała Ruby. Wyrosła za plecami Sugar blada jak duch, z kolejnym kartonikiem z „Posejdona", pełnym baklawy i migdałowych ciasteczek.

– Odczep się, kurna, od mojej pogniecionej koszuli – usłyszeli ryk pana McNally'ego.

– To może byś ją, kurna, wyprasował? – odgryzła się pani Keschl.

– Czy „kurna" to brzydkie słowo? – chciała wiedzieć Sugar. Nate i Ruby wzruszyli ramionami, ale George stwierdził, że owszem, teraz tak.

– Wielu szczęśliwych chwil – oznajmiła na powitanie pani Keschl i wręczyła Sugar niewprawnie owiniętą paczuszkę. – To kryształowa salaterka na miód. Dostałam ją od szwagierki czterdzieści dziewięć lat temu. Made in Słowenia.

– Ach dziękuję, pani Keschl. To miło z pani strony! Dostała drugie życie.

– Drugie życie? – Pan McNally zastrzygł uszami i postawił na stole cztery puszki tuńczyka oraz majonez. – Dajesz coś, co Maura dała ci w prezencie czterdzieści dziewięć lat temu?

– Maura nigdy mnie nie lubiła, wiesz o tym – oświadczyła pani Keschl.

– Maura nikogo nie lubiła – zauważył pan McNally.

– Chwileczkę – powiedziała Sugar, gdy oboje usiedli po przeciwnych stronach stołu, rozdzieleni George'em, Ruby i Nate'em. Spojrzała na pana McNally'ego. – Zna pan szwagierkę pani Keschl?

– Maurę? Jak zły szeląg. Była zmorą pierwszych osiemnastu lat mojego życia.

– Jak to?

– A tak to, że była pierworodną mojej matki, a ja miałem pecha być czwarty.

George pierwszy się połapał.

– Maura jest pańską siostrą, panie McNally?

– Niestety.

– I pani szwagierką? – George zwrócił się do pani Keschl.

– Z przykrością muszę potwierdzić.

– Czy to oznacza – ciągnął George – że wy dwoje byliście kiedyś małżeństwem?

Pan McNally i pani Keschl jednocześnie unieśli brwi i wzruszyli ramionami.

– Mężem i żoną? – Sugar nie wierzyła własnym uszom.

– W tym samym czasie? – osłupiał Nate.

– Chrzanicie! – dorzuciła Ruby. – Wybacz, Sugar.

– Kiedyś był wyższy – odparła tonem wyjaśnienia pani Keschl.

– Kiedyś była milsza – nie pozostał jej dłużny pan McNally.

W ciszy, która potem zapadła, zjawili się Lola i Ethan. Chłopiec wyciągnął pulchne rączki najpierw do pani Keschl, a potem do pana McNally'ego, który usiadł obok byłej żony, aby oboje mogli się pobawić z malcem.

– Czy ktoś pierdnął? – spytała Lola. – Bo coś wisi w powietrzu. Upiekłam babeczki, ale mi nie wyszły.

Wszyscy po cichu uznali, że fioletowe babeczki rzadko się udają, ale Sugar tak się wzruszyła wysiłkiem podjętym przez Lolę, że gotowa była zjeść cały talerz.

– Pan McNally właśnie nam oznajmił, że był mężem pani Keschl – oświeciła Lolę.

– Akurat – burknęła ta ostatnia, pomagając jej wyłożyć babeczki na półmisek w groszki, na którego tle prezentowały się zdecydowanie korzystniej. – To na pewno tłumaczy, dlaczego tak się nie cierpią.

– Czy ja wiem? – mruknęła Sugar. – Czy wolno spytać, dlaczego wciąż mieszkacie tak blisko siebie?

Dwoje starych ludzi wymieniło spojrzenia nad jasną główką Ethana.

– Podoba mi się tu. Czemu mam się stąd ruszać? – odparł pan McNally.

– Ruszanie się nigdy nie było jego mocną stroną – dorzuciła pani Keschl. – A czemu to ja miałabym się wyprowadzić? Dom jest tak samo mój jak jego.

Niewiele mogło zdziwić George'a w tym wieku, ale szczęka mu opadła.

– Wy dwoje? – Lola się roześmiała. – Uhm, a ja jestem cesarzową Chin.

– A myślicie, że czemu macie taki niski czynsz? – spytała pani Keschl. – Bądź co bądź mieszkamy na Manhattanie.

– Wynajmuje tylko ludziom, których imiona jej się spodobały – wyjaśnił pan McNally. – W piosenkach.

– „Miała na imię Lola i była szansonistką" – zanuciła pani Keschl.

– „Żegnaj, Ruby Tuesday" – dodał pan McNally, niezupełnie w stylu Rolling Stonesów.

– *„Sugar pie, honey bunch"* – kontynuowała pani Keschl. Spojrzała na George'a. – No co? Że niby nie mam głosu?

George nie odpowiedział, ale jego szczęka wróciła na swoje miejsce.

– A Nate? – spytała Ruby.

– Myślałam, że ma na imię Nat – wyjaśniła pani Keschl. – Jak King Cole. Ale potem zobaczyłam, że jest rudy...

– Lubi rudzielców – poinformował pan McNally.

– Owszem – przyznała jego była małżonka i popatrzyła na Nate'a. – Masz cudne włosy. I chyba trochę schudłeś. Co powiecie na to, żebyśmy napoczęli berecik?

– Najpierw poproszę państwa o uwagę. – George wstał i zwrócił się do zdziwionych gości. – Chciałbym podziękować naszej gospodyni, pannie Sugar Wallace, że tak gościnnie podjęła nas z okazji swojego święta.

– Słuchajcie, słuchajcie – mruknął pan McNally.

– Panno Sugar – ciągnął George – zakładam, że wszyscy jednakowo cieszymy się, że cię mamy. Dzięki tobie jestem zdrowszy, szczęśliwszy i dobrze mi się układa, więc życzę ci wszystkiego najlepszego na przyszły rok, i mam nadzieję, że też ci się w życiu poszczęści.

Przyjaciele wstali i wznieśli szklanki, i na przekór krępującemu poczuciu, że nabija ich wszystkich w butelkę, Sugar stwierdziła, że od dawna nie czuła się tak wyśmienicie. Jednak w chwili gdy to pomyślała, szczęście znów jej się wymknęło – razem z pszczołami, które wybrały właśnie tę chwilę, aby opuścić ul. Utworzyły krągłą chmurę nad głowami biesiadujących i na chwilę zamarły, jakby chciały coś zaznaczyć – a potem poleciały prosto na rzeźbę Theo.

Oniemiali goście ujrzeli, jak w chwili, kiedy lądowały na krągłej lewej piersi Fernando Botero, na dachu zjawił się Theo we własnej osobie.

Księżniczka mało nie oszalał: zaczął biegać w kółko i szczekać na pszczoły oraz na swojego pana, który uniósł głowę i pochwycił wbite w siebie spojrzenia.

– Czy to Theo? – upewniła się Ruby, po czym wychyliła się przez balustradę i pomachała.

– Ten, który ostatnio dał nogę? – spytała Lola.

– Ten ładniutki? – chciała wiedzieć pani Keschl.

– Ładniutki może być szympans – usadził ją pan McNally. – Ale widzę, że nie wzięłaś okularów.

– Czyżby pszczoły uciekły z domu? – zapytała Lola. – Bo to byłoby dziwne.

– Nie uciekły, tylko urlopują – oświecił ją Nate.

Nawet George zapomniał o swym lęku wysokości i stanął przy balustradzie, aby podziwiać spektakl. I właśnie on pierwszy zauważył, że Sugar została sama przy stole, zastawionym koślawymi babeczkami, puszkami tuńczyka, słoikami z miodem i bezowym berecikiem Nate'a.

Po jej twarzy płynęły łzy.

– Ejże, Sugar. – Stanął za nią i położył jej na barkach swoje duże, silne dłonie.

– Czego ryczysz? – spytała Lola. – Jeszcze nie splajtowałaś.

– Myślisz, że jesteś stara? – wtrąciła pani Keschl. – Zobaczymy, co powiesz za trzydzieści lat.

– Nie o to chodzi. – Ruby położyła drobną, bladą dłoń obok ręki George'a. – Ona płacze z innego powodu.

– Sza, panno Sugar – powiedział George. – Wszystko będzie dobrze.

– Płacze, bo pszczoły urlopują? – Lola zbaraniała.

– Nie. – Nate stanął obok George'a z drugiej strony. Chciał pomóc, lecz nie wiedział jak.

– Sęk nie w tym „że", tylko „gdzie" – wyjaśniła Ruby. – U Theo.

Sugar ukryła twarz w dłoniach i ramiona jej zadygotały.

– Ach, no tak – westchnął pan McNally. – To zmienia postać rzeczy.

– Ty to umiesz pocieszyć człowieka! – fuknęła pani Keschl i szturchnęła go łokciem, tak że przysunął się bliżej Sugar, a ona za nim.

– Pacze. – Ethan zrobił smutną minkę i wyciągnął rączki do Sugar. – Pacze.

Sugar nadal zasłaniała twarz dłońmi, a łzy płynęły jak z kranu.

– Przepraszam was – wyszlochała. – Nie chcę być niegrzeczna, ale chyba jestem niedysponowana. Przyjdźcie kiedy indziej.

Nate i Ruby wymienili spojrzenia, skłóceni rozwodnicy wzruszyli ramionami, Lola przewróciła oczami.

– Wcale nie uważamy, że jesteś niegrzeczna, i nigdzie się nie wybieramy – odparł George.

Ruby przysunęła się bliżej Sugar, a Nate niezdarnie pogłaskał ją po plecach.

– Nic mi nie jest – załkała. – Naprawdę. Chciałabym tylko

zostać sama. – Wyjęła chustkę i otarła twarz, bez powodzenia zresztą.

– Znasz się na pomaganiu innym – powiedział łagodnie George. – Czasem trzeba jednak dać pomóc sobie.

– Nie potrzebuję pomocy – oznajmiła łzawo Sugar. – Wszystko jest w jak najlepszym porządku. Czuję się świetnie. Naprawdę. Proszę, częstujcie się pawłową Nate'a.

Przyjaciele bezradnie popatrzyli po sobie, tylko George nie dał się zbić z tropu.

– Nie chcę wprawiać cię w zakłopotanie po tym, ile szacunku i dobroci mi okazałaś – zaczął. – I właśnie dlatego powiem ci przy tych wszystkich zacnych ludziach, którzy za tobą przepadają, że nie jest w porządku. Cierpisz, bo odmawiasz sobie prawa do jednego z najwspanialszych przeżyć, jakie może stać się udziałem człowieka. Więc nie może być w porządku. To nie wchodzi w rachubę.

– Niczego sobie nie odmawiam – oświadczyła Sugar. – Nie mam pojęcia, o czym mówisz. Wcale sobie tego nie odmawiam. Wcale a wcale.

– On mówi o miłości – szepnęła teatralnie Ruby.

– O matko – stęknęła Lola.

– On mówi o Theo – zwróciła się Ruby do Sugar. – Theo cię kocha. On cię naprawdę kocha, moja droga.

Sugar wreszcie dała upust temu, co tak długo tłamsiła w środku.

– Ale jest uczulony na pszczoły! – nie wytrzymała. – A ja nie mogę się z tym pogodzić. Moje pszczoły były ze mną na dobre i na złe, więc nie mogę świadomie ryzykować, że zrobią krzywdę komuś, na kim mi być może zależy. Albo i nie.

– Trzeba przyznać, że zabawić gości to ona umie – powiedziała do pana McNally'ego pani Keschl. – Człowiek się nie nudzi.

– Panno Sugar – odezwał się znowu George. – Twoje pszczoły latają do Theo i go nie żądlą. To chyba o czymś świadczy. Tu nie chodzi o to, co on czuje do pszczół, tylko o to, co one czują do niego. Pora zapomnieć o przeszłości. Nie boisz się świadomie ryzykować jego życia, boisz się o własne.

– Ja nie mogę – załkała Sugar. – Po prostu nie mogę!

– Przecież tam, skąd pochodzisz, nie wypada składać broni – oznajmił głośno i odważnie Nate. – Sama mi to powiedziałaś, kiedy nie złożyłem podania do „Citroena".

Łzy jakby się cofnęły i Sugar złapała oddech.

– Zdenerwowałam się, bo uważałam, że robisz błąd, skarbie. Byłbyś wspaniałym cukiernikiem.

– Na jedno wychodzi – stwierdziła Ruby. – My też uważamy, że ty i Theo jesteście dla siebie stworzeni.

– Zrobię to – zapewnił mężnie Nate. – Zgłoszę się, jeśli pójdziesz do Theo.

George uśmiechnął się do niego, a Nate wyprostował się i odwzajemnił uśmiech.

– Ale co wam do tego? – Sugar rozejrzała się po zgromadzonych i jej oczy ponownie wypełniły się łzami. – Po co robić z tego referendum?

– Ta znowu z tą demokracją! – westchnęła pani Keschl. – Rusz się i idź do niego.

– Przecież sama pani mówiła, że faceci wysysają z człowieka radość. I że nie chce pani więcej przez to przechodzić.

– A czy ja się znam? – burknęła tamta. – Mieszkam w jednym domu z tym łachudrą, moim byłym mężem! Gdybym naprawdę nie miała ochoty oglądać jego szpetnego dzioba, przeniosłabym się do jednego z naszych pozostałych domów.

– Macie inne domy? – Lolę zatkało.

– Chcesz oglądać mój szpetny dziób? – upewnił się pan McNally.

– Przecież nie możecie się dogadać – przypomniała Sugar. – Wciąż na siebie wrzeszczycie.

– Ja i Hannah miewamy drobne różnice poglądów – przyznał oględnie pan McNally.

– Co nie znaczy, że między nami nie iskrzy – dodała pani Keschl.

– Hannah? – powtórzyła jak echo Lola. – Raju. Nie podejrzewałam pani o imię, o iskrzeniu nie wspominając.

– Czy mogłabyś przestać na mnie wrzeszczeć? – spytał pan McNally, zwracając się do byłej małżonki.

Wzruszyła ramionami.

– A czy ty mógłbyś wziąć mnie na dancing?

– Tylko rzuć hasło, a kupię sobie nowe fleki.

– Niech ci będzie, Jimmy. Przestanę wrzeszczeć.

– Ale jazda – powiedziała Lola. – A wszyscy są trzeźwi.

– W lodówce mam butelkę whisky – oznajmiła Sugar. – Ja poproszę z lodem i łyżeczką miodu, kapką cytryny oraz listkiem mięty, jeśli ktoś będzie tak dobry.

– Zaraz przyniosę. – Nate popędził do kuchni.

– Dla mnie to samo! – krzyknęła za nim pani Keschl.

Lola też podniosła rękę.

– Moim zdaniem miłość jest przereklamowana – oznajmiła. – Ale jeśli się pobierzecie, Ethan mógłby nieść welon.

– Jeśli się pobierzemy? – Sugar wydmuchała nos. – Naprawdę

doceniam, co dla mnie robicie, to bardzo wzruszające, jednak to nie takie...

– I ja coś zrobię – przerwała jej cicho Ruby. – Jeśli pozwolisz Theo się pokochać, pójdę do psychiatry. Dla ciebie. Zrobię to. Dla ciebie i Theo. Żeby móc powiedzieć, że wiedziałam, że wszyscy wiedzieliśmy, że byliśmy z wami w pokoju i zrozumieliśmy, że jesteście sobie pisani, chociaż Theo ma alergię na pszczoły, a ty kochasz je nad życie.

– Kochanie – powiedziała Sugar. – Pszczoły kocham najdłużej, a najbardziej was.

– No to bierzmy się do berecika – zakomenderował pan McNally.

– A potem pójdziemy po pszczoły – dokończył Nate.

– I skrócimy męki biednemu panu Theo – dodał George.

Sugar powoli wstała zza stołu.

– Nie wiem, co powiedzieć.

– Powiedz, że się zgadzasz – podsunęła Lola.

Sugar utkwiła w niej zamyślone spojrzenie.

– Nie obiecuję, że Ethan poniesie welon, bo ślubu nie będzie – odrzekła. – Lecz jeśli tam pójdę, czy zastanowisz się nad otwieraniem sklepu rano, cztery albo pięć razy w tygodniu?

– Jakby to miało coś zmienić – mruknęła Lola. – Ale dobra. Niech ci będzie.

36.

A nie przyszło ci do głowy, że pszczoły chcą ci coś zakomunikować? – zaczął z grubej rury Theo, kiedy Sugar stanęła w progu, a za nią nieśmiało Nate i Ruby.

– Nie przyszło – odpowiedziała.

– Aż do teraz – uzupełniła Ruby, kładąc kościstą dłoń na plecach przyjaciółki i lekko popychając ją naprzód. Nate wyciągnął rękę i zamknął drzwi. Sugar została w przedpokoju niemalże nos w nos z Theo.

– Przepraszam za kłopot – powiedziała. – Pewnie myślisz, że ja… – Lecz nim zdążyła dokończyć zdanie, piętnaście lat życia ze złamanym sercem dało o sobie znać. Ze zgrozą poczuła się przyparta do muru i tylko zamachała rękami, łapiąc powietrze jak ryba wyrzucona na brzeg.

– Mam herbatę – oznajmił Theo i w asyście psa poprowadził ją łagodnie w stronę skórzanej kanapy. – I miód… kupiłem go na targu ekologicznym na Union Square. To miód z dachu, jak twój. Przyszedłbym do ciebie, myślałem jednak, że nim we mnie rzucisz. Próbowałem różnych rodzajów i chyba mam już swój ulubiony.

Znękana Sugar usiadła, a Księżniczka wiernie oparł jej na kolanach pysk, podczas gdy Theo uwijał się w kuchni.

– Czy wiesz, że w Afryce mają drink o nazwie *dawa*, składający się z ginu, soku z limetek i miodu? *Dawa* znaczy w suahili „magiczny eliksir", co moim zdaniem pasuje do powyższych składników. Nie, żebym ci proponował alkohol. Teraz jest pora na herbatę, przecież wiem. Masz, spróbuj. – Usiadł obok na kanapie i patrzył, jak Sugar próbuje uspokoić oddech i wypić łyk.

– Przepraszam za ten cyrk – powiedziała. – Mama mnie uczyła, że nie wypada płakać przy mężczyznach, bo to im zmniejsza testosteron, a ja przed chwilą rozpłakałam się przy czterech. Pięciu, jeśli liczyć Ethana.

– A moja mama mówiła, że mężczyźni mają za dużo testosteronu – odparł Theo. – Więc pewnie jesteśmy kwita.

– Tak mi wstyd, że moje pszczoły rozpanoszyły się na twoim Fernando Botero.

– Żaden kłopot, dopóki po nie przychodzisz.

– Mówisz, jakbyś mnie znał, a nie znasz – stwierdziła. – Dużo o mnie nie wiesz, a gdybyś wiedział, nie byłbyś zachwycony, naprawdę.

– Zabiłaś kogoś?

– Oczywiście, że nie!

– Nie jesz węglowodanów?

– Chyba żartujesz. Pochodzę z Południa, Theo. Pamiętasz naszą rozmowę o ostrygach? Bądź poważny. Miałam na myśli coś innego. Inne rzeczy. Naprawdę straszne.

– Sugar Wallace, czyżbyś miała brzydkie palce u stóp?

– Nie są moim najmocniejszym atutem, fakt – przyznała.

– Ale w każdej chwili mogę je zasłonić, jeśli akurat mi się nie podobają.

– A ja toczę bezustanną walkę z włosami w nosie – przyznał się Theo. – Nie dość, że na twarzy, to jeszcze w centralnym punkcie.

Jaką miłą ma twarz, pomyślała Sugar. Odstawiła szklankę i przyjrzała mu się uważnie. Nagle jego twarz wydała jej się bardzo znajoma, co było nieco dziwne w świetle faktu, że Sugar tak usilnie unikała jej widoku.

Teraz jednak ta twarz znajdowała się tuż-tuż, jakby tylko czekała, aż Sugar na nią spojrzy.

Motyle znów zatańczyły jej w brzuchu, a Sugar stłumiła odruch, aby im przeszkodzić.

Co będzie, jeśli pozwoli sobie pokochać Theo, a on nie odwzajemni jak należy tej miłości, podobnie jak Grady? Wtedy wytrzymała, ale tylko unikając powtórki. Nie wiedziała, czy czuje się na siłach, by raz jeszcze odsłonić serce. Nie była nawet pewna, czy potrafi.

Wiedziała za to, że po raz pierwszy od czasu Grady'ego przebywała w obecności mężczyzny, przy którym rumieniła się jak pensjonarka, miała zawroty głowy, a serce tłukło jej jak oszalałe.

Jeśli miłość to huśtawka, Sugar rozbujała się w najlepsze.

George miał rację. Pora stawić czoło przyszłości. W najgorszym razie Ruby otrzyma pomoc, Nate znajdzie lepszą pracę, para tetryków przestanie tetryczyć i więcej niż jedna osoba w okolicy skorzysta z możliwości kupienia balonu.

– Byłam kiedyś zaręczona i uciekłam sprzed ołtarza – wyznała. – Ośmieszyłam narzeczonego, zniesławiłam rodzinę, zostawiłam przyjaciół, rzuciłam wszystko i od tamtej pory nie wróciłam do domu.

Theo mężnie zniósł tę wiadomość. Spodziewał się czegoś znacznie gorszego.

– Jednym słowem jesteś pod pręgierzem.

– Można to tak nazwać.

– No cóż, współczuję twojemu byłemu narzeczonemu, rodzinie i znajomym, a także organizatorom wesela, ale tym lepiej dla mnie, Sugar. Dzięki temu tu jesteś, prawda?

– Miałam zaledwie dwadzieścia lat – ciągnęła, zachodząc w głowę, dlaczego współczucie potrafi człowiekowi tak doskwierać. – I naprawdę go kochałam, Theo, mieliśmy jednak sprzeczne wizje miłości, chociaż początkowo tego nie dostrzegałam.

– Bywam cykorem – wyznał Theo. – Ale kocham cię taką, jaka jesteś.

– Doprawdy?

– Jeszcze jak.

– Jestem w kropce, Theo – oznajmiła. – Nie podoba mi się to, co do ciebie czuję. Odkąd cię poznałam, moja równowaga uległa zachwianiu. A potem uciekłeś... teraz to rozumiem, alergia i tak dalej, ale już nigdy więcej nie chcę tak się poczuć. Pszczoły są dla mnie wszystkim, więc nie mogę pojąć, dlaczego zostawiają mnie dla kogoś, kto jest na nie uczulony.

– Pamiętaj o wynalazku ze Szwecji. Poza tym może wcale cię nie zostawiają. Może po prostu przylatują do mnie.

– Przylatywały też do Grady'ego i nie wyszło to nikomu na zdrowie.

– Grady'ego?

– Za którego prawie wyszłam za mąż, co nie znaczy, że wyjdę

za ciebie. Elżbieta Pierwsza dała mi wtedy do zrozumienia, żebym się wycofała. A przynajmniej myślę, że to była ona. I że o to jej chodziło. Wiesz co? To trochę zagmatwane.

– Czyli pszczoły odradziły ci ślub?

– Tak mi się zdaje.

– A ty ich posłuchałaś? I uwierzyłaś im?

– Naturalnie. Jestem pszczelarzem. Tak należało zrobić.

– No dobrze. – Theo wstał i wyciągnął rękę. – Chodźmy na górę i sprawdźmy, co mają do powiedzenia na mój temat.

– Ani mi się waż, Theo. Grady nie był uczulony. Pszczoły tylko zalazły mu za skórę... i to bardzo... ale ciebie mogą zabić. Tak się nie buduje związku.

– Ludzie mają gorsze problemy – odparł i siłą podniósł ją z kanapy. – Przecież nie lubisz Celine Dion ani nic w tym rodzaju.

– Ależ przepadam za Celine Dion. Wszyscy ją kochają. Jakżeby inaczej: jest nienagannie miła. Tylko potwór nie kochałby Celine Dion. To nie to, co lubić faceta, który odgryza głowy bezbronnym ptaszkom.

– Ja go lubię.

– Widzisz, wcale do siebie nie pasujemy. To jedynie hormony albo feromony lub to coś, co się wydziela, gdy człowiek przebiegnie maraton.

– Endorfiny – podpowiedział Theo, prowadząc ją po schodach na dach. – Poza tym rozmawiamy, prawda? Rozmowa to klucz do udanego związku, wszyscy o tym wiedzą. Nigdzie nie ma mowy o harmonii z owadami.

I mocno trzymając Sugar za rękę, pociągnął ją w stronę rzeźby, której obfity biust ginął pod warstwą Elżbiety Szóstej i jej poddanych.

– Proszę cię, Theo. – Sugar próbowała się uwolnić. – Nie rób tego.

– Sugar Wallace, w życiu nie byłem niczego równie pewien i nie znam lepszego sposobu, aby ci to zademonstrować.

Przykląkł na jedno kolano, z głową niebezpiecznie blisko ruchomego stanika rzeźby, i ku zgrozie Sugar Elżbieta poderwała się w górę, a za nią pozostałe, tworząc ciemną wstęgę w powietrzu za jego plecami.

– Wstawaj, Theo – błagała. – Chodźmy do środka. Tam porozmawiamy.

Lecz Theo nie ruszył się z miejsca, pszczoły zaś, z Elżbietą na czele, zatoczyły krąg nad jego głową na podobieństwo aureoli.

– Wykluczone – odparł, lekko spocony, ale twardy jak stal. – Nie wejdę do środka. Myślisz, że pszczoły dzielą nas od przyszłego szczęścia, toteż udowodnię ci, że jesteś w błędzie.

– Czy ty w ogóle masz przy sobie antidotum? – spytała. – W razie czego co mam robić? Jeśli cię użądlą, co mam robić?

– Nie użądlą – oznajmił stanowczo Theo i rzeczywiście: królowa i pozostałe pszczoły trzymały się na dystans. – Żadna mnie więcej nie użądli, Sugar. A jeśli nawet, to wiesz, co? Każde z nas czasami obrywa. Nie możemy chować głowy w piasek ze strachu przed powtórką.

– Możemy! I powinniśmy! Zwłaszcza ty! Proszę cię, Theo… wstań.

– Nie wstanę, dopóki nie obiecasz, że za mnie wyjdziesz.

– Nawet cię nie znam!

– Mógłbym cię uszczęśliwić.

Przycupnięty niezdarnie obok golaski i otoczony pszczołami, które mogłyby go zabić, zdawał się ostatnią osobą mogącą kogoś uszczęśliwić. Ale w jego niebieskich oczach widziała niezbitą pewność i czułość, która przeniknęła ją na wskroś. I pragnienie, które przejęło ją dreszczem.

– Tak się boję, Theo!

– Wiem. Ale jeśli zgodzisz się za mnie wyjść, nie zostanę pokłuty na śmierć na oczach twoich przyjaciół, którzy mają kino na tarasie, i nie będziesz musiała z tym żyć do końca swoich dni.

Sugar odwróciła głowę, a tamci pomachali do nich z dachu.

– Co to ma być: międzynarodowy dzień szantażu?

– To nie szantaż, jeżeli chcesz się zgodzić, tylko masz obiekcje z przesadnej grzeczności.

– Nie jestem grzeczna do przesady, tylko w sam raz. Proszę cię, pszczoły nie są sobą, nie wiem, co im strzeli do głowy.

– Czyli chcesz się zgodzić?

– Nie! Wcale nie chcę, ale może...

– Może co?

– Może... no dobrze, pójdźmy na kompromis. Jeśli obiecasz, że więcej się nie oświadczysz, pójdę z tobą na kolację.

– Obiecujesz?

– A ty?

– Obiecuję.

– No to ja też.

Gdy wypowiedziała te słowa, Elżbieta Szósta ponownie wzbiła się w górę i poprowadziła swoje poddane w stronę parku Tompkins Square, gdzie zatoczyła triumfalny krąg i zawróciła, by raz jeszcze spocząć na rzeźbie, a dokładnie w jej kroczu.

Ku hałaśliwej aprobacie pani Keschl, pana McNally'ego, Nate'a, Ruby, George'a, Loli, a nawet Ethana na sąsiednim dachu.

37.

Dzięki nowym okularom, na które namówiła ją Sugar, pani Keschl wzięła się do wiosennych porządków.

Bez okularów nie miała pojęcia, ile brudu nagromadziło się po kątach jej mieszkania. Z nimi żadna pajęczyna nie uszła jej uwagi, o kłębach kurzu nie wspominając.

W lodówce natknęła się na produkty przechowywane tam od lat dziewięćdziesiątych i właśnie kosztowała jakiejś żółtej, ostrej mazi ze słoika, którego sobie nie mogła przypomnieć, gdy ktoś zastukał do drzwi. To mogła być Sugar z nową partią ciasteczek, świec, słoikiem miodu lub maścią na zrogowaciałe łokcie, więc pani Keschl podreptała otworzyć.

Zobaczyła pana McNally'ego w odświętnym ubraniu, z przenośnym magnetofonem kasetowym.

– Ojej – wyrwało się pani Keschl.

Miała na sobie znoszoną podomkę i dziurawe rajstopy, tłustawe włosy okręciła starym szalem i nie pomalowała ust. (Dała sobie spokój ze szminką, bo grzęzła w kanionach zmarszczek).

Ale pan McNally nie zwrócił na to uwagi, gdyż ujrzał siedemnastolatkę, którą zobaczył kiedyś na Flores Street i obdarował czerwoną różą. Mogła mieć na sobie worek od kartofli i wcale by mu to nie przeszkadzało. W zasadzie miała, lecz on tego nie dostrzegł.

Hannah Keschl z wolna przywracała mu radość życia, bez względu na podomkę.

I choć łamało ją w kościach, miała na nosie żółte kropki i dzwoniło jej w uszach od dwóch lat, pani Keschl to widziała. Z jego oczu wyczytała, że nie musi się uciekać do przykrych słów, pod którymi od tak dawna ukrywała swe uczucia.

– Jimmy McNally – powiedziała, jakby miała na sobie futro i była obsypana klejnotami. – Co sprowadza cię do mnie o tej porze?

W końcu była dopiero siódma rano.

– Hannah Keschl – odparł ze znajomym błyskiem w oku. – Chciałbym cię poprosić o kolejny taniec.

Pomajstrował przy magnetofonie i pokój wypełnił się muzyką, a wtedy pani Keschl pomyślała, że od dawna nie było tu słychać takich dźwięków, nie licząc telewizora.

– „Szesnaście świec" – powiedziała ze łzami w oczach. Była to ich pierwsza piosenka.

– Kupiłem nowe fleki – poinformował ją pan McNally. – Tak jak obiecałem. Mogę wejść?

Pani Keschl pokiwała głową, więc wszedł i postawił magnetofon na telewizorze, po czym odwrócił się i wyciągnął ręce. Bez chwili wahania wsunęła się w jego objęcia i powoli okrążyli w tańcu cały pokój.

– Pamiętasz, jak byłaś moją nastoletnią królową?

– Owszem – odpowiedziała. – Ale za nic ci nie powiem, na co mi były trzy słoiki tajskiej pasty curry.

– Nadal dobrze tańczysz, wiedziałaś o tym?

– I nawzajem. Trenowałeś?

– Ani razu. A ty?

– Nigdy.

Oparła zmęczoną głowę na jego ramieniu.

– Przestałeś pić, Jimmy? Czy to prawda?

– Tego samego dnia, kiedy mnie wyrzuciłaś. Od tamtej pory ani kropelki.

– Wyrzuciłam cię, bo…

– Wiem, Hannah. Wiem. Nie mam ci tego za złe, chociaż miałem. Ale już nie mam. Nikt o zdrowych zmysłach nie chciałby takiego męża. Byłem potworem i bardzo cię za to przepraszam.

Minęło dwadzieścia siedem lat, ale doczekała się przeprosin. Co tam taniec, pani Keschl płynęła nad podłogą.

– Pasujemy do siebie – ciągnął pan McNally. – Jak mogłem o tym zapomnieć?

Ona też zapomniała, lecz wspomnienia wracały.

– Milcz i tańcz, Jimmy.

Zamilkł więc. I tańczyli.

38.

Theo i Sugar spotykali się jak normalni ludzie, tylko że wolniej.

Kupował jej bombonierki w kształcie serca i rośliny do ogródka, przysyłał też kartki, codziennie, z odręcznie napisanym tekstem.

„Do zobaczenia wieczorem", widniało na pierwszej.

„Kocham Twój śmiech", obwieściła druga.

„Wybacz, że chlapnąłem ci keczupem na sukienkę", przeczytała Sugar na trzeciej.

Robiła mu kotlety w sosie musztardowo-miodowym oraz swój ulubiony chleb orzechowy z miodem i daktylami i uszyła cudny kraciasty kubrak dla Księżniczki, który pożarł go w chwili, kiedy odwrócili się do niego plecami.

Jej serce miało rację, sadowiąc się na tej huśtawce. Im więcej czasu spędzała z Theo, tym bardziej wydawał się dla niej stworzony.

Jedyny problem stanowiło podwójne łoże, które zajmowało pół pokoju.

Marzyła, aby Theo rzucił ją na nie i zmiął pościel, ale strach nie pozwalał jej dać się ponieść pragnieniom. Nie martwiła się, że straciła wprawę: każde doświadczenie po Gradym stanowiło pewien postęp i była przekonana, że wybrnęłaby z tarczą. Jednakże seks z Theo wydawał się najbardziej intymną przeszkodą do pokonania i nie chciała się rozczarować.

Sama jego obecność sprawiała, że brakło jej tchu, a jego dotyk ją elektryzował. Choć przyznawała, że zakochała się w nim do szaleństwa, jakaś jej część – ta, która najbardziej ucierpiała – wciąż szukała dziury w całym. I marzyła, aby starym dobrym zwyczajem spakować manatki i dać drapaka. W pojedynkę, ma się rozumieć.

Kiedy jednak poznała jego siostrzenicę, raz na zawsze doszła do wniosku, że ucieczka jest wykluczona.

„Frankie i ja zapraszamy Cię serdecznie na piknik, dziś o zmierzchu w parku miejskim na East 6th Street" – tak brzmiała odręcznie napisana wiadomość tego dnia.

Sugar przyniosła swój placek miodowy, Theo butelkę różowego wina oraz bułki z wędzonym łososiem z „Russ & Daughters", a Frankie miniaturowy bez w doniczce z terakoty.

– Dla pszczółek – oznajmiła. Była rezolutną dziewczynką z różowymi pasemkami we włosach. – Sprawdziłam, co lubią.

– Ty i ja – odrzekła Sugar – na pewno świetnie się dogadamy.

Nieopodal usiadło małżeństwo z dwójką młodszych dzieci. Przynieśli klopsiki, szarlotkę i królika z balonikiem „Wszystkiego najlepszego" przywiązanym do szelek.

– Lola mogłaby wykorzystać ten pomysł – stwierdziła Sugar. Sklep z balonikami był ostatnio częściej otwarty, lecz zaglądający tam ludzie raczej nie sprawiali wrażenia amatorów tego rodzaju towaru.

– Księżniczka ma chrapkę na królika – zauważyła Frankie.

Kobieta podniosła wzrok i uśmiechnęła się konspiracyjnie do Sugar, która zrozumiała, że ona, Theo i Frankie również wyglądają jak rodzina. Łzy zapiekły ją pod powiekami. Dawno pożegnała się z myślą o własnej rodzinie. Ale teraz, w promieniach zachodzącego słońca, siedząc między ziającym Księżniczką a Theo i Frankie, którzy grali w karty i oszukiwali, ile wlezie, otworzyła serce na wszystkie możliwości.

Pomyślała o swoich braciach, Benie i Troyu, o ich żonach i córkach, których nigdy nie widziała na oczy, o niegdyś dumnym ojcu i zawiedzionej matce. O ulicach na południe od Broad, gdzie przed laty włóczyła się z Łatką i skąd uciekła przed perspektywą nieszczęśliwego życia z Gradym.

Pomyślała o tym, co ją ominęło, a potem spojrzała na Theo, jego nieodłączny dołeczek, na barki gotowe ponieść jej troski prócz własnych, i poczuła coś zupełnie innego, magicznego, jakby bąbelki szampana zatańczyły jej w ustach, budząc głęboko uśpioną nadzieję.

Już czas.

– Jak odwieziesz Frankie, przyjedź z powrotem – szepnęła do niego, kiedy podrzucili ją na Flores Street.

Frankie jeszcze nigdy nie wróciła tak szybko do domu.

Gdy Theo wszedł do środka, w całym pokoju paliły się świece zapachowe: ylang-ylang, różane, waniliowe i pomarańczowe. Wieczór był cudny, światła dolnego Manhattanu migotały w łunie zachodu słońca, a szum miasta przygrywał w tle niczym daleka orkiestra.

Theo był cierpliwy, czekałby na Sugar wieczność, kiedy jednak otworzyła drzwi, poznał po jej minie, że to nie będzie konieczne. Złapała go za rękę, pociągnęła na łóżko, gdzie bez słowa rozpięła mu koszulę, i odwróciwszy się, uniosła włosy, żeby jej rozpiął sukienkę, która zsunęła się z niej powoli, pozostawiając ją skąpaną w drżącym blasku księżyca i świec.

– Jestem gotowa pokazać ci mój sekretny pieprzyk – oznajmiła. I pokazała mu pieprzyk, a prócz tego parę innych rzeczy.

I na szczycie Alphabet City Sugar kochała się z Theo, tak jak należało się kochać. Nie zawiódł jej, a ona nie miała dosyć utwierdzania się w tym przekonaniu.

– Rzeczywiście wygląda jak George W. Bush, masz rację – oznajmił Theo, budząc się przy niej trzeciego ranka z rzędu i patrząc na pieprzyk.

Gładził jej płaski brzuch i oglądał znamię ponad kością biodrową, a Sugar patrzyła na pszczoły, które brzęczały wesoło przed wejściem do ula. Urlopowały dzień w dzień, aż do teraz.

– Elżbieta Szósta chyba naprawdę cię lubi – powiedziała Sugar. – Nie tylko cię nie zabiła, lecz odkąd tu jesteś, trzyma się domu.

– Bo jestem słodki – oświadczył Theo. – Wszystkie owady mi to mówią.

Przyciągnął ją bliżej i znów pocałował.

Pełna zrozumiałej niechęci do prawników, Sugar zmieniła zdanie, usłyszawszy, że Theo pracuje dla organizacji non profit, która pomaga bezdomnym i ubogim nowojorczykom.

– Ale kiedy George na ciebie wpadł i wziąłeś go za bezdomnego, nawet nie przerwałeś rozmowy – przypomniała. – Widziałam na własne oczy.

– Nie wziąłem go za bezdomnego – odparł Theo. – Miał czyste paznokcie i pachniał old spice'em.

– Powiedziałam to samo!

– A rozmowa dotyczyła pilnego dofinansowania przytułku, który chciano zlikwidować, w Bronksie. Udało nam się temu zapobiec, dzięki za troskę.

Opowiadał jej, że długo pracował z bardzo bogatymi ludźmi, a przez pewien czas nawet sam się do nich zaliczał. Wtedy poznał Carolyn, swoją przyszłą żonę, która wydała mu się ideałem.

– Potem jednak zacząłem się zastanawiać, czy aby na pewno moim – dodał.

Carolyn kochała imprezować, ale jemu szybko się to przejadło. Spała do późna, a on lubił wstawać z kurami. Jadła jak ptaszek, jemu dopisywał apetyt. Kochała Hamptons, a on czuł się tam jak przybysz z obcej planety. Krótko mówiąc, obudziła w nim cechy, o które siebie nie podejrzewał i o których wolałby zapomnieć.

Wziął się do siebie jakiś rok po rozwodzie, gdy któregoś ranka obudził się ze świadomością, że nie ma przyjaciół.

– A koleś ze mnie w porządku. Chociaż wtedy... wiem, że dziś trudno ci w to uwierzyć... byłem dupkiem nie z tej ziemi.

– Nie lubię łaciny – zaznaczyła Sugar. – I wcale nie tak trudno mi w to uwierzyć. Chociaż muszę przyznać, że z twoim akcentem brzmi to znacznie lepiej.

– Moja matka też nie lubiła łaciny. Twierdziła, że świadczy o braku wyobraźni.

– Myślę, że była niezwykłą osobą, Theo. Nic dziwnego, że tak za nią tęsknisz.

– Szkoda, że nie miałaś okazji jej poznać. Była biedna jak mysz kościelna, ale serce miała złote.

– Musiała być z ciebie bardzo dumna.

– Na początku tak, i byłaby teraz, lecz gdyby widziała, jak

szastam ciężko zarobionym groszem na krawaty za pięćset dolarów i szampana, powiedziałaby mi do słuchu.

– Ciesz się, że miałeś taką mamę – skwitowała Sugar z mimowolną zazdrością.

– Tak – odparł, taktownie unikając tematu jej rodziny. – Najbardziej jednak się cieszę, że mam ciebie.

Sugar też nie wierzyła własnemu szczęściu i wciąż zachowywała daleko posuniętą ostrożność.

– Tylko się nie złość – powiedział któregoś ranka, przynosząc jej do łóżka śniadanie (grube tosty z chleba na zakwasie z wiejskim masełkiem i miodem z Idaho, jego ulubionym). – Ale chciałbym ci kogoś przedstawić.

Serce jej zamarło.

– Czemu miałabym się złościć? Chyba nie jesteś jeszcze żonaty, co? A może jesteś gejem? Albo masz identycznego bliźniaka, też o imieniu Theo?

– O rany. – Przysiadł na skraju łóżka. – Nie. Nic z tych rzeczy.

Odebrał jej grzankę, odłożył na talerz i ujął obie ręce Sugar.

– Nic nie stanie między nami – zapowiedział. – Nigdy. Pewnie zawsze znajdą się jakieś drobiazgi, na przykład ja się boję twoich pszczół, a ty moich koszul, nie zataiłem jednak przed tobą żadnych grzeszków. Nie grozi nam żadna katastrofa. Nie mam w zanadrzu nic, co mogłoby cię zranić. Kocham cię całym sercem i duszą, Sugar, i nic tego nie zmieni, daję słowo.

Pocałowała go.

– Przy czym – dodał – ten bliźniak byłby niezły.

Poszli do kawiarni „Life" na spotkanie ze znajomą Theo. Przyszła tuż po nich, pulchna blondynka w zwojach czarnego kaszmiru.

Theo wstał, gdy podchodziła do stolika.

Mgliście kogoś przypominała, lecz Sugar nie umiała powiedzieć nic bliżej. Miała torebkę od Hermèsa i pierścionek z wielkim brylantem. Nie wyglądała na stałą mieszkankę Alphabet City.

– Rosalie Portman – przedstawił ją Theo, gdy starannie obejrzała krzesło i przysiadła na brzeżku. – A to Sugar Wallace.

Portman?

– Matka Ruby – uzupełniła Rosalie.

Sugar nie kryła zdumienia. Ruby opisywała matkę jako chłodną i apodyktyczną i Sugar wyobraziła sobie nowojorską wersję Etty. Ta kobieta natomiast nie była chłodna, tylko speszona. Jej fachowo ufarbowane włosy za nic nie dawały się przygładzić, miała rozpłomienioną twarz i krople potu nad górną wargą. Była wyraźnie zdenerwowana.

– Poznałem Rosalie, kiedy szukałem ciebie – wyjaśnił Theo. – Parę miesięcy temu, przed lodami.

– Poznaliście się w kawiarni?

– Tak – potwierdziła Rosalie. – Przychodzę tu dosyć często.

– Jak wszyscy zwiadowcy – dorzucił Theo.

Rosalie się roześmiała, a jej twarz rozbłysła światłem jak paryska latarnia, pełna ciepła i uroku.

– Tak, Theo pierwszy mnie rozgrzeszył ze szpiegowania własnej córki. – Uśmiechnęła się do niego. – Był w zasadzie pierwszą osobą, której powiedziałam.

– Szpieguje ją pani?

– Brzmi to niezbyt fajnie, ale... słuchaj, wiem, że się zaprzyjaźniłyście – powiedziała. – Dlatego pewnie wiesz, że źle się między nami układa.

– Zawsze jej powtarzam, że matkom zawsze zależy na córkach, nawet jeśli nie widać tego w ich zachowaniu.

– Dziękuję – odrzekła Rosalie. – Dyplomatycznie powiedziane. Jasne, że bardzo mi na niej zależy. Kocham ją do szaleństwa, ale... – Na chwilę straciła panowanie nad sobą, zaraz jednak się uspokoiła . – Chyba wiesz, że Ruby ma anoreksję.

Ruby nigdy nie nazwała rzeczy po imieniu, lecz Sugar potwierdziła.

– Wciąż nie mogę w to uwierzyć. Była taką piękną dziewczynką. Zobacz, przyniosłam zdjęcia. – Wyjęła z portfela fotografię przedstawiającą uśmiechniętą małą Ruby z długimi blond lokami i wielkim kolorowym lizakiem. Wyglądała jak aniołek. – I jeszcze jedno, kiedy była starsza, tuż zanim to się zaczęło. – Na zdjęciu Ruby miała na sobie dżinsy i luźną bluzkę. Gęste włosy opadały jej kaskadą na ramiona, ale uśmiech znikł, ustępując miejsca znajomej rezerwie w oczach. Miała okrągłą twarz i kobiece kształty.

– Ojej. – Wzruszenie odebrało Sugar głos, bo dziewczyna ze zdjęcia nie przypominała obecnej Ruby. – Jaka piękna.

– Prawda? – odpowiedziała Rosalie. – Nie wierzyła mi, kiedy jej to mówiłam. Dokuczali jej w szkole. I chyba wtedy popełniłam błąd. Dziewczynki w tym wieku bywają takie okrutne. Starałam się, jednak mnie obwinia. Wiem o tym. Kocham jeść, przyjmować gości, gotować, robić zakupy. Moja matka też taka była, mam to po niej. Ruby jednak uważa, że ją utuczyłam.

– Moim zdaniem wcale nie wygląda grubo – oznajmił Theo, oglądając zdjęcie.

– Moim też. To zdjęcie zrobiono tuż po jej trzynastych urodzinach. Niedawno wyszłam drugi raz za mąż i nawet poszło gładko, tylko bez przerwy miała problemy w szkole. Koleżanki jej dokuczały i po prostu przestała jeść. Na początku jej odpowiadało, że jest w centrum uwagi. Potem robiło się coraz gorzej.

– To musiało być straszne. – Theo oddał jej fotografię.

– Najpierw myślałam, że damy sobie radę, później zrozumiałam, że przyczyny są bardziej złożone. Czasem odnosiłam wrażenie, że chce mi dopiec, ukarać mnie głodówką za moje zamiłowanie do jedzenia. A czasem widziałam, że nie chce taka być i miota się, jak w potrzasku.

– Tak mi przykro, Rosalie – powiedziała Sugar.

– Jestem jej matką, jakoś to zniosę – odrzekła Rosalie. – Jednak to ogromne wyzwanie dla rodziny. Mój mąż ma dwóch synów, którzy uwielbiają Ruby, i to dla nich szok widzieć ją w takim stanie. Była taką dobrą, kochaną dziewczynką, a choroba ją nam zabrała. – Odwróciła twarz, aby ukryć łzy.

Sugar wyciągnęła rękę i uścisnęła jej ramię.

– Nadal jest dobra i kochana – zapewniła. – Ja to widzę.

– Dziękuję. – Rosalie uśmiechnęła się blado. – I tak mi przykro. Pewnie ma mnie pani za potwora. To nienaturalne posłać córkę samą w głąb…

– Wielkomiejskiej dżungli? – zażartował taktownie Theo.

– Kiedy dorastałam, rodzice nie pozwalali mi się zbliżyć do Alphabet City – wyznała Rosalie. – Mawiali, że Avenue A jest adekwatna, B to brawura, C ciemnota, a D – dragi.

– Na Flores Street nic jej nie grozi – uspokoiła ją Sugar.

– Wiem – odpowiedziała matka Ruby. – I widzę, że jest szczęśliwsza niż w domu. Ale wciąż ma anoreksję.

– Obiecała, że poszuka pomocy – oznajmiła Sugar. – Tak powiedziała i moim zdaniem próbuje.

– Pani Wallace... Sugar... Jestem ci bardzo wdzięczna za wsparcie dla mojej córki, jednak znam tę chorobę lepiej niż ty, lepiej niż sama Ruby, dlatego wiem, że nie wyjdzie z tego, „próbując" na własną rękę. Potrzebuje leczenia, i chociaż mnie nie posłucha, może posłuchać kogoś takiego jak ty. Dlatego tu jestem. Chciałabym wiedzieć, czy mogę liczyć na twoją pomoc.

Sugar odetchnęła głęboko.

– Sama nie wiem, Rosalie. Oczywiście rozumiem, że chcesz pomóc Ruby, mimo to nie chciałabym nic robić za jej plecami.

– Nie będę się wtrącać. Znalazłam pewną kobietę w klinice na Upper West Side; stosuje metody holistyczne, a zarazem jest wykwalifikowanym psychologiem. Uważam, że warto spróbować. Rozmawiałam z nią i sprawia wrażenie totalnie odjechanej, więc na pewno się Ruby spodoba. I ponoć jest skuteczna. Zastanów się... – Podała Sugar wizytówkę. – O nic więcej nie proszę. Mogłabyś powiedzieć, że sama ją znalazłaś. Rachunek przyśle na mój adres; powie Ruby, że szczególne przypadki przyjmuje bezpłatnie.

– Nie chcesz przy okazji sama do niej zajrzeć, skoro już tu jesteś?

– Chciałabym, bardzo bym chciała, ale to chyba na nic – odpowiedziała Rosalie. – Zależy mi tylko na tym, żeby wyzdrowiała, więc teraz nie mogę się mieszać. Poczekam na swoją kolej. Będę z daleka trzymać rękę na pulsie.

Sugar spojrzała na wizytówkę i znów ścisnęło ją w gardle.

– Wcale nie uważam cię za potwora – rzekła. – Moim zdaniem jesteś dobrą matką. A kiedy Ruby wyzdrowieje, sama ci to powie, na pewno.

Rosalie z rezygnacją podniosła się z krzesła.

– Mam taką nadzieję – odpowiedziała. – Dziękuję ci za to spotkanie, Theo. I tobie też, Sugar. Czy to twoje prawdziwe imię? Przyznam, że uważam je za trochę...

– Tak, moja mama też za nim nie przepada – przyznała Sugar.

– Jak cię nazywa?

– Wybacz, ale i tak jestem Sugar.

Rosalie podała jej rękę.

– Nie przepraszaj. Widzę, że ty też jesteś dobrą córką.

– Gdyby wiedziała – powiedziała Sugar, gdy wzrokiem odprowadzali ją do wyjścia. – Moja mama nie zadałaby sobie tyle trudu. Nie odpisuje nawet na moje listy.

Theo ujął jej dłoń i pocałował.

– Jesteś ostatnią trzydziestosześciolatką, która wciąż je pisze.

39.

Lola i pani Keschl jadły francuskie tosty w barze „Odessa" przy Avenue A, a pan McNally poszedł z Ethanem do parku. Obie panie lubiły lekko sfermentowane wino, które serwowano w starym barze, i właśnie wychyliły po pierwszym kieliszku, mimo że była dopiero jedenasta rano.

– Mam mówić do pani Hannah? – spytała Lola.

– Nie, nie masz – odpowiedziała pani Keschl.

– To dobrze. Byłoby dziwnie, nie?

– Dla mnie jest dziwne, że masz tylu klientów, a żaden nie wychodzi z balonem.

– Patrzcie, jaka spostrzegawcza. – Lola ze szczękiem odstawiła kieliszek. – Przeczyta mi pani moje prawa? Jezu, mogłam się tego spodziewać.

– Zacznijmy od tego – oznajmiła pani Keschl – że cię wybrałam, bo spodobało mi się twoje imię, a poza tym potrzebowaliście z dzieciakiem dachu nad głową. Nie! Nie przerywaj. Tak było. Nadal pozwalam ci tu mieszkać... słyszysz mnie? Pozwalam ci tu mieszkać, ale jeśli zamieniasz suterenę w przybytek grzechu, to się musi skończyć. Takie są zasady.

– Przybytek grzechu? Ma pani na myśli palarnię opium?

– To opium jeszcze jest w obiegu?

– Nie wiem. Nie biorę narkotyków! I nie robię nic grzesznego! Już nie. Jestem samotną matką, pani Keschl. Próbuję tylko związać koniec z końcem.

– Bardzo chwalebnie, lecz jeśli nie sprzedajesz balonów, a mimo to masz dużo klientów, to może raczysz mi zdradzić, co tam kombinujesz.

– A obieca pani, że nie zeświruje?

– Chyba nigdy mi się to nie zdarzyło, więc obiecuję.

– Tatuaże. – Lola westchnęła. – Jestem tatuażystką. Do tego całkiem niezłą, tylko bez dyplomu i licencji. Nauczyłam się od byłego chłopaka w San Francisco. Zrobiłam dziarę takiemu jednemu Rollo, potem jego kumplowi Rexowi i ni z tego, ni z owego ludzie zaczęli do mnie przychodzić, i zaczęłam tatuować za pieniądze. Nie wiedziałam, czy to legalne, nie wiedziałam, że pani jest właścicielką budynku, nie wiedziałam...

– I kto tu świruje? – spytała pani Keschl.

– Przepraszam – powiedziała Lola. – Ale balony nie wypaliły.

– Idzie ci lepiej niż wróżce.

– Była do duszy – oznajmiła Lola. – Poszłam do niej raz i skasowała mnie na dziesięć dolców za informację, że stanę w obliczu wielu wyzwań.

– A stanęłaś?

– No tak, tylko sama to wiedziałam. Mogła mi powiedzieć, że otworzę sklep na jej miejscu i będzie to najgłupsza decyzja w moim życiu.

– Gdybyś tak każdemu ze swoich klientów kazała kupić dwanaście balonów, starczyłoby na egzotyczne wakacje – rozmarzyła się pani Keschl.

– Balony ich nie interesują.

– W takim razie otwórz salon tatuażu.

Lola zamrugała.

– Doleweczka dla pań? – spytał mikrusowaty kelner z „Odessy". – Mam cały baniak tego sikacza, może reflektujecie?

– Nawet nie wiem, czy to legalne tatuować ludzi bez, no wie pani, bez licencji i tak dalej. – Lola nie zwróciła na niego uwagi.

– Poprosimy jeszcze po jednym – powiedziała pani Keschl. – À propos, orientuje się pan może, czy do otwarcia salonu tatuażu potrzeba licencji?

– Mój kuzyn Walter pracował w rzeźni w Jersey City – odparł kelner. – Po czym z dnia na dzień otworzył salon dwie przecznice dalej. Wystarczyła jedna wizyta z sanepidu i sto dolarów.

– To wszystko? Jest pan pewien?

– Lepiej mu szło z tasakiem, jeśli chce pani znać moje zdanie, ale działa zgodnie z prawem. Przynajmniej ostatnio.

– Nigdy nie wpadłam na to, żeby zasięgnąć języka – powiedziała Lola, kiedy poszedł. – Myśli pani, że wypali? Tatuaż w suterenie?

– Myślę, że jak najbardziej – zapewniła ją pani Keschl.

– A jak miałabym nazwać salon?

– Może niech zostaną „Balony Loli"? Jest w tym aura tajemnicy. „Balony Loli? Przecież przyszedłem po tatuaż". Niech to będzie coś w rodzaju tajnego baru, jak w czasach prohibicji.

– Jest pani genialna, pani Keschl.

– Niekoniecznie – odrzekła starsza pani. – Ale jestem w porządku. – Wyjrzały przez okno na przejście dla pieszych, gdzie pan McNally prowadził za rękę Ethana, gawędząc w najlepsze. – A nawet bardziej.

40.

W niedzielę Sugar zaprzęgła Theo do pomocy na targu. Jej stoisko stało się tak oblegane, że niekiedy potrzebowała drugiej pary rąk do pomocy, a poza tym uwielbiała jego towarzystwo.

Przed południem na początek kolejki wepchnęła się kobieta w dresie, wzięła się pod boki i spojrzała na nich.

– Patrzcie państwo! – powiedziała.

– Dzień dobry, czym mogę pani służyć?

– To ja! – zawołała tamta. – Maria. Pół litra stracciatelli, pamiętasz? Hej, Minty! – krzyknęła przez ramię i Sugar zobaczyła starszego pana, który lizał zielone lody.

Obydwoje kupili od niej lody, kiedy zastępowała Marcusa Morrettiego.

– Czyli jednak się spiknęliście, hę? A wiecie co? Od tamtej pory Minty i ja chodzimy razem na spacery. Hej, Minty! Ślicznotka spiknęła się z Gerardem Butlerem. Widziałeś?

Minty zaatakował swoje lody.

– One lubią wariatów. Widywałem to setki razy – odkrzyknął.

– Okazał się mniej stuknięty, niż przypuszczałam – rzekła tonem wyjaśnienia Sugar do Marii. – Nie ćpa i nie pisze wierszy – dorzuciła pod adresem Minty'ego.

– Przepraszam, że się wtrącę, ale czy mogę prosić miód z Rhode Island? – Szczupła, młoda kobieta wskazała na rząd słoików. – Mama mojego chłopaka jest z Rhode Island. Może jej zasmakuje. Trudno jej dogodzić.

– Teściowe – mruknęła Maria. – Nie można ich zjeść ani zastrzelić.

– Ani uciszyć na dłużej niż trzydzieści sekund – uzupełnił mężczyzna stojący obok niej.

– No to gadaj, pobieracie się? – spytała Maria. – Tym razem oświadczył się jak należy?

– Nie wolno mi się oświadczyć – wtrącił Theo i podał innemu klientowi tester kremu na spierzchniętą skórę.

– Przecież go kochasz, tak? – Maria popatrzyła na Sugar. – No jasne. Wystarczy na was spojrzeć. To dlaczego nie pozwalasz mu się oświadczyć?

– Prawdę powiedziawszy, wolę rozmowę o miodzie – powiedziała Sugar.

– Bardzo przepraszam – odrzekła Maria. – Aktywistka ze mnie i łatwo nie popuszczę. – Zwróciła się do pozostałych klientów. – Ręka w górę, kto chce posłuchać o miodzie? – Nikt się nie ruszył. – I ręka w górę, kto chce posłuchać, dlaczego ona nie zgadza się wyjść za tego przystojniaka w wieśniackiej koszuli? – Wszyscy podnieśli ręce. – Dawaj, mała. Referendum rzecz święta.

Sugar nie mogła zaprzeczyć, że jest szczęśliwa; czuła się szczęśliwa i wolna jak nigdy. Wcale nie chodziło o to, że nie chciała wyjść za Theo, po prostu…

– Nie jestem gotowa – oznajmiła słabo, ale Theo objął ją i pocałował w skroń, bo doskonale wiedział, jaka jest, a jaka nie.

– Aha – odpowiedziała Maria. – Teraz rozumiem. Macie własną wersję problemów z teściową, co?

Sugar odwróciła wzrok, Theo przygryzł wargę, a Maria pokręciła głową.

– Te baby – dorzuciła. – Moja pochodzi z Hoboken i jedno wam powiem: ja tam miodu stamtąd nie kupię. Nie dostanie ode mnie ani kropli!

Do końca dnia Sugar była dziwnie milcząca i nie skusiła się na naleśniki Theo. Chciała wcześniej pójść spać, wymawiając się bólem głowy.

– Co cię gryzie? – Theo otulił ją kołdrą. Nie mógł patrzeć na jej smutek.

Ale Sugar nie umiała swoich myśli – a tym bardziej uczuć – ubrać w słowa. Bardzo kochała Theo, z każdym dniem coraz bardziej. Jego bliskość poruszyła w niej jednak czułe struny, łącznie z tymi, o których wolałaby zapomnieć.

Theo słusznie podejrzewał, że tyrada Marii też miała w tym swój udział.

– Wiesz, co sobie myślałem? – spytał, obrysowując palcem jej podbródek. – Że chciałbym poznać twoją rodzinę.

Sugar usiadła na łóżku.

– Wierz mi, Theo, nie chciałbyś na pewno.

– Przecież to nie musi nic znaczyć w sensie formalnym. Nie pojadę tam jako przyszły zięć, bo znam twoje zdanie na ten temat. Ale oni są ostatnim elementem twojej układanki.

Nie dodał nic więcej, lecz od razu zrozumiała, że ma rację.

– Minęło tyle czasu, a ja bym…

– Się bała?

Ku swojej zgrozie Sugar wybuchnęła płaczem.

– Nie pozwól, żeby cię prześladowali, kochanie. – Theo objął ją i ukołysał w ramionach.

– Oni mnie nie prześladują, niezupełnie – wyszlochała. W głębi serca jednak wiedziała, że owszem.

– Pojedźmy w ten weekend do Charlestonu – zaproponował. – Miejmy to z głowy i żyjmy dalej. Nic się nie martw. Wszystko będzie dobrze, słowo daję.

Sugar przypomniała sobie, że jedna z par Ruby pobrała się w oparciu o to przekonanie. Theo nie mógł wiedzieć, czy wszystko się ułoży, ale wierzył w to tak czy inaczej.

– Naprawdę tak myślisz? – Wyjęła spod poduszki czystą chusteczkę.

– Naprawdę – potwierdził. – Ja się ich nie boję i nie mogą mi nic zrobić, więc ci pomogę. Razem przez to przejdziemy. Zaufaj mi.

Tak dobrze było w jego ramionach, jak gdyby naprawdę wszystko miało się potoczyć zgodnie z planem.

– No dobrze – powiedziała. – O matko święta. Niech ci będzie.

– Nie masz pojęcia, jak mnie uszczęśliwiasz. – Theo nachylił się, żeby ją pocałować.

– Lepiej to sobie utrwal – poradziła. – Przyda ci się na później.

41.

Z chwilą gdy taksówka przecięła Broad Street i nieco zwolniła, Sugar uchyliła okno i wciągnęła pierwszy od piętnastu lat haust charlestońskiego powietrza.

Ależ wspaniale smakowało.

Pod jej nieobecność miasto nie straciło nic a nic ze swego blasku. Lśniło jak brylant w najwyższej gablocie bożego sklepu jubilerskiego.

Rozległa rzeka Cooper migotała na lewo, nad nią rozciągało się niebo w odcieniu weneckiego błękitu, w oddali malował się zarys Fortu Sumter. Na prawo pastelowe domy Rainbow Row mrugały zza palm, po czym wyjechali na East Bay Street, gdzie największe rezydencje Charlestonu spoglądały z wysokości czterech kondygnacji, a ich bujne ogrody i muzyczne fontanny kryły się za ogrodzeniami i bramami misternymi jak pajęczyny z żelaza.

– Nie znajdziesz drugiego takiego miasta – westchnęła Sugar. – Jak mogłam zapomnieć.

– Coś jak Paryż na mniejszą skalę – przyznał Theo. – Tyle że mają tu lepszą pogodę i więcej koni.

– I jaśmin – dodała Sugar. – Konfederacki jaśmin. Czujesz?

Theo teatralnie wciągnął powietrze nosem.

– Jeszcze jak. Jankeski się nie umywa.

Uścisnął jej dłoń. W samolocie Sugar prawie się nie odzywała, teraz wprawdzie odzyskała humor, wciąż jednak była blada jak jaśmin, który istotnie pysznił się kokieteryjnie nad prawie każdą furtką, płotem, wejściem i latarnią.

Kierowca zwolnił, żeby skręcić w brukowaną ulicę, która oddalała się od rzeki.

– Przepraszam pana – zwróciła się do niego Sugar – czy mógłby pan najpierw zabrać nas do Battery Park? Mój przyjaciel nigdy nie miał okazji widzieć końca naszego półwyspu, gdzie Cooper zbiega się z Ashley, więc chciałabym mu pokazać.

– Właśnie tam zaczęła się amerykańska wojna domowa. – Kierowca zwolnił i wskazał na Fort Sumter. – Od tamtej pory nic już nie było takie jak dawniej.

– Miasto wygląda cudnie – oznajmiła Sugar. – Dobrze się nim opiekujecie.

– Długo pani nie było? – Kierowca zerknął na nią we wstecznym lusterku.

– Bardzo długo. – Uśmiechnęła się.

– Nieważne – odparł. – Kto urodził się charlestończykiem, na zawsze nim pozostanie.

Theo trącił ją łokciem i wyszczerzył zęby.

– Wobec tego miasta trudno być obojętnym – stwierdziła Sugar, lecz zbliżali się do domu jej rodziców i aż ją mdliło ze zdenerwowania.

– Legare Street piętnaście, tak pani powiedziała? – spytał taksówkarz. – Ten tutaj? Ten biały?

– Tak, dziękuję panu – odpowiedziała Sugar. – Właśnie ten.

– Dom Wallace'ów?

– Tak, proszę pana.

– Tu mieszka pani rodzina?

– Owszem.

– W takim razie to pani jest Zbiegłą Narzeczoną!

– Słucham?

– Miło mi panią poznać, pani Wallace. Nadal jest o pani głośno.

– Przepraszam, jak pan mnie nazwał?

– Ja wezmę bagaż – wtrącił Theo. Zapłacił za kurs i uciszył kierowcę sutym napiwkiem.

– Witajcie w domu – rzucił ten ostatni, po czym usiadł za kierownicą i przeliczył gotówkę.

– Czy on nazwał mnie Zbiegłą Narzeczoną? – zapytała z niedowierzaniem Sugar.

– Jaki śliczny domek. Tu się wychowałaś?

– Theo, no nie wierzę, że przez cały ten czas mówili o mnie Zbiegła Narzeczona. Chyba się spalę ze wstydu.

– Dajże spokój. Nie sądzisz, że to świadczy o poczuciu humoru? To chyba lepsze niż Przeszła Żona albo Z Procy Wystrzelona.

– Tak?

– Uhm. Jakie ładne balkony!

Patrzyli na wzniesioną bokiem do ulicy trzykondygnacyjną białą rezydencję z krytymi balkonami na całą długość każdego piętra.

– Tutaj nazywamy je werandami. – Sugar zajrzała do wypielęgnowanego ogrodu, ledwo widocznego zza fantazyjnie giętych sztachet.

– Wygląda jak tort – zauważył Theo.

– Weselny – dodała z przekąsem. Nerwowo spojrzała na

zegarek. – Wiesz co, może jednak najpierw zameldujmy się w hotelu, zanim zrobimy im nalot. Zawsze podobał mi się „Vendue". Taki... w sam raz. I mają tam bar na dachu.

– Jak to: „nalot"? – Theo stanął w cieniu, bo słońce prażyło niemiłosiernie. – Przecież uprzedziłaś ich o naszym przyjeździe, tak?

– Uhm, no właśnie – wyjąkała Sugar. – Jakoś nie było okazji.

Theo wciągnął ją w krzak jaśminu.

– Nie wiedzą, że tu jesteśmy?

– Ja chciałam, Theo! Naprawdę chciałam. Lecz ilekroć sięgałam po telefon, albo numer wylatywał mi z głowy, albo zbierało mi się na wymioty, albo chciałam uciec do Peru, więc koniec końców uznałam, że lepiej będzie pójść na żywioł, chociaż to szczyt chamstwa zjawiać się bez uprzedzenia, a znasz moje zdanie o chamstwie.

Theo obrzucił ją surowym spojrzeniem.

– Zawsze chciałem jechać do Peru – odparł, a Sugar z miłości zapomniała o strachu i musiała go pocałować. Dziadek byłby nim zachwycony.

W tej samej chwili matka uznała za stosowne wrócić od fryzjera. Zatrąbiła, by wypłoszyć parkę sprzed domu, po czym obrzuciwszy ich wzgardliwym spojrzeniem, przejechała przez bramę i znikła na terenie posiadłości.

Theo i Sugar stali jak wrośnięci w ziemię.

– To była ona?

– Uhm.

– Widziała cię? – spytał Theo.

– Nie wiem.

– Poznała cię?

– A czy matka nie poznałaby córki?

– Czy z garażu można przejść do domu?

– Nie wiem, garaż jest nowy – jęknęła Sugar. – Ale nigdy nie lubiła sobie psuć fryzury, więc zakładam, że tak. Mam złe przeczucia, Theo. Uważam, że powinniśmy wrócić do Nowego Jorku. Dajmy sobie spokój. Jeśli mnie poznała, wychodzi na to, że nie chce mnie widzieć na oczy.

– Obiecałaś, że to zrobisz, Sugar, a co więcej, obiecałaś mi kaszę na śniadanie! Nawet nie wiem, co to jest, jednak nie ruszę się stąd, póki jej nie spróbuję. Słuchaj, to nie jest moja matka i ja się jej nie boję. Chcesz się dowiedzieć, co to strach, to zabiorę cię do Barlanark na spotkanie z moimi ciotkami. Dadzą ci popalić, zobaczysz. Po prostu wpadniemy z grzecznościową wizytą, bez uprzedzenia, nieważne.

Naraz przejechał obok nich biały powozik zaprzężony w lśniącego kasztanka, z rozmarzonym młodym mężczyzną i równie rozmarzoną kobietą w środku. Stukot kopyt poniósł się echem po bruku.

– Witajcie – odezwał się dorożkarz. – Piękny mamy dziś dzień. Miłego i uszanowanie! – Pstryknął palcem w daszek czapki, a pasażerowie im pomachali.

Sugar odmachała.

– Dziękujemy i nawzajem! – odkrzyknęła. Grzeczność zawsze była jej mocną stroną.

– No chodź – ponaglił Theo. – Idziemy. – Podszedł do drzwi i zapukał energicznie. – Pamiętaj, że jesteśmy dorośli – dodał. – Nie zrobiliśmy nic złego. Zwłaszcza ja. A jeśli nawet, skąd miałaby o tym wiedzieć?

Sugar usłyszała stukot obcasów matki na posadzce, a gdy drzwi się otworzyły, aż tchu jej zabrakło. W progu stanęła Etta i wyglądała dokładnie tak jak tamtego okropnego dnia przed piętnastu laty, tylko dla odmiany ubrana była na żółto, gdyż ten kolor zawsze podkreślał jej cerę i kolor oczu.

– Cherie-Lynn – powiedziała bez cienia uśmiechu i zmierzyła wzrokiem Theo. – Z kolegą.

Theo miał na sobie kraciastą koszulę i szorty, jak na niego stonowane, ale Sugar wiedziała, że nie spodobały się mamie.

– Czemu zawdzięczam tę przyjemność? – zapytała Etta.

– Przepraszam, mamo. Przepraszam, że najpierw nie zadzwoniłam.

– Za to przepraszasz?

Theo od razu spostrzegł, że Sugar odziedziczyła urodę po mamie, lecz ta kobieta nie sprawiła na nim wrażenia osoby o gołębim sercu. Wyglądała na bogatą i wredną, czyli przeciwieństwo jego własnej matki, i poczuł dumę, że pomimo to Sugar rozwinęła pełnię swoich zalet.

– Pozwól, że ci przedstawię Theo Fitzgeralda – powiedziała Sugar.

– Miło mi pana poznać, panie Fitzgerald – rzekła lodowato Etta. – Cóż, przecież nie będziecie tak stać jak akwizytorzy. Chyba że jesteście akwizytorami. Wejdźcie, proszę.

Weszli do domu i podążyli za nią do salonu.

Czas obszedł się z Ettą łaskawie, co do tego nie było wątpliwości. Długie jasne włosy miała zaczesane do tyłu na ponadczasową modłę, makijaż był nienaganny, wciąż nosiła ten sam rozmiar, a jej obcasy zdawały się jeszcze wyższe niż przed laty.

Wyglądała olśniewająco. Jeśli miała zmarszczki, albo światło w pokoju było korzystne, albo rozprawiła się z nimi chirurgicznie. Mogła uchodzić za starszą, chłodniejszą siostrę Sugar.

– Proszę, panie Fitzgerald, Cherie-Lynn, usiądźcie. Napijecie się mrożonej herbaty? Zaraz przyniosę. Przepraszam na chwilę.

– Kurczaki – szepnął Theo po jej wyjściu. – Chyba nam tego nie ułatwi.

– Nie liczyłam na to ani przez moment – odrzekła Sugar. Wstała z kanapy, na której przycupnęła skrępowana, i podeszła do nowego elementu wystroju fortepianu, zastawionego zdjęciami w srebrnych ramkach.

Nie było jej ani na jednym. Część przedstawiała rodziców na przestrzeni lat i braci, najpierw wymuskanych chłopców, potem wymuskanych młodych mężczyzn oraz takichż mężów i ojców.

– O, to pierwsza żona Troya, Marianna – powiedziała, podnosząc fotografię brata i pięknej blondynki w sukni bez ramiączek. – Chodziłyśmy razem do liceum, była strasznie fałszywa. A to pewnie jego obecna żona Lucy; ładna, prawda? A to ich córki, Emma i Sophia. Jakie śliczne. A to mój drugi brat, Ben. – Sięgnęła po zdjęcie przystojnego mężczyzny z kolejną blondynką i dwiema dziewczynkami. – To jego żona Jeanne i ich córeczki, Charlotte i Rebecca. Czyż nie są cudne? Prawnik dziadka raz do roku przesyła mi porcję najświeższych informacji, ale widok ich wszystkich tutaj...

Theo odebrał jej zdjęcie i odstawił z powrotem na fortepian, po czym otarł łzę, która zdradziecko wymknęła się z oka Sugar, i ucałował to miejsce.

– U ciebie też nie zastaliby swoich zdjęć.

– Bo to boli – odrzekła.

– No właśnie – brzmiała jego odpowiedź. I oboje odwrócili się na dźwięk obcasów Etty, które obwieściły jej powrót do pokoju.

– Herbata – oznajmiła. Postawiła tacę na stole i nalała im herbaty z kryształowego dzbanka. – Niestety, muszę was opuścić – dodała. – Jestem umówiona. Gdybym wiedziała, że przyjedziecie... Tak czy siak, rozmawiałam z ojcem, który zaproponował wspólną kolację. W jachtklubie, Cherie-Lynn, czy ci to odpowiada? Powiadomi twoich braci, tylko że tak na ostatnią chwilę pewnie nie dadzą rady... Przyjechaliście bez uprzedzenia, zakładam więc, że nocleg macie zapewniony? Nie musicie się spieszyć; Nessie, gosposia, odprowadzi was do wyjścia, właśnie kończy pranie. Czyli dzisiaj o ósmej, Cherie-Lynn. Miło było pana poznać, panie Fitzgerald. Musicie mi wybaczyć, ale mam napięty grafik i... no tak. A zatem do zobaczenia. Tymczasem.

I wyszła z pokoju, w którym ochłodziło się o dwa stopnie.

– Hm, mogło być gorzej – skwitował Theo, a Sugar zatonęła w poduszkach na kanapie i przymknęła oczy, marząc o swoim nowojorskim dachu.

42.

Zjawili się przed czasem, bo Sugar nie mogła usiedzieć w gustownym wnętrzu „Vendue Inn".

Nawet podczas spaceru po Rainbow Row za rękę z Theo, w miłym podmuchu wiatru znad rzeki, prawie nie zwróciła uwagi na kolorowe skrzynki okienne, gdzie tłoczyły się kordyliny o spiczastych liściach, zwisające pędy bakopy oraz miriady jaskrawych odcieni werbeny, begonii, niecierpka i petunii, które potęgowały cukierkowy efekt malowniczej ulicy o zmierzchu.

Gdy usiedli w barze, bawiąc się słomkami w szklaneczkach, Sugar wyznała Theo, że podczas ostatniej wizyty w klubie mama sprawdzała ułożenie nakryć przed weselem.

– Twoja matka wybrała na dziś lokal, gdzie miało się odbyć wesele?

– Trzeba jej oddać, że kiedyś była to najlepsza restauracja – odpowiedziała Sugar. – Tatuś lubi dobrze wysmażone steki, więc chyba nie chciała tylko zagrać mi na nerwach.

Etta i Blake zjawili się punkt ósma.

– Moja dziewczynka.

Ojciec podszedł, by ją uściskać, i na jego widok ścisnęło ją w sercu. Zachowała w myślach jego obraz sprzed lat, lecz w istocie postarzał się o wiele bardziej niż matka. Wyglądał staro, włosy prawie całkiem mu posiwiały, twarz miał pomarszczoną, a zaczątki brzucha rozpychały guziki koszuli.

Kiedy ją objął, przełknęła łzy, jednak zaraz się odsunął, zerkając na matkę, która utkwiła kamienny wzrok w spienionym nurcie rzeki Cooper.

– Tatusiu, poznaj Theo Fitzgeralda.

– Miło mi pana poznać.

Wymienili uścisk dłoni. Theo miał na sobie ciemny, kosztowny garnitur ze swej dawnej kolekcji służbowych ubrań i wyglądał powalająco.

– Mnie również. Fitzgerald? Jest pan Irlandczykiem?

– Właściwie to Szkotem, ale jak się nie ma, co się lubi, to się lubi, co się ma – odpowiedział Theo i ojciec wybuchnął śmiechem. Przynajmniej śmiał się tak samo.

– Usiądziemy? – Etta uniosła dłoń w rękawiczce i dała znak kelnerowi, po czym ruszyła przez salę niczym wytworna żyrafa pośród motłochu.

– Chłopcy nie przyjdą? – spytała Sugar na widok stolika nakrytego dla czterech osób.

– Uznałam, że nie chcesz robić zamieszania – powiedziała matka, gdy kelner rozkładał jej serwetkę na kolanach. Była piękną kobietą i tak sprytnie słała zatrute strzały, że trudno było zarzucić jej coś otwarcie, mimo to Theo i tak miał ochotę ją kopnąć.

– Troy miał spotkanie. – Blake unikał wzroku córki. – A Ben ciągle tylko wozi dziewczynki na zajęcia baletu, gry na skrzypcach i konnej jazdy. Jeanne krótko go trzyma.

– Tworzą wspaniałą rodzinę – oznajmiła Etta, popijając wino.

– Jeanne jest przewodniczącą klubu ogrodniczego. I zapaloną golfistką. Urocza dziewczyna.

– Tak, chociaż fatalnie gotuje – wtrącił Blake, na co Theo mało nie napluł do kieliszka. – Etta musiała jej oddać naszą gospodynię, z obawy, że Jeanne zagłodzi rodzinę. Byli coraz chudsi, ilekroć ich widzieliśmy. Dawała im odtłuszczone mleko, nawet małej Rebece. Biedactwo wyglądała jak cień.

Sugar pomyślała z bólem o Ruby, swoim ukochanym cieniu. O ileż wolałaby siedzieć z nią teraz na łóżku i przeglądać zeszyt z wycinkami o ślubach, zamiast tkwić w dusznej sali z rodziną, do której nie należała.

– Wiosną chcemy jechać z Jeanne do paryskiej Cordon Bleu – dodała Etta. – To wspaniała dziewczyna.

– Sugar świetnie gotuje – oznajmił Theo. – Wszystko robi sama: ciasta, ciasteczka, chleb... nawet płatki śniadaniowe.

– W Nowym Jorku nie macie kaszy na śniadanie, co? – spytał Blake z nieudawaną czułością.

– Nie, tatusiu, ale nadal za nią przepadam.

– No to będziesz miała okazję sobie przypomnieć. Na jak długo przyjechaliście?

W czasie posiłku rozmowa toczyła się gładko, chociaż dość powierzchownie i nie padło nic ważnego, a kwestia wygnania Sugar wisiała nad nimi jak cień. A zważywszy na fakt, że Etta bardziej interesowała się swoim chablis aniżeli zawartością talerza, była to jedynie cisza przed burzą.

– I cóż – zagaiła, oglądając bladoróżowe paznokcie swej wypielęgnowanej dłoni, kiedy uprzątnięto talerze. – Może najwyższy czas zdradzić nam powody waszej nieoczekiwanej wizyty.

– Chciałem zobaczyć rodzinne miasto Sugar. Tutaj wyrosła

na wspaniałą kobietę, którą jest dzisiaj. – Theo nie dopuścił Sugar do głosu.

– Doprawdy? – rzekła lodowato pani Wallace. – My nazywamy ją Cherie-Lynn.

– Mamo, proszę cię… – zaczęła Sugar.

– Być może dla pani, Etto, jest Cherie-Lynn, lecz dla mnie jest Sugar – odparł grzecznie Theo. – Pani córka dała mi wielkie szczęście i chciałbym jej się zrewanżować, ale tęskni za rodziną. Jesteście dla niej bardzo ważni, pomimo tego, co zaszło.

– Zaszło tylko tyle, że ośmieszyła nas i narzeczonego. Każdy panu powie, że był to jeden z najgorszych dni w dziejach parafii.

– W Charlestonie, kolebce wojny secesyjnej, mieście, które zostało zrównane z ziemią? Ojej, przykro mi to słyszeć – odrzekł z nienaganną uprzejmością Theo.

– Gdzież ten kelner z winem? – zainteresował się Blake.

– Nie chciałam go ośmieszyć, mamo – zapewniła Sugar. – Przecież wiesz. I nie chciałam zrobić wam przykrości. Po prostu nie mogłam wyjść za Grady'ego.

– I wpadłaś na to przed ołtarzem?

Sugar pomyślała o królowej nad głową narzeczonego. Fakt, pszczoły otworzyły jej oczy, ale to ona, Sugar, „zbiegła".

„Jesteś silna", zadźwięczały jej w głowie słowa dziadka. „Silna".

– Jeszcze pięć minut i byłoby za późno – oznajmiła. – Grady Parkes nie był dla mnie odpowiednim kandydatem i dziś zrobiłabym to samo.

– Mówiłam, że to błąd, Blake. – Matka kipiała ze złości. – Jesteś niezrównoważona, Cherie-Lynn. Zawsze byłaś, od dziecka. Zupełnie jak twoja babcia i ten mój stuknięty ojciec, zawsze chodzisz z głową w chmurach, a rodzina musi świecić za ciebie oczami. Nie mam zamiaru dłużej tutaj siedzieć i tego wysłuchiwać.

Odsunęła krzesło i chwyciła bladożółtą torebkę.

– Uspokój się, Etto – mitygował ją maż.

– Ależ jestem zrównoważona, mamo – odrzekła Sugar. – Nic mi nie dolega. Po prostu staram się nikogo nie krzywdzić, tak jak uczył mnie dziadek.

– Nie nauczył cię niczego pożytecznego – prychnęła matka. – Dałaś temu dowód, uciekając z własnego ślubu.

– Właśnie, a co tam u Grady'ego? – zainteresował się Theo ku zaskoczeniu Sugar.

– Idziemy, Blake – zakomenderowała Etta. – To nie pański interes, ale Grady Parkes miałby się dobrze, gdyby Cherie-Lynn nie zostawiła go przy ołtarzu i nie zniszczyła mu życia.

– Czyli nadal pracuje w firmie ojca? – drążył Theo.

Blake kaszlnął i pomógł żonie włożyć płaszcz.

– Kolacja na koszt ojca – oświadczyła Etta, zawiązując pasek. – Mam nadzieję, że smakowało.

– Bo niedawno coś przeczytałem – ciągnął Theo – i doszedłem do wniosku, że może jednak nie był tak idealnym kandydatem na zięcia. Trzy żony, trzy rozwody, cztery wyroki za jazdę po pijanemu.

– Biedak wstydził się pokazać na ulicy po tym, jak ona go załatwiła – warknęła Etta. – Nigdy się nie pozbierał. Nigdy.

– Przykro mi, że go zraniłam, mamo. Nie myśl, że nie miałam wyrzutów sumienia. Miałam, i to jakie. Ale już wtedy nadużywał alkoholu. Był wstrętny i narzucał swoją wolę. Ja go nie zmieniłam.

– Dobranoc, Cherie-Lynn, dobranoc, panie Fitzgerald. Miłego pobytu w Charlestonie. Zaczekam w samochodzie, Blake.

– Miło było znów cię widzieć, kochanie – powiedział ojciec, gdy Etta wypadła z sali. – I pana poznać, Fitzgerald. Przepraszam za mamę, skarbie, cóż, sama wiesz, jaka ona jest.

– Chyba tak. Tylko jakim cudem jest taka wyrozumiała dla Grady'ego, a dla mnie nie?

– Nie wiem, skarbie. Chciałbym pomóc, ale mama jest uparta, a ja muszę z nią żyć, więc...

– Wiem, nic nie szkodzi. Naprawdę. Grunt, abyś wiedział, że nie byłam z siebie dumna. Lecz nigdy nie żałowałam tego kroku.

– Oczywiście, kochanie, to dla mnie duża ulga. Radzisz sobie jakoś? Wiem, że prawnik dziadka wysyła ci co miesiąc czek, ale nie mam pojęcia, jak ty możesz z tego wyżyć. W razie czego pieniędzy mamy dosyć.

– Nie trzeba, tatusiu. Poradzę sobie. I tak wstydzę się brać te czeki.

Ojciec posmutniał.

– To się nie wstydź. Bóg wie, że nie zawsze byliśmy wobec ciebie w porządku, więc przynajmniej śmiało bierz, co twoje.

Przytulił ją, tym razem nieco dłużej.

– Dziękuję, że wróciłaś – dodał. – Wiem, że niezręcznie to wyszło, ale i tak dziękuję. – Pocałował ją w policzek i szepnął na odchodne: – Podoba mi się ten Szkot. – Po czym uścisnął jej ramię i poszedł.

Zanim Theo zdążył ją pocieszyć, nadbiegła młoda kelnerka, cała w wypiekach.

– Czy to prawda, że jest pani Zbiegłą Narzeczoną? – spytała. – Grałam panią w szkolnym przedstawieniu!

43.

Smakuje trochę jak rozgotowany grysik – stwierdził następnego dnia Theo przy śniadaniu w pokoju hotelowym. – W sumie szkoda, bo grysiku też nie kapuję. Czy nie można po prostu zjeść owsianki?

– Bo jest wyszukana i pyszna, tak? – spytała Sugar. Uśmiechnęła się po raz pierwszy od wyjścia z klubu jachtowego.

– A tak, Szkocja słynie ze swej wyszukanej kuchni. W Nowym Jorku jest na pęczki szkockich restauracji.

– Masz na myśli McDonaldy? – zapytała. – Myślałam, że to amerykańska sieć. Wiesz co, szkoda, że mama nie zdążyła poczęstować nas swoim plackiem bananowym, bo mimo swoich wad potrafi upiec świetny.

– Jak się dziś z tym czujesz?

– Pięć minut w jej towarzystwie i znów czuję się jak niewydarzona flecistka, którą byłam w wieku ośmiu lat.

– Katowałaś flet?

– Katowałam tak, że do dziś mi to pamięta. Gdy go rzuciłam, moja nauczycielka uroniła łzę szczęścia i podarowała mi pamiątkową monetę po stryjku. Słoń mi na ucho nadepnął.

– Nie możesz być dobra we wszystkim, Sugar. To pierwszy krok do powszechnej niechęci otoczenia.

– Zaznałam jej dosyć – odrzekła. – Zwłaszcza tutaj.

Theo wsunął jej kosmyk włosów za ucho.

– Trudno mi zrozumieć, co czujesz – powiedział – bo od dawna nie mam rodziny. Ale Nina, Sam i Frankie mi ją zastąpili. I teraz mam ciebie. Na pocieszenie dodam, że rodzina może być mała. I wcale nie musisz być z nią spokrewniona!

– Zawsze umiesz pocieszyć człowieka – odpowiedziała Sugar i wciągnęła go pod kołdrę.

– Myślisz, że mogłabyś tu wrócić? – spytał Theo, kiedy parę godzin później szli po falochronie. Fale nacierały na kamienie u ich stóp, a wiatr łagodził wilgoć w powietrzu, które pachniało solą i szlamem.

– Kocham to miasto – oznajmiła. Od strony White Point Garden napłynęły z wiatrem dźwięki kwartetu smyczkowego. – Miło tu wrócić, nasycić się widokiem i zapachami, zaspokoić tęsknotę, ale teraz...

– Ale teraz...?

– Ale teraz, kiedy tu jestem, myślę, że nie chodzi o to, aby tu mieszkać, tylko że Charleston żyje we mnie. I nikt mi tego nie odbierze.

– Klawo to powiedziałaś.

– Theo, litości.

– Aye, to się więcej nie powtórzy.

– Od razu lepiej. I wiesz, co? Mnie też zrobiło się lepiej. Postawiłam się matce, Theo. Nie dałam sobie wejść na głowę, więc już nic mi niestraszne. I chyba przestanę uciekać. Może nie kapujesz „kaszy", ale po powrocie do domu zamierzam ją jeść na śniadanie, przestanę się chować na dźwięk południowego akcentu i możemy tu wracać na wakacje, jeździć na wyspę Sullivana albo... Słuchaj! Mamy czas do wieczora, tak? Jedźmy do domu dziadka w Summerville, zobaczymy, jak wygląda.

– Z tobą choćby na koniec świata.

Pojechali malowniczą Ashley River Road do Summerville i Sugar uśmiechnęła się na widok rozkołysanej oplątwy brodaczkowatej, wspominając, jak jechała tędy autem pełnym pszczół, czując w ustach smak wolności.

– Jak tu ładnie – powiedział Theo, gdy mijali wjazd na plantację magnolii, gdzie za białym ogrodzeniem rozciągał się sielski widok na stajnie. – Nie znajdziesz czegoś takiego w Barlanark.

– Ani nigdzie – dodała Sugar. – Kiedyś mieszkali tu najbogatsi ludzie w Ameryce. Dziadek zabierał mnie do Drayton Hall na urodziny: to chyba największa rezydencja, jaka tu powstała. Leży na końcu tamtego podjazdu i nie widać jej zza dębów, ale to najstarsza zachowana plantacja w kraju. Udawaliśmy, że jest rok tysiąc siedemset czterdziesty drugi, i urządzaliśmy sobie staroświeckie pikniki nad rzeką. Wkładałam nawet krynolinę, możesz sobie wyobrazić?

– Mogę sobie wyobrazić, jak teraz ją wkładasz – odparł Theo. – Krynolina to coś, do czego przypina się pończochy, tak?

– Mówimy o mnie i dziadku, Theo. Opanuj się! Mawiał, że w ciągu jednej wizyty w Drayton Hall można się nauczyć więcej o amerykańskiej historii niż przez całe życie na uniwersytecie. Czy wiesz, że ta budowla przetrwała wojnę o niepodległość, wojnę secesyjną, trzęsienie ziemi i huragan Hugo? To ci dopiero południowy hart ducha!

– Im więcej opowiadasz mi o dziadku, tym bardziej go lubię.

– Miał złote serce, jak twoja mama. Na pewno przypadłbyś mu do gustu. Wiem to nie tylko od pszczół. Teraz skręć w prawo w Bacons Bridge Road, a potem w lewo w Tom Pike Lane, za parę mil. Boże, czuję się, jakbym miała w brzuchu trupę akrobatów. Co się ze mną dzieje?

– Wolałabyś zawrócić? Nie musimy tam jechać. A może chcesz na chwilę stanąć? Możemy włożyć krynoliny i jechać do Drayton Hall albo skoczyć do Summerville na lody, albo... Co tak patrzysz?

– Kocham cię, Theo Fitzgerald. Nic poza tym.

– Miło mi to słyszeć – odparł. – Zwłaszcza że mało nie zamarzłem w konfrontacji z twoją matką.

Oboje się uśmiechnęli, ale gdy skręcili w Tom Pike Lane, polną drogę graniczącą z zagajnikiem, który zasłaniał tory kolejowe, Sugar spoważniała. Na zalesionych działkach wznosiły się skromne domy, przeważnie w cieniu starych dębów, dereni i żywopłotów z hortensji.

– Stoi w połowie drogi, naprzeciwko dużej magnolii na ulicy – powiedziała Sugar. – Gdyby chcieli go sprzedać, czy musieliby mnie pytać o zdanie?

– Niekoniecznie, chyba że jesteś jedyną właścicielką. A jesteś?

– Tak mi się zdaje, chociaż pewności nie mam – odrzekła. – Patrz, to tu! Ależ zarósł! Dziadek byłby niepocieszony. To moja wina. Ach, Theo...

Dom był ledwo widoczny od strony drogi, a żywopłot, skrupulatnie przycinany przez dziadka, wyrósł prawie na dwa metry.

Brama nie była zamknięta na kłódkę, toteż Sugar pchnęła ją i dała znak Theo, żeby poszedł za nią. Pomimo że ścieżka porośnięta była z obu stron jeżynami i pnącymi różami, które czepiały się ubrań, dom okazał się mniej zaniedbany, niż przypuszczała. Mało tego, ktoś bardzo o niego dbał, a żywopłot służył jako kamuflaż przed nieproszonymi gośćmi. Ściany były świeżo pomalowane, a na ganku stał bujany fotel dziadka i dwa ogrodowe krzesła.

Sugar usłyszała dźwięki muzyki country napływające ze środka i ku swojemu zdumieniu ujrzała pszczoły: oblegały krzaki róż, posadzone przez babcię ponad czterdzieści lat temu, kołowały pośród dębów i brzęczały nad hortensją. Idąc, zobaczyła nie jeden ani nie dwa, tylko aż trzy stare ule dziadka pod wiatą obok brzoskwiń. Brakowało tylko starej ciężarówki, która zakończyła żywot przed laty w Kalifornii. Poza tym jakby czas się zatrzymał.

Nagle zza domu wybiegła dziewczynka. Miała ciemne włosy związane w koński ogon, ubrana była w poszarzałą, zapewne kiedyś białą suknię aż do ziemi.

Na ich widok stanęła i ze zdziwienia otworzyła szeroko oczy, równie wielkie i brązowe jak oczy Sugar.

Która oparła się ręką o ścianę i rozejrzała za Theo, lecz on zniknął z drugiej strony.

Zakręciło jej się w głowie.

O co tu chodziło?

Wtedy pojawiła się mniejsza dziewczynka w stroju wróżki i krzyknęła, ile sił w płucach:

– Tatusiu! Patrz, kto przyszedł!

W ślad za nią ukazał się mężczyzna w kombinezonie pszczelarskim. Był wysoki, zupełnie jak dziadek, miał równie kanciaste barki i zgarbione plecy. A potem zdjął kapelusz i siatkę.

– Sugar?

– Ben!

Lekko posiwiał na skroniach i był nieco tęższy, ale równie przystojny jak dawniej. A dziewczynki – jak mogła tego nie zauważyć? – były jego córkami.

Chwilę mierzyli się wzrokiem, po czym Ben rzucił siatkę na ziemię i Sugar padła mu w ramiona.

Objął ją z całej siły, a każde uderzenie ich serc zmniejszyło dystans lat, które ich rozdzieliły, aż ponownie stali się bratem i siostrą, wzruszonymi na swój widok.

– Tatusiu, ty płaczesz? – zapytała jedna z dziewczynek.

Sugar odsunęła się i Ben wytarł twarz.

– Tak, maluszku, ale z radości. Cieszę się z przyjazdu cioci Sugar, nic więcej.

– Dzień dobry, ciociu – zawołały chórem.

– Opowiadałem im o tobie. To Charlotte i Rebecca – powiedział, a dziewczynki dygnęły.

Zza domu wyłonił się Theo i Sugar też go przedstawiła.

– Miło mi cię poznać – powiedział szczerze Ben i wreszcie poczuła, że jest w domu.

– Macie pszczoły? – zwróciła się do dziewczynek. – Kiedy byłam w waszym wieku, przyjeżdżałam tu i pomagałam dziadkowi.

– Wiem – odpowiedziała Rebecca. – Tatuś opowiadał nam o tobie, że przenosisz się jak Mary Poppins i wszędzie zabierasz ze sobą pszczoły.

– Pszczoły zapylają jedną trzecią światowych plonów – oświadczyła Charlotte. – To też wiemy od tatusia.

– I lubimy miód – dodała Rebecca. – Gdzie są teraz twoje pszczoły, ciociu Sugar?

– Zostały w Nowym Jorku, na dachu mojego domu.

– Słyszałem coś o tym – wtrącił Ben i podniósł kapelusz.

– Od mamy? Pisuję do niej na urodziny i święta, ale nigdy nie wiem, czy coś o tym mówi. Wspomniała ci o moim przyjeździe?

– Unika tego tematu jak ognia – odparł z zakłopotaniem brat. – Więcej dowiaduję się od Phillipsa, prawnika dziadka.

– Hej, dziewczynki – powiedział Theo. – Jeśli tata się zgodzi, może skoczymy do miasta na lody?

– Taaak! – zawołała Rebecca.

– Mama mówi, że nie możemy jeść lodów – przypomniała jej Charlotte.

– Nie musimy jej mówić – stwierdził Ben. – To miło z twojej strony, Theo.

– Dziękuję, kochanie. – Sugar pocałowała go z wdzięcznością.

Theo wziął dziewczynki za ręce, po czym ruszyli razem ścieżką i niebawem znikli za krzakami. Sugar i Ben wymienili spojrzenia.

– Nic się nie zmieniłaś – oświadczył. – Nadal wyglądasz jak…

– Zbiegła Narzeczona? – podsunęła Sugar. – Tak, słyszałam coś o tym.

– No, narobiłaś sporo hałasu. Ale to było dawno temu i nie będziemy o tym rozmawiać. Może usiądziemy na ganku? Mam w domu whisky, może się skusisz?

W środku dom wyglądał jak dawniej, tylko ściany pokrywała warstwa świeżej farby i przybyło parę sprzętów w rodzaju zmywarki oraz nowej skórzanej kanapy, która zastąpiła stare wiklinowe meble preferowane przez dziadka.

– Kto tu mieszka?

– Nikt – odpowiedział Ben.

– To kto dba o gospodarstwo?

– Ja.

– Dlaczego?

– Żebyś miała do czego wrócić.

Sugar rzuciła mu zdziwione spojrzenie.

– Robisz to dla mnie?

– Tak, do jasnej cholery! – rzucił, ale zaraz się opanował. – Wybacz. Do licha, chciałem powiedzieć. Chyba zawsze wierzyłem, że kiedyś po prostu się zjawisz. Mijał czas, tygodnie przechodziły w miesiące, miesiące w lata i... Wiem, że powinniśmy zadać sobie więcej trudu, aby cię tu ściągnąć, to nie znaczy jednak, że nie tęskniliśmy. I że o tym nie myśleliśmy. Strasznie nam ciebie brakowało. Zwłaszcza mnie. Bez ciebie ta rodzina to nie to samo.

– Nie chciałam, żebyście mnie znaleźli, Ben. Taka jest prawda. Wiedziałam, że przyniosłam wam wstyd, i doszłam do wniosku, że lepiej wam będzie beze mnie, ale nie mogłam wyjść za Grady'ego. Byłabym z nim nieszczęśliwa i zobaczyłam coś w kościele, więc uznałam, że teraz albo nigdy.

– Pszczoły?

– Tak jest. Pszczoły.

– Przyznam, że dodało to nieco kolorytu starej parafii.

– Co ciekawe, im bliżej było do ślubu, tym bardziej ogarniały mnie wątpliwości, ale nie brałam pod uwagę ucieczki.

– No cóż, Grady pokazał w końcu swoją prawdziwą twarz – oświadczył z przekąsem Ben. – Troy broni go jak lew, lecz ja się cieszę, że uciekłaś. Dobrze się stało.

– Naprawdę?

– Kocham Charleston i chciałbym, żeby moje córki tak jak my dorastały w pięknym mieście, z którego jesteśmy dumni.

W weekendy żeglujemy, jeździmy na kraby do rodziny Jeanne na wyspę Edisto lub przywożę dziewczynki tutaj, chociaż Jeanne nie przyjeżdża z nami. Jesteśmy tutejsi, pod wieloma względami, i zdążyłem się z tym pogodzić, ale nie jestem taki jak tata i Troy. Nienawidzę pewnych rzeczy w moim życiu.

– Na przykład jakich?

– Na przykład mojej pracy. Jestem dobrym prawnikiem, lecz im dłużej wykonuję ten zawód, tym mniej mi się podoba, jednak nie mam wyjścia.

– Zawsze masz wyjście, Ben. Nie musisz być prawnikiem, możesz robić, cokolwiek chcesz.

Ben oparł nogi na balustradzie i pociągnął ze szklanki.

– Chciałbym, Sugar. Tylko że Jeanne i ja przywykliśmy do dobrobytu. Poza tym mam tatę, mam starszego brata i milion zobowiązań. Wierz mi, że nie mam wyjścia. Na ogół mi to nie przeszkadza, ale nie masz pojęcia, jak ci zazdrościłem, że inaczej to sobie zaplanowałaś i jeździsz tam, gdzie cię oczy poniosą. To wymaga odwagi.

Na ułamek sekundy świat zadrżał i Sugar ujrzała swoje życie jako bezcenny klejnot, pulsujący energią i wachlarzem możliwości, do których ona jedna ma dostęp i którego braki jej nie obchodzą.

– Czy ja wiem? – odpowiedziała. – Robię to, co każą mi dziadkowe pszczoły. Rok w rok stawiam królową na mapie – pamiętasz, tej z gościnnej sypialni. Ona mi pokazuje, dokąd mam jechać, więc jadę. Tak jest łatwiej, niż decydować samemu, więc nie ma to wiele wspólnego z odwagą. Ba, wiele osób uznałoby mnie za psychicznie chorą.

– A zatem pszczoły cię tu przysłały?

– Nie, pszczoły posłały mnie do Nowego Jorku, a gdy tam dotarłam... no, poniekąd wróciłam tu za ich sprawą. To długa historia i długo to wszystko trwało, no wiesz, po Gradym, ale dzięki pszczołom mam Theo.

– To wspaniale. Bardzo się cieszę. Zasłużyłaś na to.

– Jest prawnikiem, niestety, i kiedyś był grubą rybą, lecz teraz reprezentuje organizacje charytatywne. I nie boi się nikogo ani niczego. Szkoda, że go wczoraj nie widziałeś na kolacji z mamą!

Ben zakrztusił się whisky.

– Jak poszło?

– Niespecjalnie. Nadal jest zła. Chyba nigdy mi nie wybaczy, a tata głośno nic nie powie, ale nie szkodzi.

– Powinnaś coś wiedzieć o gniewie mamy – powiedział Ben. – Tu nie chodzi tylko o ciebie. Najbardziej gniewa się na tatę. On ją zdradza, Sugar. Zdradza ją od lat, a ona o tym wie. Ona wie i on wie, że ona wie, jednak trwają przy sobie, bo on jej potrzebuje, a ona boi się ośmieszyć, ale jest zła. Założę się, że nieraz pewnie sama miała ochotę zwiać do Nowego Jorku.

– Tata? Zdradza mamę? Jesteś pewny?

– Na sto procent.

– To straszne! Czy Troy wie?

– Wszyscy wiedzą.

– Biedna mama. Nie mógłbyś czegoś z tym zrobić?

– Nie chcę się mieszać, Sugar. Zresztą i tak mnie nie posłucha. Jego prawą ręką jest Troy. Czasem myślę, że go zawiodłem, ale mniejsza z tym. Popatrz na moje dziewczynki. To najlepsze, co mnie spotkało. I nawet nie wiem, czemu ci to mówię, chyba dlatego, że zawsze byłaś moją bratnią duszą. No, dosyć o mnie, opowiedz mi o Theo. Skąd pochodzi? Jaki jest?

– Pochodzi ze Szkocji i prawdę powiedziawszy, początkowo myślałam, że jest szalony – wyznała Sugar. – Lecz im dłużej go znam, tym bardziej wydaje mi się poczytalny. Okazuje się, że szaleje tylko za mną, a to bardzo miłe.

– Czyli nie wykluczasz ślubu?

– Chyba nie nadaję się na żonę.

– Jeśli naprawdę cię kocha, a ty jego, i nie mieszkacie po sąsiedzku z mamą, to może i nie potrzebujecie ślubu.

Siedzieli sobie w cieniu dereni i Ben opowiedział Sugar, że następnego dnia po jej ucieczce przyjechał do chaty i zastał tu samochód Troya z rojem skołowanych pszczół w środku. Nie wiedział, skąd się wzięły, ale odzyskał część uli dziadka od starego pszczelarza, który dostał je w spadku.

– Nauczył mnie tego i owego, więc zacząłem tu przyjeżdżać – ciągnął. – Polubiłem te stworzenia. Potem zająłem się domem i ani się obejrzałem, jak zyskałem nowe hobby, z dala od pola golfowego i palestry.

Nie obnosił się z tym, żeby nie rozjuszać Etty, potem jednak dziewczynki zaczęły przyjeżdżać razem z nim i też połknęły bakcyla.

– Chyba mamy to we krwi – zakończył, a Sugar poczuła, że wreszcie spływa na nią upragniony spokój.

Po powrocie z lodziarni Theo został na ganku z Benem, a dziewczynki pokazały Sugar pszczoły.

Ułamały sobie po kawałku plastra i usiadły pod brzoskwinią, a miód kapał im przez palce i na suknię Rebeki.

– Mam nadzieję, że się nie gniewasz – powiedziała do Sugar. – Zwykle uważamy.

– Dlaczego miałabym się gniewać, kochanie? – spytała Sugar.

Dziewczynki wymieniły spojrzenia.

– To twoja suknia – wyjaśniła Charlotte – Charlie. – Miałaś w niej wyjść za pana Parkesa, ale zostawiłaś ją dla nas.

Sukienka nie układała się tak samo na osobie mającej metr dwadzieścia wzrostu, lecz istotnie była to ślubna kreacja Sugar.

– Dziś jest moja kolej, bo Charlie nosiła ją ostatnio – uzupełniła Rebecca.

– Bardzo ci w niej do twarzy – stwierdziła Sugar. – Jednak na coś się przydała.

– Tatuś kiedyś włożył ją do pralki i się skurczyła – wyznała Charlotte. – Ale to nic nie szkodzi, prawda, Becco?

Gdy nadeszła pora wyjazdu, Sugar czuła się jak nowo narodzona. Ponownie stała się częścią rodziny, mimo że niezupełnie była to jej rodzina ani nie cała.

– Dziękuję, że tak dbasz o dom – powiedziała do Bena. – Myślałam, że mi serce pęknie, kiedy tu przyjadę, ale wiesz co? Czuję się dokładnie na odwrót.

– To twój dom, Sugar – przypomniał. – Czeka na twój powrót.

– Przyjedź na nasze urodziny! – zawołała Rebecca. – Ja mam czwartego września, a Charlie szóstego, i zawsze jeździmy na piknik do Drayton Hall.

– Dziadek i Ettie czasem jeżdżą z nami – dodała Charlie. – I się przebieramy.

– Ale nie w to. – Becky uniosła rąbek ślubnej sukni. – To nasza tajemnica.

– Piknik w Drayton Hall. Brzmi wspaniale! – powiedziała Sugar. – Nawet jeśli nie dam rady, mam nadzieję, że i tak zobaczymy się niebawem.

Może nie byli mile widziani w domu przy Legare Street, zawsze jednak mogli uciec do tego zakątka jej starego świata, gdyby chcieli, prawda? Mogli stać się częścią życia dziewczynek albo nawet życia drugiego brata, jeśli im na to pozwoli.

Gdy jechali pod baldachimem drzew Ashley River Road i mijali historyczne miejsca Karoliny Południowej, i tak czuła się jak w domu. Niektórych więzi nie da się uratować i zostawiają po sobie bolesną otchłań. Ale pojawiają się nowe i suną nowym torem, omijając przeszkody niczym nurt rzeki kamienie rozsiane po dnie. I to jest cudowne.

– Wiesz co, w sumie nigdy nie poprosiłeś mnie jak należy – powiedziała do Theo.

– O co?

– O rękę.

Theo mało nie zjechał na pobocze.

– Żartujesz? Już zapomniałaś, jak ryzykowałem życie, stojąc na dachu obok twoich pszczół?

– Nie nazwałabym szantażu oświadczynami.

– A nie mówiłaś mi, że więcej sobie tego nie życzysz?

– Powiedzmy, że zmieniłam zdanie.

– Naprawdę?

– Tak. Nie zaczęłam myśleć, że powinniśmy się pobrać, ale przestałam myśleć, że nie powinniśmy. To o wiele mniej skomplikowane.

– O wiele mniej skomplikowane? Co ja słyszę? – Theo zwolnił. – Coś mi mówi, że powinienem kuć żelazo, póki gorące.

– Kuj zatem.

Theo zatrzymał samochód przy białym ogrodzeniu plantacji, wysiadł i otworzył drzwi po stronie Sugar.

Kasztanowa klacz ze strzałką na czole podbiegła sprawdzić, co się dzieje, po czym potrząsnęła jedwabistą grzywą i prychnęła wesoło.

Theo mężnie ją zignorował – chociaż bał się też koni – wziął za rękę Sugar i pomógł jej wysiąść na trawę.

Następnie ukląkł na jedno kolano i nie zwracając uwagi na klacz, która zaczepnie trącała go w ramię, zwrócił się do swojej ukochanej:

– Sugar Honey Wallace, pszczelarko *extraordinaire*, kobieto moich marzeń, moja najlepsza przyjaciółko, czy wyświadczysz mi ten zaszczyt i zostaniesz moją żoną?

Sugar przesunęła wzrokiem po rozległych pastwiskach swego dzieciństwa i przeniosła spojrzenie na rozkołysane liście drzew.

– No przecież, Theo Fitzgerald – odpowiedziała. – Kosztowało cię to tyle trudu, że niegrzecznie byłoby odmówić.

44.

Miłość zaowocowała na Południu, ale kiełkowała też na nowojorskim dachu.

Nate i Ruby mieli za zadanie opiekować się ulem pod nieobecność Sugar. A gdy już zajrzeli do środka i przekonali się, że wszystko gra, Ruby musnęła łokciem sąsiada i taki prąd ją przeszedł, jak opowiadała później Sugar, jakby zaraz miała wystrzelić w kosmos.

Nate był nieco bardziej zorientowany w temacie ewentualnego rozwoju ich znajomości, więc zaraz się połapał i wiedział, co robić. Poza tym miał na twarzy siatkę, która zawsze dodawała mu werwy w dziedzinie komunikacji.

– Mógłbym zrobić ci lunch? – zapytał. – Nie musisz go jeść. Po prostu przygotuję dla ciebie.

Doszedł do wniosku, że wprawdzie trudno mówić dziewczynom, co się do nich czuje, czasem jednak warto zaryzykować.

Ruby nie miała zamiaru jeść, ale z każdym posiłkiem przygotowanym przez Nate'a, zamiast czytać o cudzych szczęśliwych zakończeniach, dryfowała w stronę własnego.

Kiedy poszedł do „Citroena" na rozmowę kwalifikacyjną, czekał nań cztery godziny, podczas których do Nate'a dotarło, że Roland Morant to wypisz wymaluj jego dotychczasowy szef, więc nie chce mieć z nim nic wspólnego.

– Z deszczu pod rynnę – oznajmił upokorzony, stając w drzwiach.

Na widok jego markotnej miny Ruby wsunęła swoją drobną zimną dłoń w jego dużą i ciepłą, i z grubsza tak już zostało.

Wpadła również na pomysł, który miał odmienić nie tylko ich los, lecz i życie Loli.

Sklep z balonami vel salon tatuażu działał na pełnych obrotach i chociaż sprzedaż tych pierwszych w zasadzie pozostała bez zmian, igły Loli nie miały ani chwili spokoju. Drzwi się nie zamykały i potencjalni klienci wystawali na schodach, ku wielkiemu utrapieniu George'a.

– Powinieneś sprzedawać tam ciastka – zaproponowała kiedyś Ruby Nate'owi. – Przydałoby się coś do żarcia. I kawa.

Kiedy wyłuszczyli swój pomysł Loli, nawet jej się spodobał, miała tylko wątpliwości, czy to aby nie zbyt dziwne połączenie.

– Przecież to Alphabet City – zaoponował George na wieść o jej zastrzeżeniach. – Dziwni ludzie ciągną tu jak w dym, żeby nie czuć się dziwnie. Dla mnie pasuje.

Nate piekł, Ruby parzyła kawę, oboje dmuchali balony, a Lola tatuowała na potęgę, więc interes kwitł.

– Jak w komunie – powiedziała pani Keschl do pana McNally'ego, gdy któregoś wieczora wracali z lekcji tanga. – I chyba dzielą się resztkami, bo duży jakby zmalał, a mała... no cóż, została taka sama.

Zgodnie z obietnicą Ruby zgłosiła się do terapeutki z Upper West Side. Nie było łatwo: na każde dwa kroki w przód, przypadało półtora w tył – a czasem trzy. Do jej choroby nie znaleziono klucza, a wynik stał pod znakiem zapytania, ale przyjaciele zrozumieli, że Ruby chce zostać. A bliskość Nate'a sprawiła, że jej serce przestało głodować.

45.

Dzień drugiego ślubu Sugar Wallace zaczął się równie pięknie jak pierwszy, jednakże tym razem nie czuła strachu ani wątpliwości, tylko błogi dreszczyk wyczekiwania z nutką niezachwianej pewności. Z przyczyn, których przyjaciele nie uznali za stosowne jej wyjawić, zmuszona była opuścić mieszkanie na dwie doby poprzedzające uroczystość.

Na dachu Theo odbywały się przygotowania i część z nich miała zostać ujawniona dopiero w dzień ślubu, tak więc przyszła panna młoda zamieszkała u Ruby, która przeniosła się do Nate'a.

Odpowiadało to Sugar, która przez wspomniane dwa dni nie chodziła do kosmetyczki, fryzjera ani na masaże, tylko zbierała miód.

Nie lubiła tego robić w obecności pszczół: zawarły wprawdzie niepisaną umowę (opiekowała się nimi i vice versa), ale – jakkolwiek by na to patrzeć – poniekąd je okradała. Oczywiście Elżbieta Szósta miała to w poważaniu: odkąd Sugar zaręczyła się z Theo, robota ruszyła pełną parą i miodu wystarczyłoby dla całego Alphabet City.

Sugar jednak chciała jej oszczędzić tego widoku, toteż Nate pomógł jej znieść ociekające ramy do mieszkania Ruby i wspólnymi siłami we trójkę zeskrobali z nich miód.

Najpierw przelali go do wielkich kanistrów, skąd trafił do tuzina ceramicznych naczyń. Magiczne eliksiry miały powstać w dalszej kolejności.

Rankiem w dzień drugiego ślubu Sugar Wallace po raz pierwszy skosztowała miodu z Alphabet City i był to jej najsłodszy miód do tej pory. Poczęstowała przyjaciół, którzy pomagali jej w przygotowaniach, weseli jak rzadko.

– Migdałowe ciastka Nate'a sprzedały się wczoraj przed jedenastą – oznajmiła Ruby, patrząc, jak Sugar upina włosy w luźny kok, a Lola poprawia jej suknię.

– Dupy nie czuję – jęknęła Lola. – Znaczy, rąk. Pardon.

Lola wprawdzie miała słabość do puszystych kamizelek i minispódniczek ze skóry, lecz uszyła Sugar suknię jak z bajki. (Zaproponowała też tatuaż na plecach o treści SZKOCJA NA ZAWSZE, ale panna młoda nie skorzystała).

Suknia była z bladozłotego jedwabiu, który zdawał się ociekać z ramion i spływał aż do podłogi.

– Wyglądasz prześlicznie – oznajmił Jay i wytarł oczy. Płakał od chwili przyjazdu.

– Musisz się napić – powiedziała mu pani Keschl. – Ale pewnie wolałbyś coś z parasolką.

– W szafce obok lodówki jest butelka whisky – powiedziała Sugar i stanęła przodem do przyjaciół.

– Rzeczywiście niczego sobie – przyznała pani Keschl. – Chociaż gdybym wychodziła za mąż w twoim wieku, szarpnęłabym się na operację biustu.

– Może pani znów wyjść za pana McNally'ego i sama się szarpnąć – zaproponowała Lola.

– Wara od mojego biustu – odparła wyniośle pani Keschl.

– Raz w zupełności wystarczy. Poza tym miło znów być Keschl. Pożyjemy na kocią łapę i zobaczymy, co z tego wyjdzie.

– To się nazywa postawa – oznajmił Jay. – Kropelkę bourbona?

– Byle był z lodem i dawał kopa.

– Czuję, że się dogadamy.

– No to chlup! – I wychyliła duszkiem whisky.

– Gotowi? – zapytała Sugar i wsunęła stopy w złote sandałki. – Bo ja tak.

George czekał na dole, a guziki miał tak wypucowane, że dawały po oczach na kilometr.

– Panno Sugar Honey Wallace. – Podał jej ramię i udali się razem do domu Theo, gdzie pan McNally, Ethan, Nate i Księżniczka czekali już na nich na schodach.

Gdy weszli do mieszkania i skierowali się w stronę schodów na dach, George kazał jej zamknąć oczy.

Sugar posłuchała go, czując powiew, który zwiastował nadejście jesieni. Wszystko zmierzało ku lepszemu i musiała się uśmiechnąć na myśl o świetlanych perspektywach tych, z którymi los ją złączył.

Wraz z Elżbietą Szóstą zamieszka na Piątej Ulicy u Theo, lecz w ulu miała się pojawić nowa królowa, która pozostanie zapewne u Nate'a i Ruby na dachu domu przy Flores Street. Jeśli to nie wróży dobrze, to ona już nie wie.

George przeprowadził ją przez drzwi.

– Możesz otworzyć oczy – zabrzmiał z tyłu głos Ruby.

Sugar stała u wlotu alei smukłych drzew, z których każde usiane było milionem białych kwiatuszków i rosło w oddzielnej donicy, przewiązane białą wstążką z satyny.

– I co na to powiesz? – powiedział George. – Drzewa manuka z Nowej Zelandii.

To zabrało dwa dni i kosztowało majątek, ale Theo stworzył dla swej ukochanej raj dla pszczół, na dobre i na złe, w zdrowiu i w chorobie. Stał na końcu alei w kraciastym kilcie, z uśmiechem, który rzadko schodził mu z ust. Wiele ją kosztowało, by nie rzucić się biegiem i nie paść mu w ramiona.

Lecz ruszyła spokojnie, z Jayem u boku, któremu przypadł zaszczyt przekazania panny młodej w ramiona mężczyzny jej snów. Jej własnych i niczyich więcej.

Dopiero gdy stanęła obok Theo i wzięła go za rękę, zobaczyła ule ustawione w równym rządku i gardenię wyprostowaną na baczność przed Fernando Botero, a za nimi miejski horyzont.

– Theo! Jesteś pewny? Teraz, na naszym ślubie?

– Jestem pewny – odpowiedział. – Jak nigdy w życiu. – Z wolna odwrócił ją w przeciwną stronę i zobaczyła Bena.

A obok jego żonę i córki, dalej zaś Troya, też z żoną i dziewczynkami. Potem jej wzrok padł na ojca, uśmiechniętego od ucha do ucha, a za nim matkę, która stała z kamienną twarzą i wprawdzie nie patrzyła na córkę, ale była tu także.

W najważniejszym dniu życia córki.

Sugar postanowiła sobie, że się nie rozpłacze, z radości jednak zapomniała, że po raz pierwszy w życiu nie ma przy sobie chusteczki. Projekt Loli nie uwzględniał kieszeni. Na szczęście Nate stanął na wysokości zadania i poratował ją chustką, którą kiedyś sama mu dała.

I tak w obecności najbliższych Sugar Wallace poślubiła Theo Fitzgeralda, a pszczoły grzecznie pozostały w ulu.

Sugar Wallace i Theo Fitzgerald

Sugar „Honey" Wallace, 36, i Theo Fitzgerald, 40, pobrali się w minioną sobotę na dachu domu pana młodego w nowojorskim Alphabet City.

Poznali się na Avenue B, kiedy pani Wallace zjawiła się na Manhattanie z ulem, pojnikiem i zapasem miodu, który sprzedaje co niedziela na targu ekologicznym na Tompkins Square.

Pan Fitzgerald, który reprezentuje organizację działającą na rzecz bezdomnych, stwierdził, że od razu coś go tknęło, niestety, ich znajomość napotkała poważną przeszkodę. „Ona ma fioła na punkcie pszczół. A ja jestem na nie uczulony".

Według Ruby Portman, bliskiej przyjaciółki pani Wallace, wszyscy znajomi młodej pary od razu wyczuli, że coś się między nimi kroi, mimo nieprzychylnych okoliczności. „Musieliśmy ją z grubsza zaszantażować, żeby dała mu drugą szansę, po tym jak dał nogę na widok ula. Żądło mogłoby go zabić".

„Wiedziałem, że jeśli pokonam alergię, na zawsze zdobędę jej serce", powiedział pan Fitzgerald. „I tak się stało, zdobyliśmy się nawzajem. Jest wspaniała, piękna, dobra i mądra i mam nadzieję dożyć stu czterdziestu lat, żeby spędzić z nią kolejne sto i dzień w dzień cieszyć się jej widokiem".

Na pytanie, czy martwi się o męża w świetle swego zawodu, pani Wallace odpowiedziała:

„Moje pszczoły miały wiele okazji, żeby go dopaść, lecz tak się nie stało. One pierwsze zrozumiały, że jesteśmy sobie pisani. Brzmi dziwnie, jednak to szczera prawda".

PODZIĘKOWANIA

Tyle osób służyło mi pomocą podczas zbierania materiałów do tej książki, że z góry przepraszam, jeśli kogoś pominę. Mam już swoje lata. Bywa, że szukanie okularów zabiera mi pół dnia, a książka wykluwała się przez długi czas, więc... sami rozumiecie.

Jim (chyba tak miał na imię) z Seatoun pokazał mi mój pierwszy ul i przedstawił swoje pszczoły w pasiece z widokiem na Wellington Harbour. Wtedy zrozumiałam, że pszczelarze to zacna brać, i rzeczywiście, prawie bez wyjątku okazali się ludźmi dobrymi, pomocnymi i szczodrze dzielącymi się miodem. Dziękuję również Sylvain z Ngaio, Sarah z Wadestown oraz uroczej Denise i jej mężowi z Muriwai Beach.

Dziękuję Julie Chadwick, gościnnej duszy z Comvita w Zatoce Obfitości. Dzięki niej spędziłam dzień z ekspertami od miodu, Ralphem i Jonathanem, a później często dzwoniłam do niej z dodatkowymi pytaniami. Tak się składa, że ma bzika na punkcie miodu manuka 15+ firmy Comvita. Jest nie tylko przepyszny, ale chroni przed przeziębieniem i grypą, więc powinien się znaleźć w każdym domu. Wysłałam go nawet chorej kuzynce we Włoszech. Tak, wyzdrowiała. Choć, prawdę powiedziawszy, miód dotarł do niej po dwóch miesiącach.

Dzisiejsze pszczoły nie mają lekko, lecz dobra wiadomość jest taka, że możemy coś z tym zrobić – a mianowicie sami zostać pszczelarzami. Po więcej informacji na temat losu zapylaczy odsyłam do wspaniałej książki Hannah Nordhaus pod tytułem „The Beekeeper's Lament".

Dziękuję członkom nowojorskiego Zrzeszenia Pszczelarzy, zwłaszcza Jimmy'emu Johnsonowi, za popołudnie spędzone w ogrodzie botanicznym Narrows w Brooklynie. I mojej wspaniałej przyjaciółce Naomi Sarna: cudownie, że się poznałyśmy! Z całego serca dziękuję za wspólny czas spędzony w Twoim ogrodzie na dachu przy Osiemnastej Ulicy, a w zasadzie za cały poświęcony mi czas. Twoje towarzystwo to czysta przyjemność.

Dziękuję projektantce ogrodów z Manhattanu, Karen Fausch, za objaśnienie cyklów sadzenia roślin w mieście na półkuli północnej. Bez tego dach Sugar byłby tylko zbieraniną kauczukowców. Jan Werner przyjął mnie z otwartymi ramionami (w kombinezonie pszczelarskim) w Green Oasis Garden w East Village, podobnie jak Adam z kawiarni „Bridge". Twoje pszczółki mają niezły widok...

Dziękuję moim przyjaciołom z Nowego Jorku: całus dla Richarda Rubena za mieszkanie w Chelsea oraz drugi, za zapoznanie mnie z ideą targów ekologicznych przed laty; a także mojemu ulubionemu reniferowi Rickowi Guidotti za zdjęcie na dachu (poczytajcie o jego działalności charytatywnej na positiveexposure.org); Rogerowi za zbawienny wpływ oraz Toby'emu, bo go kocham. Dziękuję również Nicki i Luisie z Domus za ich wspaniałą gościnność i nieustającą przyjaźń, a także Jen i Donaldowi za dach nad głową w czasie burzy (w sensie dosłownym).

Dziękuję Stephanie Cabot z The Gernert Company, że jest moim niestrudzonym kibicem. Jesteś niesamowita. Dziękuję też Annie, Rebece i Willowi za trud.

Bliżej domu, mój serdeczny przyjaciel Michael Moynahan może odszedł, lecz nie w niepamięć. Poza tym nie odszedł w sensie zgonu, tylko z HarperCollins ANZ, mimo to nasza przyjaźń trwa. Michaelu, jesteś dla mnie źródłem wielkiej mądrości i wiedzy wszelakiej i prawie wybaczyłam Ci już incydent z udziałem Bułki z Wędzonym Łososiem, za którą Sama Musiałam Zapłacić w 2001 roku. Chociaż nie całkiem.

Annie, Amandzie, Kate, Pam i wszystkim z australijskiego HarperCollins, których męczyłam o okładkę – dzięki, że mi odpisywaliście! HarperCollins w Nowej Zelandii – lunch: niebawem! Dziękuję Rachel z William Morrow za wiarę.

Wszystkim czytelnikom, którzy odpowiedzieli na moje smętne wołanie o pomoc pod koniec „Za oknem cukierni" i do mnie napisali – KOCHAM WAS. Jesteście niezawodni. Piszcie.

Najbardziej chciałabym jednak podziękować wielkiemu, wspaniałemu miastu Nowy Jork. To jeden z najjaśniejszych klejnotów naszej planety, bez względu na wszystko. Darowałam sobie zakup koszulki z serduszkiem, ale ja naprawdę, naprawdę kocham to miasto. Parki, restauracje, teatry, salony kosmetyczne, wyprzedaże, ludzie i tamtejsze poczucie humoru sprawiają, że raz po raz wracam po więcej.

Podczas pracy nad niniejszą książką miałam szczęście spędzić w Nowym Jorku trzy miesiące w celach „badawczych", jak mawiają moi tak zwani przyjaciele, w dzielnicy, gdzie dzieje się akcja. Zrobiłam to z pomocą Nicka Capodice'a, którego poznałam w niesamowitym Tenement Museum (tenement.org) i który wziął nas na prywatny objazd szlakiem lokalnej gastronomii po Lower East Side (serio, bułki z „Russ & Daughters" są grzechu warte, podobnie jak naleśniki Vanessy z Eldridge Street). Wiele zawdzięczam też Robowi Hollenderowi, który oprowadził mnie po Alphabet City (leshp.org/walking-tours/alphabet-city).

À propos, w moim mniemaniu wszystko poniżej parku Tompkins Square nosiło kiedyś nazwę Lower East Side i stopniowo zasłynęło jak East Village. To szara strefa, w przeciwieństwie do samej okolicy, która jest bardzo zielona. W tej części Manhattanu znajduje się więcej ogrodów miejskich niż gdziekolwiek indziej, dzięki temu – jak sądzę – że w mrocznej przeszłości wiele budynków spłonęło, a że nikomu nie chciało się ich odbudować, przekształcono tę przestrzeń w ogrody. Od czasu kiedy byłam tam w roku 2011, na dachu szkoły publicznej w sąsiedztwie domu Sugar na rogu East 5th Street i Avenue B powstało gospodarstwo. Spacer po tej części miasta w słoneczny dzień jest jak podróż do Krainy Czarów, a jeśli znajdziecie Creative Littre Garden na East 6th Street, idźcie tam z kanapką, usiądźcie i podziękujcie Bogu za istnienie takich miejsc.

Czytelnicy często mnie pytają, skąd biorę pomysły na książki, a ja nie zawsze pamiętam (patrz wcześniejsza wzmianka o okularach), bo to skomplikowane, ale w przypadku tej historii pamięć mnie nie zawodzi i rzecz jest prosta jak drut. W 2009 roku mój kochany mąż Mark Robins i ja wyruszyliśmy we wspaniałą podróż po Stanach Zjednoczonych. Zaczęliśmy od Sandpoint w stanie Idaho (pozdrawiam Dana, Allison i moją Szkocką Siostrę Lesley), a następnie pojechaliśmy do Nowego Jorku, mojego ulubionego miasta na świecie. Potem polecieliśmy do Durham w Karolinie Północnej i pojechaliśmy do Charlestonu w Karolinie Południowej, niedorzecznie uroczego miasta, które natychmiast powinniście odwiedzić, jeżeli jeszcze nie mieliście okazji. Mogłam godzinami gawędzić z Marthą na werandzie jej pensjonatu przy Church Street 15, na południe od Broad. Tematów do rozmowy nam nie brakowało. Południowa gościnność to fakt, a my zaznaliśmy jej na każdym kroku podczas podróży do Savannah w stanie Georgia, następnie do Kentucky (któremu „zawdzięczam" upodobanie do whisky), dalej Nashville i Memphis w Tennessee i wreszcie Nowego Orleanu w Luizjanie. Na każdym kroku towarzyszyło nam pyszne jedzenie, muzyka i śmiech, poznaliśmy tam wielu wspaniałych ludzi.

Pod koniec naszej niesamowitej podróży zastanowiłam się nad tym, co jest dla mnie naprawdę ważne, i wymyśliłam sześć rzeczy: miłość, przyjaźń, dobre wychowanie, Nowy Jork, Południe oraz miód.

Z tej mieszanki powstały „Ślubne pszczoły". Powieść zrodziła się ze szczęśliwego okresu w moim życiu (wszystkie moje „badawcze" wyprawy są bardzo szczęśliwe), zajmuje więc szczególne miejsce w moim sercu i liczę, że jej nastrój Wam się udzieli.

Czasem zapominam docenić to, co mam, więc niech to będzie przypomnienie. À propos, mówię do siebie. Starość nie radość (vide okulary).

Jedynym minusem pracy nad tą powieścią jest poważne uzależnienie się od miodu. Wyżej wspomniany Mark Robins, który nadal gotuje, sprząta i utwierdza wrażliwą żonę pisarkę w przekonaniu, że podąża słusznym torem, wielokrotnie zastał mnie z łapą w słoiku miodu. Do dziś nazywa mnie MoBMR, czyli Misiem o Bardzo Małym Rozumku, na cześć

64797

mojego ulubionego bohatera książkowego i wspólnika w nałogu, Kubusia Puchatka.

Którego grałam w szkolnym przedstawieniu, kiedy miałam piętnaście lat. Co za obciach. Ale bycie miłym i puchatym to już coś, prawda?